미국
United States of America

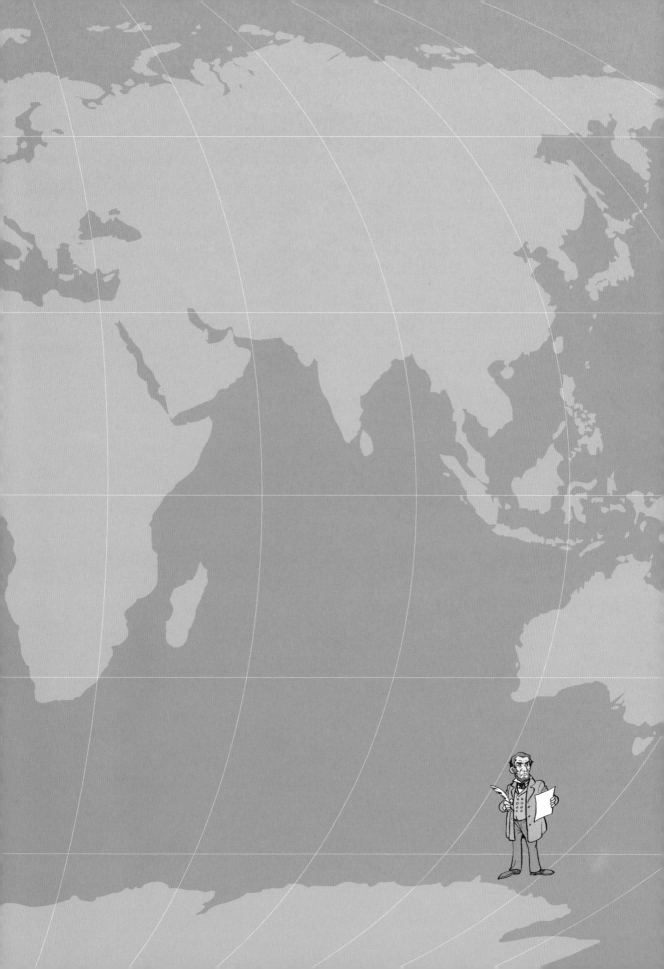

21세기 먼나라 이웃나라

미국

3

이원복

1946년 충남 대전 출생. 서울대학교 공과대학 건축학과를 졸업하였다. 1975년 독일 뮌스터 대학의 디자인학부에 유학, 졸업시 디플롬 디자이너(Dipl. Designer) 학위 취득과 함께 총장상을 수상하였으며, 같은 대학 철학부에서 서양미술사를 전공하였다. 당시 10년간에 걸친 독일과 유럽 체험은 『21세기 먼나라 이웃나라』를 쓰는 데 중요한 밑바탕이 되었다. 독일 뮌스터 시와 코스펠트 시 초청으로 개인전을 열었고, 현재는 덕성여대 산업미술학과 교수로 재직하고 있다. 『나란나란 세계사 도란도란 한국사』『부자국민 일등경제』『만화로 떠나는 21세기 미래여행』『신의 나라 인간 나라』 등 다수의 만화를 창작, 세계 역사와 문화, 경제와 철학을 재미있는 만화로 소개하는 일에 몰두해 왔다. 1993년에는 우리나라 만화 문화 정착에 기여한 공로로 제9회 눈솔상을 수상했다. 한국 만화·애니메이션 학회 회장(1998~2000), 미국 캘리포니아 얼바인 대학 객원 교수로도 재직했다.

홈페이지 : www.won-bok.com

펜터치 · 컬러링 그림떼(Grimmté Illustrator group)

덕성여자대학교 디자인학부에서 시각디자인을 전공한 일러스트레이터 그룹이다.
이원복 교수의 제자들로 구성되었으며, 일러스트와 카툰 일러스트를 주로 그리고,
그래픽 디자인 비즈니스의 새로운 장을 열어가고 있다.

대표 김승민(덕성여대 강사), 일러스트레이터 이지은, 천현정, 이아영, 김준미, 강인숙

이메일 : grimm4u@hanmail.net

21세기 먼나라 이웃나라 제12권 미국 3

이원복 글·그림

1판 1쇄 인쇄 2005. 1. 12. | 1판 78쇄 발행 2007. 4.12. | 발행처 김영사 | 발행인 박은주 | 등록번호 제406-2003-036호 | 등록일자 1979. 5. 17. | 경기도 파주시 교하읍 문발리 출판단지 515-1 우편번호 413-756 | 마케팅부 031)955-3100, 편집부 031)955-3250, 팩시밀리 031)955-3111 | 저작권자 ⓒ 2005, 이원복 | 이 책의 저작권은 저자에게 있습니다. 서면에 의한 저자와 출판사의 허락없이 내용의 일부를 인용하거나 발췌하는 것을 금합니다. | COPYRIGHT © 2004 by Rhie, Won-Bok All rights reserved including the rights of reproduction in whole or in part in any form. Printed in KOREA | 값은 표지에 있습니다. | ISBN 89-349-1507-2 77940 | 좋은 독자가 좋은 책을 만듭니다. | 김영사는 독자 여러분의 의견에 항상 귀 기울이고 있습니다. | 독자의견 전화 031)955-3104 | 홈페이지 www.gimmyoung.com, 이메일 bestbook@gimmyoung.com

21세기 먼나라 이웃나라

이원복 글·그림

United States of America

미국 3

대
통
령
편

김영사

차례

미국의 대통령은 세계에서 가장 힘이 센 사람이다. 세계 유일의 초강대국인 미합중국의 최고권력자이기 때문이다. 그런 자리에는 과연 어떤 사람들이 오를 수 있을까? 미국은 지금까지 200여 년 동안 42명의 대통령을 탄생시켰다.* 그들의 전직은 변호사, 군인, 교수, 기사에 심지어 재단사에 이르기까지 다양하다. 그러나 그들에게는 공통점이 있다. 그들은 미국의 대통령이었고, 그들의 시대에는 최고의 인물로 국민의 선택을 받았으며, 임기중에는 최선을 다하여 국가와 국민에 봉사하였다는 것이다. 그 중에는 훌륭한 능력을 지녔음에도 시대를 잘못 만나 실패한 대통령도 있고, 별다른 능력을 가지지 못했음에도 성공한 대통령도 있다. 그러나 이 42명의 대통령들은 최선을 다하였고 그리고 역사에 남았다.

우리나라는 건국 이래 미국식 대통령제를 채택하고 있다. 미국에서는 인류역사에서 처음으로 국민이 뽑은 지도자가 나라를 이끌었고, 이를 본떠 우리도 국민이 뽑은 대통령이 나라를 이끈다. 그런 만큼 우리에게도 대통령이란 직위는 나라의 방향과 운명이 맡겨지는 주요한 자리이다. 이런 의미에서 미국의 42명에 이르는 대통령들의 면모를 살펴보고 과연 어떠한 대통령이 성공하였으며, 또 성공의 이유는 무엇인가 알아보는 것이 중요하다. 이것이 『먼나라 이웃나라 미국 편』에 세번째로 대통령 편이 추가된 이유이다.

매일 우리는 좋으나 싫으나 신문과 방송에서 미국의 대통령에 대한 보도를 접하며 살고 있다. 그러나 우리에게 알려진 대통령들은 워싱턴, 링컨, 루스벨트, 그리고 20세기 후반의 대통령들로, 잘 알려지지 않은 생소한 대통령들이 더욱 많다. 업적이나 역사적 의미를 따진다면 대부분의 대통령을 젖혀두고 몇몇 주요 대통령만 다루어도 될 것이다. 그러나 폭풍이 휘몰아치던 날도, 따뜻한 봄바람이 불던 날도 달력에 하루로 기록되기는 마찬가지이며, 42명의 대통령들이 이런 하루하루로 그들의 임기를

* 현재까지 43대이지만 그로버 클리블랜드가 22대·24대 대통령으로 재임하여 42명

채워나갔다. 그런 만큼 그 어느 대통령도 미국의 역사에서 중요하지 않은 인물이 없다. 이것이 42명 대통령에 대한 내용을 기계적으로 6쪽씩 똑같이 할당한 이유이다. 이래야 일반적인 기존 평가보다 독자 스스로 객관적으로 평가하는 데 도움이 된다고 생각하며, 아울러 링컨과 같은 유명한 대통령에 대해서는 수많은 전기와 평전이 존재하지만, 그렇지 아니한 대통령들은 우리에게 영원히 알려지지 않을 수도 있기 때문이다. 이 책의 목표는 미국 대통령들의 업적을 다루는 것이 아니라, 미국 국민이 그 시대 최고의 인물로 선택한 그들 개개인의 특징과 인간적인 면모에 초점을 맞추는 것이다.

대통령을 공부하고 또 기술해나가며 결론적으로 느낀 것은 "성공한 대통령"의 공통점은 "시대(時代)의 도움"과 "비전(Vision＝미래를 통찰하는 안목과 철학)"이라는 것이었다. '위기'를 위기로 파악 못해 실패한 대통령도 있고 '위기'를 '기회'로 삼아 성공한 대통령도 있다. 그러나 성공한 대통령들의 뚜렷한 공통점은 시대를 읽는 통찰력과 이에 대한 명확한 방향을 잡은 '비전'이 있었다는 의미이다.

이 책이 나오기까지 물심양면으로 도와주신 김영사의 박은주 사장님과 직원 여러분, 그리고 나의 사랑하는 제자들의 모임인 그림떼에 진심으로 감사의 말을 전한다.

2005년 1월   이원복

『먼나라 이웃나라』가 책으로 묶여 처음 독자들에게 선을 보인 것이 1987년, 『새 먼나라 이웃나라』로 대폭 수정, 보완되어 출간된 것이 1998년이었다. 그동안 세상은 참으로 많이 변하였고, 무엇보다 세기가 바뀌었다. 우리는 이제 20세기를 마감하고 21세기로 접어든 것이다. 『먼나라 이웃나라』는 매 5년 단위로 내용을 크게 바꾸거나 고치는 작업으로 시대에 뒤떨어지지 아니하고 살아숨쉬는 내용을 독자들에게 제공하고자 노력하고 있다. 세상의 변화가 하루가 다르게 빨라져가기 때문에 더 자주 이 작업을 해야 할 것으로 예상된다.

『21세기 먼나라 이웃나라』는 두 가지 면에서 크게 바뀌었다.

첫째로 지금까지의 2도 인쇄에서 올컬러로 바뀌었고, 역사적 자료들이 훨씬 생생한 도판으로 보충되었다는 점이다. 영상 컬러 시대에 익숙해진 새로운 세대들에게 지금까지의 2도 인쇄보다 화려하지만 은은한 올컬러는 훨씬 생동감 있고 흥미롭게 느껴질 것이며, 읽고 보는 즐거움을 크게 더하리라고 믿는다. 또한 내용과 관련된 도판들이 생생한 자료로 제공되기 때문에 역사와 문화의 현장, 그리고 인류의 역사를 움직인 인물들의 실제 모습을 더욱 실감있게 체험할 수 있는 기회가 되리라고 자신한다.

거의 3,000쪽에 가까운 방대한 컴퓨터 컬러링 작업에는 나의 사랑하는 제자들로 구성된 일러스트레이터 그룹 "그림떼"가 헌신적으로 참여하였다. 그들에게 진심으로 감사의 마음과 사랑을 전한다. 또 김영사의 사장님과 전직원의 뜨거운 후원과 협력이 없었더라면 『21세기 먼나라 이웃나라』는 탄생할 수 없었을 것이다. 이분들 모두에게 고개 숙여 감사드린다.

아마도 만화로서 출간된 지 16년이 넘는 작품이 이처럼 꾸준한 사랑을 받아온 경우는 그리 흔하지 않으리라고 생각한다. 그런 만큼 긍지와 더불어 무거운 책임을 절감하며, 더욱 알차고 좋은 내용으로 독자들의 성원에 보답할 것을 약속한다.

2003년 12월 이원복

조지 워싱턴 1789~1797

민주주의의 주춧돌을 놓은 미국의 국부(國父)

이 위에 보통사람들의 신전이 세워지리라!

민주주의

George Washington

1732.2.22~1799.12.14

출생지 버지니아주 폽스크리크 Pope's Creek

부 인 마사 댄드리지 커스티스 워싱턴 Martha Dandridge Custis Washington 1731~1802

자 녀 없음/부인의 전남편 아이 2명

부통령 존 애덤스 J. Adams

조지 워싱턴은 미국인들이 가장 존경하는 국부이자 성인으로까지 추앙받는 위대한 인물이야.

그의 이름은 미국 수도와 주의 이름이 되어 그는 오늘도 살아 있지.

워싱턴 D.C.

워싱턴 주

워싱턴의 가장 중요한 의미는 무엇보다도 그가 미국의 첫 대통령이었다는 사실이야.

The 1st President of the USA

그는 세계 그 어느 나라에도 없었던 대통령이라는 자리에 선출되었고

대통령이 뭐 하는 직업이래?

백성이 뽑는 왕이라지, 아마….

아무도 겪어보지 않은 선출직 지도자로서

4년에 한 번씩 뽑는다던데….

왕치곤 아주 썰렁하네…!

아무런 선례가 없는 상태에서 차례차례 훌륭히 난관을 극복해나가며 새로운 국가의 기틀을 다진 인물이었어.

이 위에 강성한 나라를 세우리….

워싱턴은 버지니아주에서 부유한 농장주의 아들로 태어나

누군 팔자 좋아 부자 백인 아들로 태어나고….

응애~

학교 교육은 15세까지만 받았다.

도련님, 학교는 더 안 가세유?

난 공부하는 스타일이 아니야.

가발 →

그는 토머스 제퍼슨*이나 제임스 매디슨**처럼 역사에 대한 지식도 없었고 아이디어맨도 아니었지만

골치 아픈 건 질색이야….

* 3대 대통령 ** 4대 대통령

명석한 판단력과 탁월한 지도력으로 남을 이끌어갈 수 있는 훌륭한 지도자였어.

어린 시절 그에게 많은 영향을 준 사람은 이복형 로렌스였는데

항해 도중 에스파냐 배를 만나

로렌스의 군대생활 이야기에 이끌려 영국 해군에 입대하려고 했지.

그래. 사나이는 역시 바다에서 싸워야….

그러나 홀몸이 된 어머니의 만류로 해군 대신 토지측량관으로 15세부터 6년간 직업생활을 시작했어.

* 측량관 워싱턴(오른쪽)

21세가 되어(1753) 버지니아 민병대에 입대하였고

뒤에 영국군 정규군에 편성되어 프렌치-인디언전쟁에 참전하여 싸웠다.

프렌치-인디언전쟁

1754~1763

프랑스

영국

동맹

인디언

참전 후 부모로부터 상속받은 마운트 버넌 농장으로 돌아간 워싱턴은

* 마운트버넌의 워싱턴 저택

이때 그의 부인이 될 마사 댄드리지 커스티스를 만나게 된다.

그녀는 버지니아주 최고 갑부였던 다니엘 파크 커스티스의 미망인이었어.

Martha Dandridge Custis

1731년 출생
1749년 커스티스와 결혼
1757년 커스티스 사망
1759년 워싱턴과 재혼

1759년 마사와의 결혼으로 3,000명이 넘는 노예와 1만 7,000에이커의 땅이 워싱턴의 재산이 되어

장가들고 아들 둘 생기고

땅부자에 노예사단!

그는 토지만 2만 2,000에이커 (약 3,400만 평)나 되는 버지니아주 최고 갑부 중 하나가 되었지.

워싱턴, 땡잡았네!

그런 과수댁 어디 또 없나?

뒷날 워싱턴이 대통령이 된 뒤, 미국 연방정부 관리 전체의 수가 그가 소유한 노예수보다 적었으니

연방정부 공무원 전체 < 워싱턴의 노예

그가 세번째 대통령이 되기를 거부한 것도 이런 이유 때문이 아니었을까?

내 노예보다 적은 공무원들과 골머리 썩으니

고향에 가서 편히 사는 게 낫지….

마운트버넌 농장에서 조용히 지내던 워싱턴은 독립전쟁이 시작되자 식민지군 사령관으로 취임

* 델라웨어강을 건너는 워싱턴

온갖 악조건과 싸우면서 끝내 승리를 거두어 미국의 독립을 성취하였어.

이 그림은 사실과 다르게 미화시켜 그린 거래.

독립전쟁에서 승리한 워싱턴은 아무 미련없이 고향으로 돌아가버렸지만

노예와 아내가 있는 고향이 좋아!

개선장군이라고 뽐낸다는 소리 듣기 전에….

마운트 버넌

1787년 버지니아주 대표가 되고

장군님이 맡아 주셔야죠!

대표

드디어 미국 초대 대통령으로 선출되어 1789년 취임하게 돼.

당선!

대통령 선거 후보별 득표수	
○ G. 워싱턴	69
J. 애덤스	34
J. 제이	9
R. 해리슨	6
J. 러틀리지	6
J. 핸콕	4
G. 클린턴	3

조지 워싱턴은 185cm의 큰 키에 당당한 체구로 어디에서나 돋보였어.

독립전쟁을 승리로 이끈 영웅이었으나 군인으로서 워싱턴은 그의 인품만큼 빛을 발하지 못했고

군지휘자 조지 워싱턴 성적표

C+

총평 : 이기기보다 깨지는 편이 많았음.

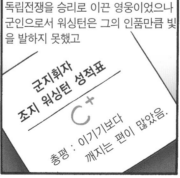

오히려 첫 대통령으로서, 특히 권좌에서 깨끗이 물러나는 모습이 그를 영원하게 한 거야.

빠이 빠이

대통령

미국이 탄생되고 워싱턴이 초대 대통령에 취임했지만

* 대통령 취임선서를 하는 워싱턴

미국 국민들은 대통령이란 자리가 무엇인지 전혀 이해하지 못하고 있었어.

대통령? 민주주의?

어쨌든 전세계 어느 나라에도 없는 거래.

대부분의 국민들은 대통령을 '선출된 왕' 으로 생각했고

왕도 뽑는 법이 있나?

미국엔 왕이 없으니까 처음엔 뽑아야지.

워싱턴 자신도 그렇게 생각하고 행동했다.

사회적인 계층은 사라지지 않는다.

지배계층

피지배계층

초기엔 그에 대한 칭호로 왕에게 붙일 수 있는 '전하' 라는 단어를 좋아했고

전하께 아뢰옵니다!

다른 나라의 왕들처럼 위엄있는 몸가짐을 가지고, 왕처럼 대접받기를 원했지.

또 다른 나라 왕들이 자신을 3인칭으로 언급하듯이

그는 말하도다, 환영하노라고….

왕이 신하와 같이 자신을 '나' 라고 하기엔 좀 그렇지….

워싱턴도 자신을 3인칭으로 언급했어.

그는 원한다. 저녁 식사를!

알겠습니다. 전하!

유럽의 왕실을 본받아 한없이 많은 접견회와 파티를 열었고

영국의 국왕처럼 그는 미국 전역을 여행하였으며

국민들은 국왕을 맞이하듯 화려한 축하행사로 그를 환영했지.

워싱턴 만세!!
와 전하 만세!!
와
워짱!

아마 그는 마음속으로 미국도 언젠가 영국, 프랑스, 아니 그보다 더 강대한 제국이 되리라는 꿈을 키우고 있었을 거야.

엠파이어 스테이트
(황제의 주: 뉴욕)

* 엠파이어 스테이트 빌딩

이러한 워싱턴의 제왕과 같은 언행으로

자기가 진짜 왕인 줄 착각하는 거 아냐?

새로 태어난 나라 미국의 새로운 직책인 대통령 지위는 처음부터 강력해졌어.

미국 대통령의 힘은 워싱턴 덕이다!

* White House Logo

즉 워싱턴은 그 누구도 겪어보지 않은 미국과 대통령직을 구체화하는 업적을 이룩한 거지.

대통령

워싱턴이 대통령에 취임한 1789년 이후 10년간은 미국 역사 그 어느 때보다 분열과 정치싸움이 심한 시대였다.

연방주의자 반연방주의자

으르렁

더욱 강력한 중앙정부를 만들려는 연방주의자들과

강력한 연방정부가

모든 주 위에 군림, 지휘해야 강한 나라가 된다!

연방정부

주 주 주 주 주

주의 독립과 자주를 지키려는 반연방주의 자들의 투쟁이 극심했던 거라고.

중앙정부는 있어야 하지만

작고 조정만 해야 한다!

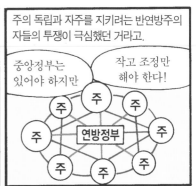

주 주 주 주 연방정부 주 주 주 주

워싱턴은 내각에 두 파의 인물들을 고르게 등용하여 균형을 잡아

연방주의자 반연방주의자

자칫하면 유혈충돌로까지 번질 수 있는 사태를 조정했는가 하면

잠깐!

수천 명의 농민들이 납세거부운동으로 일으킨 위스키반란을

아무리 정부예산이 없다고 그렇게 세금을 높이면

위스키가 안 팔려 우리는 굶어 죽으란 말이냐?

단호하게 무력을 사용하여 진압해 정부의 위신을 세우는 등

쾅

억압과 조정을 정교하게 배합하여 지도자로서 뛰어난 면모를 보여주었지.

1797년 두 번에 걸친 임기가 끝나자 모든 사람들은 그가 대통령직에 계속 머물러줄 것을 간청했어.

영원히 대통령에….

아니, 아예 왕으로 모십시다!

그러나 그는 이 요청을 단호히 거부했다.

만약 내가 세 번씩 대통령직을 맡는다면

장기집권을 위한 무서운 정치싸움이 계속될 것이오!

재선, 3선, 4선… 영구집권!

대통령직을 떠나면서 워싱턴은 유명한 '고별사'를 발표한다. 이는 오늘날까지도 미국인들의 신념에 신성한 사료로 살아 있어.

잘 있거라, 나는 간다. 이별의 말과 함께….

Farewell Address

이 고별사에서 그는 무엇보다 통일의 중요성을 강조하고

갈라서면 안 된다!

USA

주 주 주 주

미국민들에게는 정당간의 극심한 대립을 경고하고

싸움 좀 작작 해라!

대외적으로는 외국에 대한 지나친 종속과 적대감을 경계하도록 했지.

약소국이라고 너무 굽신대지도, 너무 미워하지도 마라!

임기를 마친 그는 미련없이 자신의 사저가 있는 마운트버넌으로 돌아갔고, 2년 뒤인 1799년 세상을 떠났어.

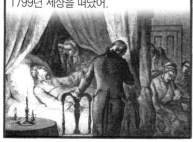

* 워싱턴의 임종

그가 세운 두 번까지만 대통령 임기를 맡는다는 전통은

1기　　2기

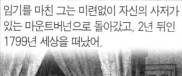

4년　　4년

1940년 프랭클린 D. 루스벨트가 깨기까지 철칙처럼 지켜져온 절제의 미덕이었다.

루스벨트 이후

3선 출마금지 수정헌법 22조 추가.

4선

워싱턴은 미국 건국의 아버지인 초대 대통령이자, 떠날 때 떠나는 지도자의 모습을 보여준 미국인의 성자이다.

바이 바이

워싱턴은 귀족정치를 지지하고 또 왕처럼 행동하여 정치를 결코 대중화하지는 않았음에도

권력은 아무나 갖고 노는 게 아냐.

권력　위험

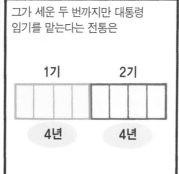

미국의 대중민주주의를 창조해내는 데 큰 역할을 했지.

조지 워싱턴

그는 평범한 보통 사람들의 지배를 가능케 한 비범한 인물이었다!

존 애덤스 1797~1801

국가를 위해서 내 야망을 버린다!

John Adams

국가를 위한
소신

No!

No!

John Adams

연방주의자, 1735.10.30 ~ 1826. 7. 4

출생지 매사추세츠주 브레인트리Braintree

부 인 애비게일 스미스 애덤스
　　　Abigail Smith Adams 1744~1818

자 녀 애비게일, 존 퀸시, 수재너, 찰스, 토머스

부통령 토머스 제퍼슨T. Jefferson

워싱턴의 뒤를 이어 제2대 미국 대통령에 당선된 존 애덤스는 사실 대통령에는 어울리지 않는 인물이었어.

그의 현명함과 풍부한 지식은 미국을 창조하는 데 큰 공을 세웠지만

까다롭고 신경질적이며 다혈질의 기질은 정치적인 적을 많이 만들어 실패한 대통령이 되었기 때문이지.

재선

애덤스는 당대 그 어떤 인물보다도 깊고 폭넓은 지식을 갖춘 인물이었다.

존 애덤스　토머스 제퍼슨　벤저민 프랭클린

그는 매사추세츠주 브레인트리*의 부유한 가정에서 태어나.

보스턴

브레인트리
Braintree

하버드대학을 마치고 1758년 23세의 나이에 이미 변호사가 되었지.

우매~ 천재났네! 어찌 그 나이에 벌써….

이 시절엔 다 그랬다우.

* Braintree: 지금의 퀸시(Quincy)

그는 특히 영국의 법과 역사에 대해 해박한 지식을 지녀

식민지에서 법과 역사를 공부했다면

당연히 본국인 영국의 것이지.

대통령에서 물러난 뒤 죽을 때까지 이 분야에 많은 저서를 남겼어.

애덤스의 과격하고 급진적인 성향은 6촌형인 새뮤얼 애덤스에게 받은 영향이 커.

새뮤얼 애덤스

1722~1803
미국 독립운동가

1765년 인지조례법 반대투쟁으로 정치에 뛰어들었고

식민지의 모든 상품은 세금을 냈다는 인지를 붙여야 한다.

절대 반대!

영국   아메리카

5년 뒤엔 놀랍게도 보스턴학살에 연관된 영국군 장교를 변호하기도 했다.

영국인을 변호하다니!

직업은 직업 아니야?

애덤스는 토머스 제퍼슨과 함께 독립선언서 작성에 참여하는데

THE DECLARATION OF INDEPENDENCE
독립선언서

이때의 동지 제퍼슨은 뒷날 가장 큰 정적으로 변하여 그와 대립하게 돼.

연방주의   반연방주의

그는 1780년 출신주인 매사추세츠주의 헌법 초안을 만들기도 했어.

실력이 녹스나…

나중에 연방헌법을 만들 때도…

독립전쟁이 막바지에 이르러 파리에서 영국과 독립협상을 벌이게 되었을 때

애덤스는 벤저민 프랭클린, 존 제이와 함께 협상대표로 참가하여

B. 프랭클린   J. 제이   J. 애덤스

1783년 미국 독립을 영국으로부터 승인 받은 주역이었고

캐나다를 집적대지 않겠다면 독립을 인정하리다!

1789년 미합중국 초대 부통령에 취임했지.

비밥빠 바밤

1797년 제2대 대통령으로 취임한 존 애덤스는

나는 헌법을 준수하고…

두번째로 득표수가 많은 대통령 후보를 부통령으로 뽑던 당시의 제도에 의해 토머스 제퍼슨을 부통령으로 맞게 되었고

골치 아프게 됐군.

제퍼슨은 임기 4년 동안 애덤스를 도와주기보다 끝까지 그의 정책에 반대하며 괴롭혔어.

발목잡기의 굿판을 당장 그만두어라!

그 이유는 제퍼슨이 철저한 반연방주의 세력의 중심지도자였고

연방정부가 커지면 주의 자유와 독립을 억제할 것이다!

제퍼슨파

애덤스는 열렬한 연방주의자로 정치이념이 정반대였기 때문이지.

연방정부가 강력하지 못하면 3류 국가에서 벗어나지 못한다!

애덤스파

자연 대통령과 부통령 사이에 불화와 감정의 골이 깊어만 갈 수밖에…

우지직
미국

애덤스가 대통령으로서 당면한 가장 심각한 문제는 영국, 프랑스와의 갈등이었어.

프랑스   영국
미국

미국은 갓 태어난 보잘것없고 허약한 국가에 지나지 않았고

저… 힘 없어요….

아메리카 대륙에서 영향력을 발휘하려고 경쟁하는 영국과 프랑스는

아메리카

서로 미국을 무릎 꿇려 자신의 손아귀에 휘어잡으려고 으르렁대던 터였지.

우리와 손잡지 않으면 재미없어!

특히 영국은 미국의 배들을 나포해 가고 미국 선원들을 영국군으로 강제 징용하는 등

미국으로서는 도저히 그대로 있을 수 없는 지경에 이르렀던 거야.

아무리 약한 나라라고 이렇게 막 나갈 수 있는 거냐?

애덤스는 영국과 전쟁상태에 있는 프랑스에 3명의 비밀특사를 보냈는데

프랑스를 끌어들여 영국의 횡포를 견제하자.

이이제이 (以夷制夷)

이것이 바로 이른바 'XYZ사건' *으로 알려진 밀사파견사건이었지.

* 비밀특사이므로 XYZ

밀사들이 파리에 가 미국의 입장을 설명하자 프랑스 외무장관 탈레랑은 거액의 뇌물을 요구했고

* 뇌물을 요구하는 프랑스(풍자만화)

이 사건이 알려지면서 미국은 발칵 뒤집혔어.

대통령이 의회에 묻지도 않고 밀사를 보내?!

그리고 온갖 수모만 받고 왔다고?!

해밀턴 등 친영 반프랑스의 연방주의자 세력은 프랑스에 대한 강력한 응징을 요구했고

오만방자한 프랑스를 그냥 둘 거냐?

당장 선전 포고해라!

와와

그들에게 등을 떠밀려 애덤스는 선전 포고도 없이 프랑스와 전쟁상태에 돌입하였지.

앗쭈!

텅

그와 동시에 프랑스에 대한 반감이 크게 높아져

친프파 몰아내자!

친프행위 근절하자!

프랑스를 찬양 동조하는 것은 곧 이적행위다!

프랑스 등 외국에 협조적인 자들을 벌줄 수 있는 '외국인법'에 애덤스는 서명하였어.

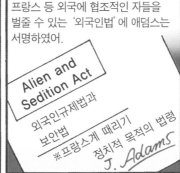

Alien and Sedition Act

외국인규제법과 보안법

※프랑스계 때리기 정치적 목적의 법령

J. Adams

이 법은 선동을 방지하고 간첩, 배신 행위를 막는다는 구실이었지만

프...

프랑스를 찬양하는 매국노다!

실질적으로는 국민들의 입과 귀를 틀어막는 아주 비민주적인 법이었어.

국가안보가 위태로우므로….

자연 프랑스에 우호적인 제퍼슨 등 반연방주의자들의 반발은 거세어졌고

프랑스를 옹호하는 건 곧 정권퇴진운동 이다!

국민의 입을 막아버리겠다는 음모다!

연방주의자들과의 싸움도 더욱 거세어 졌지.

반영!

반프!

별다른 명분도 실리도 없이 분풀이 같은 전쟁을 벌이던 애덤스는

지금 전쟁은 왜 하는 거래?

나도 몰라….

결국 프랑스와 휴전을 하게 되었는데

쓸데없는 소모전, 이제 그만합시다!

좋소. 우리도 영국과 싸우기에 바빠요.

이번에는 친영파인 연방주의자들이 격분 하여 애덤스에게서 등을 돌려버렸어.

같은 연방주의자면서 동지들을 배신해?

애덤스는 미국의 국익을 위하여 밀사를 보내고 프랑스와 휴전을 했지만

한쪽은 전쟁 하라 난리고,

다른 한쪽은 그만두라 난리고

당파싸움에 나라만 멍드는 거 몰라?!

정적인 반연방주의자들(제퍼슨파)은 물론

반민주주의자! 국민탄압! 골수친영파 같대!

동지인 연방주의자들(해밀턴파)에게도 버 림을 받는 처지가 되었던 거야.

변절자 배신자 줏대 없는 대통령 무능!

그의 소신있는 외교와 국정은 적과 동지 모두의 외면을 받았고

1800년 대통령 선거에서 제퍼슨에게 패배하고 말았지.

순위	후보	득표
1위	토머스 제퍼슨	73
2위	아론 버	73
3위	존 애덤스	65
4위	C. 핑크니	64

그는 국가를 위해서 대통령 재선이라는 개인적 야망을 내던진 거라고.

대통령 한 번 더 하려고 내 소신을 굽힐 수 없다!

여론몰이 굿판은 너무 싫다!

그러나 신경질적이고 급한 성격은 임기가 끝날 때도 그대로 드러났는데 제퍼슨의 취임식에도 참석하지 않고

제퍼슨은 꼴도 보기 싫어!

취임식장 →

임기 마지막날 밤에 제퍼슨에 반대하는 존 마셜을 연방 대법원장에 임명하고

두고두고 제퍼슨 좀 괴롭혀주게.

당근이쥐!

정부 요직에 자기파 사람을 대거 임명하여 '심야내각' 이라는 말을 들었지.

제퍼슨, 좀 힘들 거다!

발령공고
××장관
△△장관
××장관
△△장관
○○장관
△○장관
몽땅 애덤스파 연방주의자

22

마셜의 대법원장 임명은 결과적으로 사법부가 임명권자인 대통령의 권한에서 독립하여

이런 이런 정책을 시행한다!

저런 저런 이유로 불법이다!

대통령

연방법원

의회, 정부, 법원이라는 3권의 분리에 대단히 중요한 계기가 되었어.

대법원장을 대통령이 임명하는데도

임명장 받으면 그걸로 대통령과 끝!

대통령 선거에서 패배한 존 애덤스는 고향인 브레인트리로 돌아가

고향에 돌아와도 ♪ ♫ #

BRAIN-TREE

세상을 떠날 때까지 25년간 저술활동에 전념했지.

오랜 동지이자 적이기도 했던 제퍼슨과

허무한 인생인데 왜 그리 미워했을까… 잘못했네….

마지막에는 화해를 하게 되었어.

미안허이… 나 부통령 때 너무했지?

1826년 7월 4일, 미국이 독립한 지 꼭 50년이 되는 독립기념일

존 애덤스는 세상을 떠났다.

운명하기 직전 그는 이렇게 중얼거렸다고 해.

토머스 제퍼슨은 아직 살아 있는데….

그러나 그것은 사실이 아니었어. 제퍼슨은 그보다 몇 시간 전에 세상을 떠났거든.

존, 나 먼저 가네….

국가를 위해서 개인의 야망을 기꺼이 희생했던 존 애덤스.

개인 국가

그에게서 진정한 지도자의 평가란 정치적 실패와는 관련없음을 발견하게 된다.

헌법의 아버지, 진정한 애국자…

John Adams

토머스 제퍼슨 1801~1809

'미국 독립선언의 기초자, 버지니아 신교자유법의
기초자, 버지니아대학의 아버지 여기 잠들다' *

루이지애나

기존의
미국 영토

미국의 영토를
두 배로 늘리다!

Thomas Jefferson

반연방주의자(민주-공화당), 1743.4.13~1826.7.4

출생지 버지니아주 구치랜드카운티
Goochland County

부 인 마사 웨일즈 스켈턴 제퍼슨Martha
Wayles Skelton Jefferson 1748~1782

자 녀 마사, 제인, 이름 미상의 아들, 메리,
우드슨, 비벌리 헤밍스, 매디슨 헤밍스,
이스튼 헤밍스

부통령 아론 버A. Burr 1801
조지 클린턴G. Clinton 1805

* 토머스 제퍼슨의 묘비명

토머스 제퍼슨은 미국 역대 대통령 중
가장 폭넓은 교양과 재능을 지닌 인물로

벤저민 프랭클린과 더불어 18세기
최대의 르네상스적 인간*으로 평가된다.

그와 같은 대통령이 지도자였음은 분명
미국의 크나큰 행운이었다.

대통령제가
군주제보다
나은 점은?

그 시대에 가장 뛰어난
인물을 지도자로 선택
할 수 있다는 거지!

* 인간중심으로 사고하며 모든 분야에 해박한 지식을 지닌 사람

제퍼슨은 190cm나 되는 거구로
워싱턴보다 체격이 당당했지만

나도 꽤
큰 키인데….

소탈하면서도 대중 앞에 나서기를 꺼리고
수줍어하는 성격으로

모두들 각하의
연설을 기다립니다.

나 안 해!

8년에 걸친 대통령 재직 기간에 단 두 번
대중 앞에서 연설을 했어.

첫번째 대통령
취임연설

두번째 대통령
취임연설

그는 농장주이자 법률가였고, 외교관이며 건축가인데다 과학자인 동시에 철학자

그리고 발명가이고 취미음악가이자 대학 창립자이며 미합중국의 대통령이었지.

제퍼슨은 버지니아주 앨버마를카운티*의 유명하고 부유한 플랜테이션 농장주의 아들로 태어났어.

토머스 도련님.

* Albemarle County

윌리엄앤드메리대학을 마치고 법률가로 사회활동을 시작한 그는

명예혁명으로 영국의 왕이 된

WILLIAM & MARY UNIVERSITY

윌리엄 공과 메리 공주의 이름을 딴 대학

유럽의 계몽사상과 인권운동에 크게 영향을 받아

계급의 사슬을 끊으라!

사람 위에 사람 없고 사람 밑에 사람 없다!

1769년부터 반영국투쟁의 대열에 합류하였고

反英親佛

영국은 싫고 프랑스는 좋다.

1776년 그 유명한 미국 독립선언서를 기초한 인물이야.

나는 386세대!

30대에 독립운동 시작 80년대(1780) 의원활동 60대 대통령 재임

독립선언서

독립전쟁 기간에는 버지니아 주지사를 역임하여

나는 군인이 아니니 후방에서….

쾅쾅!

버지니아주에서 노예제도를 폐지하는 절차를 시작했는데

언젠가는….

노예제도를 비난하면서도 노예를 소유했던 건국 초기의 많은 미국인 중 하나였지.

노예제도는 참으로 부끄럽고 비인간적이다.

하지만 없으면 아주 불편해!

그러나 제퍼슨은 노예제도로 인한 남북 전쟁을 놀라울 만큼 정확하게 예언했어.

노예제가 원인이 되어 참혹한 유혈사태가 벌어질 것이다!

그는 미국의 중앙정부를 지지했지만 각 주의 자유와 독립을 더욱 중요하게 생각했고

각 주의 자유, 독립

중앙 정부

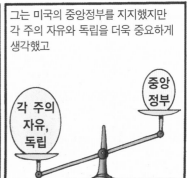

또한 미국을 농민의 나라로 생각하여 산업화를 바람직하지 않게 여겼어.

저 드넓은 벌판…! 미국은 평화로운 농업 국가로 가야….

자연 제퍼슨은 반연방주의자들의 핵심인물로

농민중심, 반연방주의, 친프랑스.

Jeffersonian
제퍼스니언

연방주의자들의 핵심인물인 알렉산더 해밀턴과 대결하였지.

도시, 귀족적, 연방주의, 친영국, 상업, 산업중시.

Hamiltonian
해밀터니언

그의 주도 아래 각 주의 자유와 권리를 보장하는 권리장전이 수정헌법으로 채택되었어.

권리장전
=Bill of Rights

권 리 장 전
헌법

1797년 부통령에 취임한 제퍼슨은 4년간 대통령 애덤스를 돕기보다 계속 대결하였는데

당신, 부통령 맞아?

특히 위헌적인 보안법 철폐를 위해 총력을 기울였다고.

외국인규제법과 보안법*

* Alien and Sedition Act

1800년 대통령 선거에서 제퍼슨은 애덤스의 재선을 막고 자신이 당선됨으로써

대통령

미국 역사 최초로 평화적 정권이양에 성공한 기록을 세웠어.

연방주의자 → 반연방주의자

G. 워싱턴   정권   T. 제퍼슨
J. 애덤스

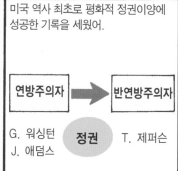

이를 계기로 반연방주의자들은 민주-공화당을 창당하여, 미국 최초의 정당이 태어나게 되었지.

Democratic
Republican
Party

또한 제퍼슨 대통령은 트리폴리에 출몰하는 해적의 진압을 돕기 위해 미군을 보냈는데,

* 해적을 진압하는 미군

이것이 미국 역사 최초의 해외파병으로 기록돼.

그러나 제퍼슨의 최대 업적은 바로 루이지애나의 구입이었어.

부동산
특가세일
루이지애나

-나폴레옹-

루이지애나의 구입으로 미국의 영토는 두 배로 늘어났고

그 넓은 미개척지야말로 미국의 발전에 결정적인 요인이 되었지.

'쓸모없는 땅'에 큰돈을 쏟아붓는다는 비난에 대해

쓸데없는 짓한다 아이가?!

수도 건설에 쓸 돈도 모자라는데 그게 무슨 짓이고?

제퍼슨은 이렇게 대답했다.

그대는 저 끝없는 서부의 하늘을 바라볼 수 있는 것만으로도 어찌 행복하지 아니한가?

그러나 루이지애나의 구입은 노예제의 찬성과 반대라는 문제를 안고 있었고

새로 연방에 가입하는 주에게

노예제를 허용할 것인가, 금지할 것인가?

제퍼슨은 임기 후 50여 년 뒤에 남북 전쟁이라는 혹독한 대가를 새 영토에 치르게 돼.

건국부터 남북 전쟁까지의 미국 역사는

노예제를 둘러싼 갈등의 역사였죠.

미국의 영토는 순식간에 두 배로 늘어났지만, 새 영토는 아무도 가보지 않은 곳

나폴레옹은 알고 팔았나?

판 사람, 산 사람도 모르는 '묻지마' 부동산 투기였네.

미시시피강과 콜로라도강도 구별하지 못하던, 아무도 모르던 미지의 땅이었지.

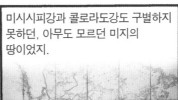

* 제퍼슨이 참고했던 애로스미스 지도(1802, 런던)

제퍼슨은 루이스와 클라크를 보내 태평양까지 새 영토를 탐사하게 했어.

그들이 가져온 정보가 서부개척에 결정적인 계기가 되었지.

음… 미시시피 서쪽에는

이런 것들이 있구나!

Lewis & Clark 보고서

1804년 선거에서 제퍼슨은 손쉽게 재선에 성공해.

1804년 선거결과	
민주–공화당	연방주의자당
토머스 제퍼슨	찰스 C. 핑크니
조지 클린턴	루퍼스 킹
162	14
선거인단수	

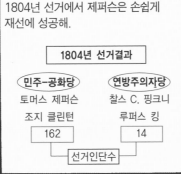

그러나 두번째 임기 동안 제퍼슨은 날로 추락하는 인기와 정적들의 공격에 시달려야 했어.

대통령 못해 먹겠다는 거 아냐?

제퍼슨 지지도

그의 앞선 사상은 기독교로부터도 맹렬한 공격을 받았고

대통령이 비기독교적이다!

정적인 애덤스 전 대통령이 임명한 연방 대법원장 마셜과의 갈등도 심각했지.

위헌!
NO!
불가!
위법!

연방대법원

그러나 그의 임기중 가장 큰 실책으로 지적되는 것은 1807년에 그가 서명한 출항금지법*이었어.

STOP

* Embargo Act

나폴레옹전쟁으로 영국과 프랑스가 싸우는 동안 미국은 중립을 선포했지만

중립

영국과 프랑스 해군은 미국이 적국에 수출을 한다며 툭하면 미국 상선을 나포, 물건을 빼앗고

압수!

심지어 선원을 납치하여 자기네 군대에서 싸우게 하는 등 피해가 심각했다.

총에 맞을래?
아니면 쏠래?

이에 제퍼슨은 해외무역선에 대해 미국의 모든 항구를 폐쇄하는 법을 시행했지.

어차피 영국이나 프랑스에 당할 것
아예 배를 띄우지 않으면 된다.

국제선출항금지

그러나 이 법으로 미국 무역은 치명적인 타격을 입어 미국 경제는 엉망이 되었고

경제
수출

제퍼슨에 대한 국민들의 원망은 높아져 인기는 바닥으로 곤두박질쳤어.

구더기 무서워 장 못 담나?
배가 못 뜨면 수출길이 막히는데
제퍼슨이 우릴 굶겨죽일 작정인가?

1809년, 인기가 최악으로 떨어진 상황에서 그는 대통령직에서 물러나

거의 쫓겨나다시피 ....

대통령

몬티첼로에 있는 그의 자택으로 돌아갔고

내 쉴 곳은 오직
내 집뿐이리

MONTI-CELLO

말년에는 버지니아대학을 설립하고 미국 철학협회 회장을 맡는 등 학술활동에 전념했지.

University of Virginia

뒷날 미국인들은 제퍼슨의 업적을 기려 '몬티첼로의 철인(哲人)'이라고 그를 칭송했다.

눈에 보일 때는 귀한 분인 줄 모르는 법….

MONTI-CELLO

그는 인간평등을 주장하는 계몽사상가이자 시대에 앞선 사고를 하는 선각자였지만

인간은 자유롭게 태어났으며, 모두가 평등하다!

평생 200명이나 되는 노예를 거느린 대농장주였다는 점에서 한계를 갖고 있었다.

주인님, 그 말 정말입니껴?

또한 민주주의를 외치면서도 민중에게 권력을 주어서는 안 된다는 견해를 지녀

이건 아무나 갖고 노는 게 아냐!

권력

결국 태어나면서부터 능력있는 소수 특권층이 지배해야 한다는 반민주적인 성향과

말만 민주주의지 사실상 귀족주의네!

소수 특권층

인디언을 박해했다는 부정적인 면모도 가지고 있지.

날 그렇게 너무 비판하지 마.

200년 전 시대를 지금과 비교할 수 있겠냐?

† Thomas Jefferson

반연방주의자답게 그가 설계한 수도 워싱턴은 대학 캠퍼스 크기의 작은 것이었는데

작은 정부의 행정수도 – 제퍼슨

* 제퍼슨이 설계한 워싱턴

제국을 꿈꾸었던 워싱턴의 바람에 의해 웅장한 규모로 다시 설계되었던 거야.

미래 대제국의 도읍 – 워싱턴

* 워싱턴이 희망한 수도

대통령이 될 무렵 제퍼슨은 거의 20년간 아내 없는 독신으로, 영부인이 없는 최초의 대통령이기도 해.

홀아비에게 웬 애들이 이리 많대요?

남의 밭에 씨 뿌린다고 싹 안 나냐?

제퍼슨 전기

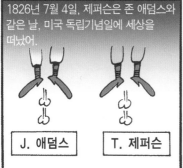

1826년 7월 4일, 제퍼슨은 존 애덤스와 같은 날, 미국 독립기념일에 세상을 떠났어.

J. 애덤스

T. 제퍼슨

그는 끊임없이 연구하고 사색하고, 실천한 진취적인 인간의 대명사야.

내 묘비에 미국 대통령이었다는 말은 넣지 마라.

내가 한 일 중에 가장 별볼일없는 것이었거든!

몬티첼로에 있는 그의 자택도 그가 손수 설계한 집이지.

제임스 매디슨 1809~1817

3권분립, 견제와 균형의 헌법을 창안하다

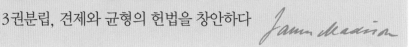

James Madison

민주-공화당, 1751.3.16~1836.6.28

출생지 버지니아주 포트콘웨이 Port Conway

부 인 돌리 페인 토드 매디슨 Dolley Payne
Todd Madison 1768~1849

자 녀 없음

부통령 조지 클린턴 G. Clinton 1809
엘브리지 게리 E. Gerry 1813

제임스 매디슨은 미국 독립 이후 재임중 또다시 영국과 전쟁을 치른 첫 대통령이다.

당시의 미국은 태어난 지 20년밖에 안 되는 보잘것없는 3류 국가였으니

USA

까꿍!

세계를 호령하던 영국과 프랑스에겐 걸음마를 막 시작한 어린아이에 지나지 않았지.

뭐야, 가지고 놀겠다는 거니?

USA

나폴레옹의 프랑스와 숙적 영국은 어떻게든 북미 대륙을 자신의 영향권으로 끌어들이기 위해

지금 휘어잡아 놓아야….

프랑스 쪽에 붙으면 골치 아파져.

치열한 신경전을 벌이고 있었으며, 미국도 친영파, 친프랑스파로 나뉘어 대립하다가

I ♥ 프랑스

그래도 우리의 뿌리는 영국

결국 친프랑스파의 우세로 미국은 영국과 전쟁을 시작, 결국 승리하여 진정한 미국의 독립이 확인되었던 거야.

이젠 다시 집적 거리지 못하겠지?

제임스 매디슨은 버지니아주에서 부유한 플랜테이션 농장주의 아들로 태어나

또 버지니아 출신이냐?

큰 부자가 버지니아 말고 또 있나?

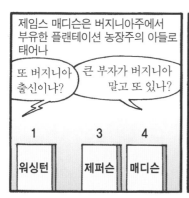

1 워싱턴
3 제퍼슨
4 매디슨

뉴저지대학(지금의 프린스턴대학)을 졸업하고 법률가가 되었지.

* 젊은 시절의 매디슨(찰스 W. 필 그림)

그는 '헌법의 아버지'로 기억될 만큼 미국 역사에서 빛나는 존재야.

법이라면 내게 물어봐.

그는 헌법 초안에 주도적인 역할을 하였는데

자, 어떤 나라를 만들 것인가?

지금까지 그 어느 나라에서도 상상조차 못한 권력의 분할

권력이 집중되면

유럽의 군주제와 조금도 다를 게 없다!

입법 행정 사법

즉 권력을 입법, 사법, 행정부 셋으로 쪼개고

입법 사법 행정

이 세 권력이 서로 견제, 균형을 잡도록 하는 미국 헌법의 기본원칙은

CHECK & BALANCE

견제 균형

바로 제임스 매디슨의 머리에서 나온 아이디어였던 거지.

영국 의회제도를 참고하되

'왕–의회'를 '3권분립'으로…

이 기본원칙은 미국 연방헌법은 물론 미국의 모든 주헌법 전체를 지배하는 것으로 민주주의제도의 기본이 되었어.

베껴, 베껴….

연방 헌법

그는 친구이자 동지인 토머스 제퍼슨과 함께 반연방주의전선의 중심인물 가운데 하나였다.

중앙정부(연방)는 필요하지만

주의 자유, 권리를 침해해서는 안 되며 연결, 조정만 해야 한다!

반연방주의

제퍼슨이 대통령이 되자 매디슨은 국무장관을 맡아 일했으며

제퍼슨과 함께 민주–공화당, 즉 뒷날의 민주당을 창건하여 '제퍼슨 민주주의'를 열게 되지.

Jeffersonian Democracy

이러한 능력과 업적에도 불구하고 역사적으로 매디슨은 심각한 오점을 남긴 대통령으로 남아 있다.

첫번째 임기에는 정부 내 친영-반영파 싸움을 제대로 조절하지 못해

1812년 결국 별 명분도 의미도 없이 영국과의 전쟁을 시작하였고

안 해도 될 전쟁을 막지 못했어.

지도자의 자질이 의심스럽다.

두번째 임기에는 결국 영국과의 전쟁을 승리로 마무리하긴 했어도

승리

핵 핵 핵 핵 핵

대통령관저*와 국회의사당이 불타고 수도 워싱턴이 영국군에 점령되어 짓밟히는 등

워싱턴 D.C.

엄청난 전쟁 피해로 나라가 혼란에 빠졌기 때문이지.

전쟁으로 쑥대밭 됐다!

경제는 엉망!

주택, 시설 대파….

USA

* 뒷날 백악관(White House)

다행히 밝고 사교적인 아내 돌리 토드의 인기가 높아 형편없는 지지도나마 유지할 수 있었어.

돌리 짱!

최고의 퍼스트 레이디다!

특히 영국군이 불을 질러 화염이 치솟는 대통령관저에서

돌리 토드가 워싱턴의 초상화를 껴안고 탈출했다는 얘기는 아주 유명해.

국부의 사진을 적에게 유린당하게 할 수는 없다!

전쟁의 승리로 매디슨의 인기도 어느 정도 회복되었지만

* 불타고 남은 백악관

1815년 1월 뉴올리언스전투에서 영국군을 격멸하여 전 미국의 영웅이 된

NEW ORLEANS

앤드루 잭슨의 빛에 가려 그다지 눈에 띄지 않았어.

또 그는 애덤스 대통령이 서명, 반포한 외국인규제법과 보안법을

Alien and Sedition Act

※외국인, 특히 프랑스계를 견제하기 위한 법률

Adams

반민주, 언론탄압의 악법이라고 맹렬히 비난하며 철폐운동에 앞장섰고

이것은 반연방주의자를 탄압하고자 함이며

국민과 언론의 입을 막으려는 악법이다!

외국인규제법과 보안법 폐지

대단히 위험한 주장을 했지.

부당한 법은 연방법이라도 거부할 권리가 있다!

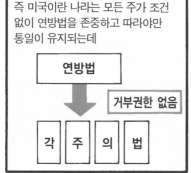
즉 미국이란 나라는 모든 주가 조건 없이 연방법을 존중하고 따라야만 통일이 유지되는데

연방법

거부권한 없음

각 주 의 법

악법이라 하여 거부할 권리를 각 주가 갖게 된다면

NO!

연방법

악법이라 받아 들일 수 없다!

그들은 자신의 이해관계에 따라 연방을 거부하고 탈퇴해버릴 수 있는 근거가 생기게 되거든.

독립

주

주

주

주

연방

그래서 실제로 뒷날 남북전쟁이 터졌을 때

1861 Civil War

남부가 연방을 탈퇴하고 남부동맹을 결성해 떨어져나가면서

분리독립!

USA

바로 매디슨의 선례를 들어 자신들의 정당성을 주장했던 거야.

부당한 법은 거부할 권리가 있다고 매디슨이 말하지 않았나!

매디슨의 나쁜 평판도 좋은 평판도 모두 영국과의 전쟁에서 비롯돼.

매디슨과 제퍼슨은 미국의 가장 큰 위험은 영국이라는 데 견해를 같이했어.

영국은 아직 미국을 포기 하지 않았다!

영국은 자신의 식민지였던 미국을 잃고 아직도 분노하고 있다.

영국은 약탈을 일삼는 경제강국이다.

우리는 어떻게든 영국의 그늘에서 벗어나야 진정한 독립국가가 될 수 있다!

영국은 우호적이지 않은 미국 정부의 태도에 강력한 응징을 택했고

계속 깐죽댈래?

영국 해군에게 미국의 선박을 나포, 약탈해도 좋다는 허락을 내렸어.

한마디로 박살내라는 얘기!

어차피 전쟁을 피할 수 없게 되자 매디슨 정부는 영국을 선제공격해야 한다는 결론에 이르렀지.

영국군의 본거지인 캐나다… 캐나다를 공격한다!!!

영국군이 보강되기 전에 캐나다를 공격하여 전쟁의 우위를 차지하겠다는 전략이었지만

캐나다

몬트리올

미국

대서양

미국 군대는 그 수도 적고 우수한 지휘관도 없었으며 식량도 무기도 부족하여 결국 미국의 초기 캐나다 원정은 실패로 돌아갔어.

* 미·영 함대의 교전 장면

때마침 나폴레옹이 러시아 원정 실패로 몰락하자

헤쉬!

영국은 군대를 대거 투입하여 오히려 미국을 멋대로 짓밟기 시작했지.

닥치는 대로 파괴하고 불질러라!

1814년 8월 영국이 수도 워싱턴 D.C.를 점령해 미국을 패배시킨 블래든스버그* 전투를

* Bladensburg

매디슨은 현장에서 목격함으로써 참혹한 패배를 몸소 체험한 유일한 현직 대통령이 되었다고.

어머, 저를 어째? 어머, 어쩜 좋아…!

영국이 마음만 먹었다면 미국을 완전히 쑥대밭으로 만들 수도 있었겠지만

H… HELP!

너무도 오래 계속된 프랑스와의 전쟁에 지쳐 겐트조약으로 대충 전쟁을 끝내고 말았어.

이 정도로 끝내는 걸 고맙게 생각해!

1812년 전쟁은 참혹했지만 어쨌든 미국의 승리로 끝났고

영국의 영향에서 완전히 벗어나게 된 미국인들은 민족주의에 젖었다.

위대한 미국! 우리는 승리했다!!

세계 최강인 영국도 미국이 더 이상 만만한 상대가 아님을 확인한 계기가 되었어.

다시 손아귀에 휘어잡기는 어려워졌네….

비록 온갖 비난과 원망으로 얼룩진 전쟁이었지만

매디슨은 자신의 지도자철학에 높은 긍지를 가지고 있었다.

나는 인기에 연연하지 아니하고

이 나라와 국민을 위해 일관성 있는 정책을 펼쳐왔다.

하지 않을 수 없었던 전쟁을 수행했고 그리고 그 전쟁은 승리했다. 미국의 위신은 높아졌으며 미국의 독립은 완전히 쟁취되었다.

바로 이 전쟁 때 민족주의적인 미국 국가의 가사가 프랜시스 스콧 키의 시에서 비롯되었지.

Oh, say can you see by the dawn's…

제5대 대통령으로 그의 후계자 제임스 먼로가 취임한 뒤

James Monroe

제임스 매디슨은 1817년 3월 고향인 몬트필리어로 돌아왔어.

Montpelier

사망하기 전 10년 가까이 제퍼슨이 세운 버지니아대학의 총장을 역임했고(1826~1836)

Thomas Jefferson

정치학자로서 헌법 옹호의 주장을 편 『페더럴리스트 페이퍼』는 미국 정치학 고전으로 지금도 널리 읽히고 읽지.

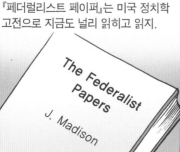

The Federalist Papers

J. Madison

미합중국 제4대 대통령 '헌법의 아버지' 제임스 매디슨, 그의 이름은 위스콘신주 수도의 이름으로 영원히 살아 있을 거야.

Madison
Capital City of Wisconsin

제임스 먼로 1817~1825

"유럽 열강의 아메리카 간섭을 거부한다!"

James Monroe (서명)

아메리카

유럽

먼로
선언

유럽은 이 선을 넘어 간섭하지 마라!*

James Monroe

민주-공화당, 1758.4.28~1831.7.4

출생지 버지니아주 웨스트모어랜드카운티
Westmoreland County

부 인 엘리자베스 코트라이트 먼로
Elizabeth Kortright Monroe 1768~1830

자 녀 엘리자, 이름 미상의 아들, 마리아

부통령 다니엘 D. 톰프킨스 D. D. Tompkins

* 먼로독트린(1823)

제임스 먼로는 독립혁명 마지막 세대 대통령이며

항영(英) 독립 투사 세대.

건국의 아버지 세대.

4년 연임으로 대통령자리에 있던 4명의 버지니아 출신 가운데 마지막이었어.

1. G. 워싱턴 [연임]
3. T. 제퍼슨 [연임]
4. J. 매디슨 [연임]
5. J. 먼로 [연임]
끝

그리고 그를 포함해 5명의 대통령 가운데 독립기념일에 세상을 떠난 세번째 대통령이야.

너무 애국심이 강해….

J. 애덤스 | T. 제퍼슨 | J. 먼로

그는 비록 제퍼슨이나 매디슨 같은 사상가, 철학자는 아니었지만

철학 사상 논리

그런 건 잘 모르는데….

풍부한 경험과 소신으로 나라를 이끌었던 탁월한 지도자의 하나로

소신 | 안목 | 경험

아메리카 대륙에 유럽 열강의 간섭을 막은 먼로선언과 함께 미국 역사에 중요한 흔적을 남겼지.

먼로 독트린 MONROE DOCTRINE

제임스 먼로 역시 버지니아주의 풍족한 플랜테이션 농장주 아들로 웨스트모어랜드 카운티에서 태어났어.

또 버지니아 출신이냐?

걱정 마. 앞으로 당분간은 아니니까.

대통령

윌리엄앤드메리대학에서 잠시 공부하다가

W&M UNIV.

17세 때 독립전쟁이 터지자 대학을 떠나 워싱턴 장군 휘하에 들어가 참전했지.

* 워싱턴과 먼로

트렌턴에 대한 워싱턴의 크리스마스 이브 공격 때 그는 치명적인 부상을 입었지만

그 전투로 영웅이 되어 2년 뒤 버지니아로 돌아왔다.

버지니아에서 제퍼슨의 지도로 법률을 공부하던 그는 버지니아 주의원에 당선되어 정치활동을 시작했어.

상원에도 진출!

워싱턴D.C.

1794년, 36세의 나이로 프랑스 대사가 된 먼로는 프랑스에 매력을 느껴 친프랑스화 되었고,

무슈!

봉주르, 마담!

이는 프·영 사이에서 중립을 지킨다는 워싱턴 정부의 강력한 정책과 어긋나

USA 중립

드디어는 2년 만에 본국에 소환되고 워싱턴과 애덤스 등 연방주의자들로 부터 영구 소외되고 말았지.

우리와 코드가 안 맞아!

워싱턴 행정부

버지니아로 돌아간 먼로는 주지사에 당선되어 활약하던 중

이대로 끝나지 않을 것이다!

버지니아 주지사

1803년, 제퍼슨 대통령의 부름을 받아

마릴린, 아니 제임스 먼로, COME!

가요!

뿅!

제임스 매디슨, 로버트 리빙스턴과 함께 루이지애나를 사들이는 협상을 나폴레옹과 진행했지.

이 땅이 미국에게 유익하기를 바라오.

37

1808년 대통령 선거 후보 지명전에서 먼로와 매디슨이 대결하였는데

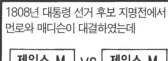

제임스 M. VS 제임스 M.

매디슨 / 먼로

매디슨이 승리함으로써 동지였던 두 사람의 관계가 한때 냉랭해졌지만

제퍼슨의 강력한 중재로 이 서먹한 관계는 곧 회복되었지.

뭐 하는 짓들이야?

당장 화해해!

대통령이 된 매디슨은 먼로를 국무장관에 임명하였고

국무장관

잘 어울리는군.

1812년 영국과 전쟁이 시작되자 국방장관직을 겸임하게 하였어.

현 장관이 시원치 않으니 자네가 맡아주게나.

국방장관

이처럼 먼로는 군인, 법률가, 주지사, 상원의원, 외교관, 협상자, 장관 등 다양한 경력을 쌓아갔다고.

와… 이 양반 이력서 끝내주네!

J.먼로

1816년, 드디어 먼로는 매디슨의 후계자로서 대통령 후보로 지명되었고

그거 봐. 참고 기다리니까

기회가 오지?

와 와

연방주의자 후보 루퍼스 킹을 눌러 제5대 미합중국 대통령에 당선되었던 거야.

1816년 선거결과

민주 – 공화당	VS	연방주의자당
제임스 먼로 다니엘 톰프킨스	대통령 부통령 후보	루퍼스 킹 존 E. 하워드
183	선거인단 수	34

그가 당선된 때는 미국이 영국과의 전쟁에서 이겨 미국인의 민족주의가 하늘을 찌를 듯했으며

오, 위대한 아메리카!

미국이라는 통일된 힘이 세계 최강인 영국을 무찌를 수 있었다는 깨달음에서

타 타 타 타

미국인들은 '하나의 미국' 으로 단결하는 분위기였고 이 흐름을 타고

단결 하자!

미국인 들이여!

1820년 선거에서 먼로는 압도적인 승리를 거두어 재선에 성공했어.

1820년 선거결과

민주 – 공화당	VS	무소속
제임스 먼로 다니엘 톰프킨스		존 퀸시 애덤스
231	압승	1

1820년대 에스파냐의 지배하에 있던 남아메리카 대륙에 독립운동이 벌어져

우리도 독립하자!

남아메리카

곳곳에서 독립을 요구하는 폭동이 일어나자

INDEPENDENCE

에스파냐는 대병력을 보내 무력으로 이를 탄압했어.

이러한 사태는 미국에게는 아주 불안하고 두려운 것이었고

저런 식으로 유럽 강국이 미국을 대하게 된다면…?!

남아메리카에 군침을 흘리던 영국에게는 기회로 보였겠지.

에스파냐를 몰아낼 찬스?!

이에 영국은 미국을 건드리기 시작했어.

저런 말도 안 되는 짓을 에스파냐가 하고 있지?

신대륙이 언제까지 유럽의 노예로 살아야 하지?

우리 이 기회에 아메리카 대륙에서 에스파냐 세력을 싹 쓸어내 버리는 게 어때?

호랑이가 없으면 늑대가 왕 노릇 하겠다는 거지?

??

에스파냐가 나가면 영국이 대신 집어 먹겠다는 심보, 다 알아.

이거 반영 감정이 장난 아니네….

영국의 제안을 거부하고 먼로는 1823년 12월, 의회 신년 메시지로 이른바 '먼로독트린' 을 발표했어.

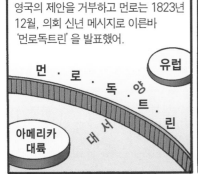

먼 · 로 · 독 · 트 · 린

유럽

아메리카 대륙

대서양

이제부터 유럽의 어떠한 나라도 남 · 북아메리카에서 새로운 식민지를 가져서는 안되며 아메리카문제에 개입하여서는 안된다.

만약 이를 어기는 유럽의 국가는 어느 나라를 막론하고 미국에 대한 도전으로 간주할 것이다!

남북 아메리카 대륙

찍익

유럽

대서양

먼로독트린은 19세기 말 미국이 팽창주의로 가는 근거가 되었으며

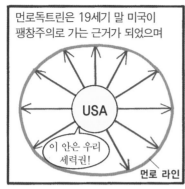

이 안은 우리 세력권!

먼로 라인

유럽 세력을 축출하고 미국이 주도권을 잡는 계기이자

여기가 먼로가 지정한 서쪽 한계선.

하와이

나아가 20세기, 전세계를 장악하려는 미국 정책의 뿌리가 되었어.

왜 자꾸 이리 와?

여기도 대서양 서쪽이잖아?!

USA

미국의 영토가 넓어져가면서 점점 더 심각해져가는 문제가 노예제도 유지냐, 폐지냐였지.

Slavery

YES   NO

이는 노예제 유지·폐지에 대한 논쟁처럼 보이지만, 실제로는 정치의 주도권을 둘러싼 권력싸움으로

남부   북부   지면 끝장이다…

정치인이나 남·북부 등의 지역에겐 생사가 걸린 심각하고 양보할 수 없는 문제였다고.

양보   못 해!

왜냐하면 먼로 시대만 해도 노예주의, 반노예주의 세력이 의회에서 50 대 50으로 팽팽히 맞서고 있어서

남부 50   북부 50

새로운 주가 연방에 가입할 경우 이 비율이 깨지면서

남부 50   북부 50   1

미국 정치의 주도권이 한쪽에 의해 장악될 처지였거든.

Winner takes all!*

* 이긴 자가 독차지한다!

이때 마침 미주리준주가 연방에 가입하겠다고 신청해왔는데

+1!

연방가입 신청

미주리준주

여기는 노예제를 합법화하고 있었으므로 반노예제 주장 세력에게 크게 불리한 것이었어.

쉘컴!   NO!

남부   북부

결국 1820년 이른바 미주리협정이 맺어져 일단 이 문제는 해결된 것처럼 보였지.

1 남부 50   미주리 협정   1 북부 50

이는 노예제주인 미주리를 연방에 가입시키는 대신

노예허가주

반노예제주인 매사추세츠주에서 메인주를 분리시켜 반노예제주를 하나 추가해서

메인주 노예금지주

이후부터 북위 36°30′ 이북에서 노예제를 금지하자.

수적으로 또다시 50 대 50의 균형을 잡는다는 타협안이었지.

그러나 새로운 주들이 계속 연방에 가입할 것이고

노예제 찬반문제는 언제까지나 이런 땜질식 타협안으로 해결될 문제는 결코 아니었어.

남북전쟁이라는 처절한 유혈충돌을 맞지 않고서는 말이야….

워싱턴부터 링컨까지의 미국 역사는

노예제를 둘러싼 남북갈등의 역사였다!

HISTORY OF THE USA

1825년 임기를 마친 먼로는 국민들의 존경과 사랑 속에 백악관을 떠나

짝짝짝짝
수고하셨어요
짝짝짝
몬통 짱!
WHITE HOUSE

뉴욕에 있는 그의 딸 집으로 거처를 옮겼어.

어머니, 아부지 오셨어라….

오냐, 엘리자 ….

그러나 그가 백악관을 떠나며 안고 온 것은 7만 5,000달러의 빚뿐이었지.

아부지, 웬 빚을 이리 많이 지셨어요?

대통령 품위 유지비용이 장난 아니더라!

그가 매년 대통령으로서 받은 연금이 2만 5,000달러나 되었음에도 불구하고 말이야.

아부지, 신용불량자 되셨어요.

흐유

"먼로는 미국이 태어난 이래 어떤 다른 대통령보다 많은 봉급을 받는 대통령이었음에도

당신, 월급을 딴 여자에게 빼돌렸죠?

그런 거 아냐…

그는 이제 72세의 나이로 초라하고 가난하게 죽음을 맞고 있다…."

라고 1831년 먼로의 뒤를 이은 존 퀸시 애덤스는 적었다.

존 퀸시 애덤스 1825~1829

최고의 교육을 받은 박학한 지도자

9. 2. Adams

전쟁위기 때는 평범한 지도자도 빛이 나지만

평화, 안정시엔 탁월한 지도자도 빛을 잃기 마련….

평화 · 안정

대통령이 안 보인다.

뭐 하는 거야, 대통령은?

말이 너무 많은 것 보단 안 보이는 게 낫지!

John Quincy Adams

민주 – 공화당, 1767.7.11~1848.2.23

출생지 매사추세츠주 브레인트리 Braintree

부 인 루이자 캐서린 존슨 애덤스 Louisa Catherine Johnson Adams 1775~1852

자 녀 조지, 존, 찰스, 루이자

부통령 존 C. 칼훈 J. C. Calhoun

JQA(존 퀸시 애덤스)는 제2대 대통령 존 애덤스의 아들이다.

계속 동부 출신이 대통령 독차지하네?

그 전통이 곧 깨지니까 걱정마.

The 6th President

J. Q. 애덤스
버지니아

미국 역사에서 아버지와 아들이 대통령에 오른 첫번째 경우이며

두번째는 부시 대통령 부자….

41대
J.B.

43대
J.W.B.

아버지와 아들 모두 역사상 첫번째, 두번째로 재선에 실패하였지.

아버지도 재선에 실패했지?

재선

그러나 그는 어렸을 때부터 대통령 교육을 받고 자란 '준비된 대통령' 이었고

짱구 아들은 짱구지, 얘야?

예, 대통령 아들은 대통령이 되어야 합니다, 아버지.

미국 역사에서 가장 훌륭한 교육을 받은 대통령 중 하나였으며

와~ 가방끈 길다!

대중의 인기에 연연하지 않고 지식인의 품위를 지킨, 그리하여 재선에 실패한 마지막 상류사회 지도자였어.

천박한 대중에게 끌려다니는 정치란 있을 수 없다!

JQA는 정치가라기보다는 탁월한 학자였고 7개 국어에 능통하였으며

영어 프랑스어 도이치어
러시아어 네덜란드어
에스파냐어
스웨덴어

골라 잡으셔!

JQA의 유창한 프랑스어 연설은 당대의 프랑스 역사학자 토크빌을 경탄케 할 정도였지.

미국에도 저런 인물이 있었다니!

JQA는 10세 때 외교사절인 아버지를 따라 프랑스에 건너간 것을 시작으로

봉주르, 파리!

12세 때 잠시 귀국한 것을 제외하고는 프러시아, 러시아, 스웨덴, 영국, 네덜란드, 프랑스 등에서 7년간 공부하며 세계견문을 쌓았어.

유 럽

18세 때(1785) 매사추세츠로 돌아온 그는 하버드에서 법률을 공부, 변호사가 되었고

대학교

신학부
철학부
법학부
의학부
경제학부

어차피 정치가는 법률 공부하게 되었었네….

조지 워싱턴 행정부에서는 네덜란드 주재 외교사절

아버지 빽이오?

아니, 실력입니다!

아버지 존 애덤스 정부에서는 프러시아 주재 외교사절 등 풍부한 외교, 행정 경험을 쌓았다.

직업외교관, 바쁘다!

그 후 35세(1802)에 매사추세츠주 상원의원, 그 다음 해에 연방 상원의원에 선출되어

연방상원

주상원

차근차근 대통령으로 향하는 길을 걸어갔던 거야.

대통령

먼로 대통령 집권 때에는 그의 풍부한 경력으로 국무장관에 임명되었는데

풍부한 해외 경력을 통해 세계흐름을 읽는 탁월한 능력을 기대하오!

임명장

1823년 발표된 먼로독트린(선언)은 바로 JQA의 아이디어로

각하, 미국을 못 건드리도록

지금 유럽을 못박아 두어야 합니다.

오랜 외교사절 경력으로 세계변화를 꿰뚫어본 그의 안목에서 나온 것이었지.

아메리카

유럽

국무장관으로서의 JQA는 대단히 능력있는 인물이었다는 평판을 받았다.

'먼로독트린'의 발상과 추진도 JQA의 작품이지만

그의 최고 작품은 에스파냐로부터 플로리다와 북서태평양지방의 영토를 매입한 거지.

플로리다는 미국 영토 바로 아래에 자리잡은 에스파냐의 영토이며

북서태평양연안 또한 에스파냐가 차지하고 있던 영토였어.

JQA가 뛰어난 외교솜씨를 발휘하여 싼값으로 이곳들을 사들여

미국의 영토는 대서양에서 태평양에 이르고

카리브해안의 전 지역에서 에스파냐 세력을 물러가게 함으로써

오늘날과 같은 거대한 미국의 영토가 이루어지는 계기를 확실하게 만들었던 거라고.

JQA의 이 업적은 미국 역사에서 가장 위대한 외교적 승리로 기록되고 있어.

왜냐하면 피 한 방울 안 흘리고 헐값에 그 넓은 영토를 얻을 수 있었으니까 말야.

오리건, 워싱턴주… 이 황금의 땅은 JQA의 공으로 미국에 속하게 된 거지.

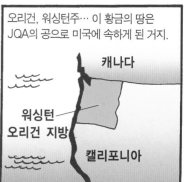

국무장관으로서 뛰어난 능력과 풍부한 지식과 안목을 갖춘 JQA는

국정수행 능력 A+

외교실력 A+

지도자 미래비전 A+

학력 A+

경력 A+

당연히 먼로의 뒤를 이을 대통령 후보로 떠올랐지만

1824년 대통령 후보는?

당연히 JQA지!

영국과의 전쟁에서 국민적 영웅으로 떠오른 앤드루 잭슨 또한 대통령의 꿈을 키우고 있었어.

!

나도 있다!

1824년 선거에서 JQA와 잭슨이 대결하였는데 미국 역사에서 최초의 사태가 발생하였다고….

행정의 달인		전쟁의 영웅
JQA	VS	A. 잭슨

즉, 잭슨이 득표수에서는 JQA를 앞질렀으나

1824년 선거결과

후보	득표	선거인
앤드루 잭슨	151,271	99
JQA	113,122	84
윌리엄 크로퍼드	40,856	41
헨리 클레이	47,531	37

선거인단 투표에서 다수표를 얻은 후보가 없었던 거야.

선거인의 과반수를 득표한 후보가 없으므로

수정헌법 12조에 의거, 의회에서 시행한다!

그래서 대통령 선출은 역사상 처음으로 의회에 넘어갔고

국민 투표 → 선거인단 투표 → 의회

1825년 2월 9일, 의회는 JQA의 승리를 선언했지.

승!

그러나 이 결과는 JQA가 역시 후보 중 하나였던 헨리 클레이와 협상하여 지지를 끌어낸 것으로

JQA	VS	A. 잭슨

뉴잉글랜드 6개주

+

일리노이, 켄터키, 루이지애나 메릴랜드, 미주리, 오하이오	클레이 지원

당선발표 직후 JQA는 헨리 클레이를 국무장관에 임명한다고 발표했어.

뭐, 헨리 클레이가 국무장관?

이거 아주 짜고 치는 고스톱이네!

잭슨과 그 지지자들은 크게 반발했고

국무장관 자리를 팔다니!

이것은 부정하고 더러운 거래*다!!

JQA와 잭슨은 최대의 정치적인 적이 되어 4년 내내 싸워야 했다고.

헨리 클레이는 서부의 유다이다!

그의 최후도 유다와 같을 것이다!

* Corrupt Bargain

그러나 JQA는 대통령으로서는 그다지 커다란 업적을 남기지 못했어.

대통령으로서 JQA의 업적

- 끝 -

아니, 남기지 못했다기보다 그의 통치 시대가 평화와 번영의 시기여서

별다르게 큰 사건이 터지지 않았기에 그의 지도력이 돋보이지 않았을 따름이라는 게 더 정확할 거야.

바다가 잔잔하면 선장의 능력이 빛을 발하지 못한다.

전쟁이나 위기시에는 평범한 지도자도 그 빛을 발하지만

공격하라!

안락하고 안정된 시대는 위대한 대통령을 만들기엔 적절하지 않은 시기이지.

정치? 그런 거에 관심 없수다!

국민들은 평화와 번영을 원하면서도

평화!

나라가 번영하고 경제가 번창케 해주옵소서!

정작 평안한 시절을 이끈 정치인들에겐 박한 점수를 주곤 하는데

그 사람 한 일이 뭐 있어?

그러게 아주 무능한 지도자야.

JQA가 바로 이런 인물에 속하며 심지어 '실패한 대통령'이라고 평가 하는 사람도 있어.

JQA는 실패….

매일 국민들 가슴 철렁 내려앉는 소릴 해야 하나?

1828년 대통령 선거가 다가오면서 지난 선거에 패배한 앤드루 잭슨은 복수를 다짐하고 나섰지.

더러운 거래

이번에는 어림도 없다!

민주 - 공화당은 JQA 지지파와 잭슨 지지파로 쪼개어졌고

민주-공화당

우지직...

국가 공화당 JQA

잭슨 민주당

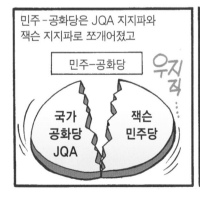

'한 사람은 쓸 수 있고, 다른 한 사람은 싸울 수 있다'던 당시 평처럼

지식인 JQA

군인 A. 잭슨

귀족가문의 최고지식인 JQA와 테네시 서민 출신의 군인이 격돌했던 거라고.

선동정치꾼, 여론 몰이 정치장사치.

동부 출신 보수꼴통!

잭슨은 격렬하게 JQA를 비난했어.

JQA는 대통령의 아들이자 귀족 정치를 추구하며

왕정을 꿈꾸는 기득권층의 앞잡이다!

러시아 황제에게 여자나 소개해주는 부도덕한 정권이며

백악관에 공금으로 당구대를 설치한 부패정권이다!

부유층, 상류층, 기득권층의 이익만 옹호하는 귀족주의 대통령 몰아내고, 진보적이며 개혁적인 서민정권을 세우자!!

그러나 JQA는 이러한 민주당의 공격에 대해 자신을 방어하지 않았어.

무슨 말을 하든 맞서는 것은 창피한 일이야.

저런 저급한 무리들에게 맞대응하는 것은 정치의 품위를 떨어뜨리는 짓이야.

NO 포퓰리즘!

비록 대통령에 재선되지 못한다 해도 천박한 포퓰리즘으로 대중을 선동할 수는 없네. 권력을 지키기 위해 대중에게 나를 굽히지 않겠어!

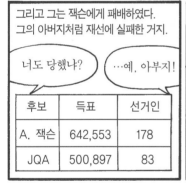

그리고 그는 잭슨에게 패배하였다. 그의 아버지처럼 재선에 실패한 거지.

너도 당했냐?

…예, 아부지!

후보	득표	선거인
A. 잭슨	642,553	178
JQA	500,897	83

작은 키에 대머리, 차가운 눈을 가진 JQA

라틴어와 그리스어로 고전을 즐겨 읽고 과학에 유별난 관심을 지녔던 그는

AVE VERUM CORPUS
BESAME MUCHO
GAUDEA MUS
IGITUR

자신이 여론에 따라가기보다는 여론을 주도하려 하였고

내 뒤를 따르라!

무엇보다 변함없는 소신과 성실함을 중히 여겼던 인물로

안 따라오네….

철학자이자 교육자였던 보기 드문 대통령이라고 할 수 있어.

그럼 하는 수 없지.

백악관

앤드루 잭슨 1829~1837

대중민주주의 시대를 열다

Andrew Jackson

민주당, 1767.3.15~1845.6.8

출생지 사우스캐롤라이나주 웩스호 Waxhaw

부 인 레이철 도넬슨 로바즈 잭슨 Rachel
Donelson Robards Jackson 1767~1828

자 녀 없음

부통령 존 C. 칼훈 J. C. Calhoun 1829
마틴 밴 뷰런 M. V. Buren 1833

귀족주의	서민주권
고학력	학력타파
부유환경	코드정치
인맥	패거리정치
엘리트의 권력독점	밀실정치
소신	고집
정책	인기

앤드루 잭슨은 지금까지의 대통령들과는 전혀 다른 존재였어.

대통령의 조건
• 상류계급 출신
• 버지니아 등 동부 출신
• 높은 학벌
• 빵빵한 재산
• 든든한 인맥
• WASP

무엇보다 버지니아 출신의 상류계급이 아닌 첫 대통령으로

촌놈 처음 봐? 눈 깔아!

학교 교육을 거의 받지 못해 독학으로 법률을 공부, 변호사가 된 점

아버지, 나 법대 갈래요.

이놈아, 독학해서 변호사가 되어야 대통령이 되는 거야.

잭슨과

잉글랜드계가 아닌 아일랜드계 이민자의 아들이었던 데다가

무지막지한 아일랜드인이 대통령이 되다니….

이젠 미국도 갈 데까지 갔구나….

변호사에서 군인으로 변신, 영국군을 섬멸한 미국의 영웅으로 대중의 사랑을 받았고

* 군사령관 시절의 잭슨

대중의 인기를 먹고 사는 포퓰리즘의 정치와 서민 출신도 대통령이 될 수 있는 대중민주주의 시대를 열었지.

잭슨민주주의
Jacksonian
Democracy

잭슨은 학식과 자질은 전임자들에게 미치지 못하였지만, 능력은 반드시 교육에서 오는 것이 아니듯

능력은 학벌에서 오는 게 아녀!

강력한 카리스마와 통솔력으로 군대를 지휘한 장군이자 대통령이었으며

뭐야, 이쯤 되면 계급장 떼고 붙어보자는 거야?

아... 아닙니다!

역대 그 어느 대통령보다 미국인의 존경과 사랑을 받은 인기정치인이었을 거야.

수현 잭사모*!

잭빠!

나가자 잭쉬병!

* 잭슨을 사랑하는 모임

그에게는 '올드 히코리'란 별명이 있었는데

Old Hickory = 늙은 히코리

※히코리 = 주로 지팡이를 만드는 단단한 나무
= 항상 남을 도와주는 사람, 불의를 참지 못하고 굽힐 줄 모르는 사람을 일컫는 말

그의 별명처럼 그의 삶은 고집과 소신, 투쟁 등으로 파란만장하기 짝이 없었어.

나를 건드렸다가 패가망신한 자들이 많다!

잭슨은 사우스캐롤라이나의 정착촌에서 아일랜드계 이민인 어머니 엘리자베스, 아버지 앤드루 허친슨 사이에서 태어났는데

응애~

잭슨이 태어나기 전에 아버지가 세상을 떠나 그는 평생 아버지의 얼굴을 모르고 자란 유복자였다.

애고, 불쌍한 녀석…

학교 교육도 못 받고 독학으로 변호사가 된 그는 21세 때 실습차 테네시주 내슈빌로 오게 된다.

큰 도시에 나가 세상을 배우련다.

Nashville

이곳에서 24세의 청년 잭슨은 레이철 로바즈*라는 유부녀를 사귀어 결혼했는데

* Rachel Donelson Robards

결혼 당시 레이철은 전남편과 정식으로 이혼한 사이가 아니어서

아직 이혼을 안 한 상태라고?

호적정리를 아직 안 했으니 법적으로는 유부녀죠.

잭슨은 당시 보수적인 미국 사회에서 두고두고 이 문제로 비난을 받았으며

유부녀와 눈맞아 도망쳤대.

어머, 불결해….

아주 부도덕한 인간이네….

수군

수군

결국 결투까지 벌여 상대방을 죽이기까지 했고, 그때 박힌 총알은 평생 그의 몸속에 남아 있었다고.

49

테네시주 하원의원 당선으로 정치에 몸담은 잭슨은

대통령으로 가는 정통 코스!

연방상원

연방하원

주하원

상원의원까지 지내고 연방법원 판사가 되어 내슈빌로 돌아와 7년간 판사생활을 했는데 (1797~1804)

워싱턴 D.C.

내슈빌

명석하고 공정한 판결로 사람들의 존경을 받았다고 해.

화끈한 판사네.

유식하진 않아도 판결은 아주 공정해.

판사임기를 끝낸 잭슨은 은퇴하여 그 후 8년간 자취를 드러내지 않다가

잭슨 없~~~다!

워디 간겨?

미국-영국전쟁이 터진 1812년 홀연 '올드 히코리' 부대 지휘관으로 바람처럼 나타났지.

Old Hickor

그는 영국과 동맹한 크리크 인디언을 토벌하고

1815년 1월 8일, 뉴올리언스전투에서 미군 역사상 최대의 승리를 거두어

영국군 전사자: 2,037명
미군 전사자: 21명

워싱턴 이래 최고의 영웅이 되어 강력한 차기 대통령감으로 떠올랐어.

와 잭슨! 와 잭슨! 와

그러나 1824년 대통령 선거에서 헨리 클레이와 결탁한 존 퀸시 애덤스에게 패배하고는

정치는 커리어가 아니라 기술이야!

민주-공화당에서 자신의 지지파를 규합하여 민주당을 만들어

민주-공화당

반잭슨파

잭슨파

1828년 재대결에서 JQA를 밀어내고 드디어 대통령에 당선되었지.

정치는 뚝심과 배짱이다!

버지니아가 아닌 변방 출신 무학력 변호사가 미국의 새로운 대통령으로 탄생하는 순간이었어.

강남부유층
(포토맥강 이남 버지니아 부자)
고학력 인맥

잭슨은 미국 정치에서 엘리트주의의 막을 내리고

잭슨이 대통령에 당선된 가장 큰 의미는

누구나 대통령이 될 수 있는 시대를 열었다는 것이다!

서민민주주의 시대를 선언했지.

국민이 바로 주권자입니다.

버지니아 출신 농장귀족 엘리트들이 아니에요!

그래서 이후에 '잭슨식 민주주의' 라는 말이 나타나게 된 거야.

민주-공화당 시대에서 대중민주주의 시대로 넘어가는 시기를 말하죠!

엘리트 민주주의

서민민주주의

그러나 잭슨은 미국 정치에 뿌리 뽑을 수 없는 '패거리정치' 라는 사악한 선례를 만들었어.

나를 따르면 동지

반대, 비판하면 타도 대상인 적!

자기 패거리나 선거에 공헌한 자들에게 관직을 상으로 내리는

잭사모 지도자

잭위병 나팔수

귀족 저주 굿판 무당

I ♥ 잭슨

이른바 '엽관정치' 의 악습이 이때 시작되었고

충성!

장관   비서관   장관

자신을 따르며 반대하지 않는 가신(家臣)들로 주변을 가득 채우고는

성은이 망극 하여이다!

모든 국사를 이들 이른바 '코드가 맞는' 사람들과 밀실에서 협의하는 패거리 정치로

쑤군쑤군….

대통령 식당

회의중 접근금지

반대자들은 '키친 캐비닛(부엌내각)' 이란 말로 비아냥댔지.

매일 밥만 먹으며 쑥덕 거린다!

밀실, 패거리 정치의 극치다.

부엌 내각 이야.

잭슨은 자신이야말로 특정 정당에 속하지 않는다고 주장하였지만

나는 모든 미국 인민의 대표이다!

그를 지지하여 민주-공화당에서 분리, 결성된 민주당의 엄연한 멤버였지.

잭슨 민주당

자기가 정당 만들어 놓고 거기에 속하지 않는다니….

어때 잭슨민주당에 대항하여 휘그당이 결성되어 미국은 또다시 양당제 시대로 접어들었어.

민주   공화당

잭슨 민주당   VS   나머지 휘그당

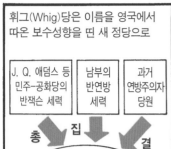

휘그(Whig)당은 이름을 영국에서 따온 보수성향을 띤 새 정당으로

J. Q. 애덤스 등 민주-공화당의 반잭슨 세력	남부의 반연방 세력	과거 연방주의자 당원

총 집 결 →

휘그당

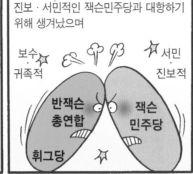

진보·서민적인 잭슨민주당과 대항하기 위해 생겨났으며

보수 귀족적

서민 진보적

반잭슨 총연합

잭슨 민주당

휘그당

과거 연방주의자당, 자유-민주당, 그 밖의 보수정치인들이 총연합하여 만든 정당이었어.

온갖 떨거지들을 끌어모아 만든

'합친 그들당' 이 휘그당이야!

잭슨은 국민들의 인기를 등에 업고 8년 임기 내내 의회와 대결하였는데

국회의원들은 지역대표지만

난 온 국민이 뽑은 대표다. 내가 왜 너희에게 숙이냐?!

아마도 그만큼 헌법에는 명시되어 있으나 아무도 사용하지 않았던 대통령의 거부권을 많이 행사하고

NO! VETO! NO! NO! NO!

의회

백악관

탄핵의 소용돌이에 휘말리는 등, 의회와 사이가 나빴던 대통령은 미국 역사에서 찾아보기 힘들걸?

탄핵!

할 테면 해봐!

의회

백악관

1837년, 70세의 올드 히코리는 인기 절정일 때 대통령직에서 물러나

8년 동안 왕성하게 활동하다가 1845년 78세의 나이로 그의 저택 뒤 부인 옆자리에 묻혔다.

대통령 당선되는 것만 보고 죽은 가엾은 아내…

† 레이철 D. R. 1767~1828

† A. 잭슨 1767~1845

미국 헌법 1조 1항은 이렇게 시작된다. "모든 권력은 미합중국의 의회에서 나온다…"

"All legislative Powers herein granted shall be vested in a Congress of the United States, …"

이런 강력한 의회에 굴복하지 않고 소신껏 자신의 의지를 밀고 나갔던 앤드루 잭슨

의회

그의 전임자들이 부결했던 법안들을 합한 것보다 더 많은 법안을 거부했던 대통령

NO! NO! NO! NO! NO!

법 법 법

그는 미국 정치사에 굵은 한 획을 그은 거인임에 분명해.

초기 정치문화

새로운 정치문화

그러나 그의 치세에는 미국 역사의 가장 수치스러운 그림자가 드리워져 있다.

인디언들에게 혐오감을 가져 인디언 토벌에 앞장섰던 그는

무자비하게 쓸어버려라!

그의 대통령 재임 시절, 인디언들을 '보호구역'이란 이름의 황무지로 내몰았어.

Indian Reservation 인디언 보호구역

인디언을 모두 이곳에 몰아넣고 그 땅은 백인에게 주어라.

수십만 인디언들이 피를 토하며 죽어간 눈물의 길(Trail of Tears)을 걷게 한 장본인이 바로 그였다.

잭슨 이후 미국의 정치 스타일은 크게 변하여

출신지역
학력
인맥
재산

'건국의 아버지'들과 같은 귀족 스타일은 다시 보기 어려워졌지.

그는 허락하노라. 네덜란드 대사 접견을…

이제 정권은 서민에게로 넘어갔고

정권

서민

진정한 민주주의, 모든 이에게 기회가 열린 나라로

평등

미국이 진일보한 것도 분명히 앤드루 잭슨 시대가 이룩한 것이지.

넌 커서 뭐가 될래?

대통령이오.

그러나 전임자들의 정치가 유권자의 눈치보기보다는 올바른 판단에 따른 정도(正道)의 정치였다면

소신, 품위정책.

그는 때론 유권자의 여론까지 조작, '국민의 뜻'을 앞세워 자신의 뜻을 이루어내는 포퓰리즘의 씨앗을 뿌렸다.

인기… 국민의 뜻….

그렇기에 누군가는 이렇게 말했다지?

만약 잭슨이 천국에 가겠다고 해도 누가 막을 수 있겠는가?

마틴 밴 뷰런 1837~1841

대통령이 된 첫 직업정치인

양당제도
확립

계파정치
(Machine)
도입

이게
내 작품이여!

여우 같은
모사꾼!

아무리 적이 세도
마지막에 웃는 건
밴 뷰런….

Martin Van Buren

민주당, 1782.12.5~1862.7.24
출생지 뉴욕주 킨더후크 Kinderhook
부 인 한나 호이스 밴 뷰런
　　　 Hannah Hoes Van Buren 1783~1819
자 녀 에이브러햄, 존, 마틴, 스미스 톰프슨
부통령 리처드 M. 존슨 R. M. Johnson

마틴 밴 뷰런은 그의 정치적 업적보다
정치수완과 한 일의 정치적인 의미가
더욱 중요한 특이한 인물로

업적

정치적
의미

M. 밴 뷰런

미국 역사보다 미국의 정치 역사에
큰 충격을 주었던 직업정치인이었어.

미국의 역사

M.밴 뷰런

미국 정치의 역사

M. 밴 뷰런

그는 미국에 머신(Machine=계파)
정치를 정착시키고

민주당

밴
뷰런파

반(反)
뷰런파

용파리파

엄버기파

전에는
없던 일….

머신

그때까지 정상으로 보지 않던
양당정치를 확립시킨 사람이야.

왜 당이 두 개만
있어야 하지?

너무 썰렁하지
않아?

양당정치
민주당 - 휘그당

그는 정책이나 미래에 대한 비전보다
타고난 정치적 감각이 더욱 발달하여

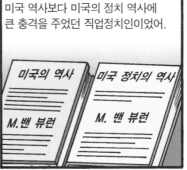

쿵쿵

쿵쿵

능수능란하게 사람을 모으고 적절히 풀어
목적을 이룰 줄 아는 '권력제조기술자'
라고나 할까?

내일을 내다
보지 못해도

오늘의 권력은
정확히 꿰뚫어
볼 수 있지!

밴 뷰런은 뉴욕주 킨더후크에서 농민이자 술집 주인의 아들로 태어났어.

이름에서 알 수 있듯이 그는 네덜란드계 이민자의 후손이고

뉴욕 출신의 네덜란드계면

진짜 정통 '양키'인 셈이네.

한나 호이스라는 아주 어릴 적 친구이자 먼 친척뻘 되는 여자와 결혼했지.

그녀에 대한 기록은 거의 없다.

800쪽이나 되는 뷰런의 자서전에도 언급되어 있지 않으니…

† Hannah Hoes Van Buren. 1783~1819

그는 14세 이후엔 더 이상 학교 교육을 받지 못하였지만

공부는 별로 취미에 안 맞아….

SCHOOL

독학으로 1803년(21세)에 변호사가 되어 고향에서 개업했다.

돈, 빽 없이 출세하려면 이 길이 가장….

개업 밴 뷰런 변호사무소

그는 이후 정치에 입문하여 빠른 속도로 성장했지.

1812년 뉴욕주 상원의원
⬇
1821년 연방 상원의원
⬇
1828년 뉴욕 주지사

밴 뷰런은 앤드루 잭슨의 열렬한 지지자로

그분도 학교 교육 못 받은 나와 같은 처지셨다. 그런데 대통령까지 꿈꾸고 계시지 않는가….

I ♥ 잭슨

1828년 대통령 선거전의 사령탑을 맡게 된다.

선거는 오로지 당선으로 말한다!

선거대책위원회 앤드루 잭슨 후보

그는 무엇보다 선거에서 이기려면 우호세력, 즉 조직을 키워야 한다고 생각했다.

선거는 조직 싸움이다!

당은 많은 조직이 모인 큰 조직이다!

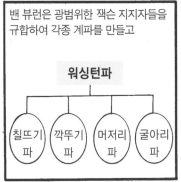

밴 뷰런은 광범위한 잭슨 지지자들을 규합하여 각종 계파를 만들고

워싱턴파

칠뜨기파 / 깍뚜기파 / 머저리파 / 굴아리파

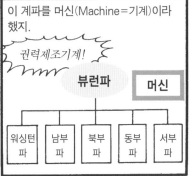

이 계파를 머신(Machine=기계)이라 했지.

권력제조기계!

뷰런파 **머신**

워싱턴파 / 남부파 / 북부파 / 동부파 / 서부파

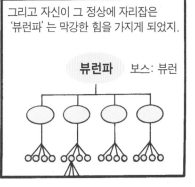

그리고 자신이 그 정상에 자리잡은 '뷰런파'는 막강한 힘을 가지게 되었지.

뷰런파 보스: 뷰런

사람들은 뷰런파를 일컬어 '올버니 섭정(Albany Regency)'이라 하였는데

섭정(攝政)이란 권력자를 뒤에서 조종하여 실권을 행사하는 사람.

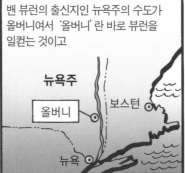
밴 뷰런의 출신지인 뉴욕주의 수도가 올버니여서 '올버니'란 바로 뷰런을 일컫는 것이고

뉴욕주

올버니

보스턴

뉴욕

잭슨의 뒤에서 자기 마음대로 잭슨을 조종하던 뷰런을 섭정이라 빗대어 부른 거지.

* 잭슨(오른쪽)과 밴 뷰런(왼쪽)

사실 뷰런은 잭슨 지지파 계보의 총 보스이면서 자신을 전혀 드러내지 않고 감춘 채

다음에는 이렇게 말씀하십시오!

잭슨을 앞에 내세워 결국 1828년 선거에서 승리를 거두는데

잭슨의 대통령 당선에는 밴 뷰런의 공로가 절대적이었던 거야.

자네 공로가 제일 컸네.

내 신세는 꼭 갚음세!

밴 뷰런은 잭슨을 지지하는 여러 계파를 단일화하여 민주당을 결성했고

민주당

우리는 잭슨이 좋아요!

이에 대항하여 반잭슨파가 총집결, 휘그당을 결성함으로써

우리는 잭슨이 싫어요!

휘그당

미국에는 이제부터 확실한 양당제도가 자리를 잡게 되었지.

민주당

휘그당

계파(Machine)정치 도입, 양당제도의 확립으로

과거에는 없었음

계파정치

양당제도 확립

정치적으로 새로운 미국이 탄생하는데

미국 정치의 특징이 뭐지?

계파 정치와

양당제도 아닌가?

그 주역이 바로 마틴 밴 뷰런이었기에 그가 미국 정치사에 큰 의미가 있는 인물이라는 거야.

직업정치인이라 역시 뭔가 다르지?

밴 뷰런은 뛰어난 정치수완을 발휘하여 언제나 정치적인 승리를 거두었어.

그에게는 정적들에게서 얻은 '킨더후크 (그의 고향)의 붉은 여우'란 별명과

The Red Fox of Kinderhook!

지지자들로부터 얻은 '작은 마술사'라는 별명이 따라다녔지.

정적이 아무리 세도 끝에 이기는 건 밴 뷰런!

The Little Magician!

잭슨은 1828년 대통령에 당선되자 그를 국무장관으로 중용했고

웁!

국무장관

1832년 선거 때에는 뷰런을 부통령이 되게 했어

얍!

부통령

1836년에는 잭슨의 후계자로 출마하여 드디어 미국 제8대 대통령에 당선되었어.

합!

대통령

그러나 잭슨의 그늘 밑에서 천재적인 수완을 자랑하던 직업정치인은

잭슨

대통령이란 지도자자리에는 걸맞지 않았는지, 아니면 운이 따르지 않았는지

넘버 투 맨 때완 영 다르네….

그의 임기 4년 동안의 업적은 결코 신통한 것이 못 되었다고.

임기 내내 죽만 쑤시네!

부글부글

뭐든지 재고 따지는 직업정치인답게 모든 일에 지나치게 신중했고

글쎄… 할까 말까…
모험 아냐?
기다려봐…
우물쭈물

그로 인해 과감한 정책을 쓰지도 못했을 뿐더러, 언제나 때를 놓치기 일쑤여서

…하게!

이미 늦었어요.

그가 취임한 이후 미국 경제는 불경기의 늪에 점점 깊이 빠져들어갔지.

H.E.L.P.

불경기

한 해 동안 은행 618개가 파산하는 등

경제는 악화일로에서 벗어나지 못하고

물가

주식가격

노예제로 인한 갈등은 날로 격심해지는데 그는 어정쩡한 중립만을 고집했다.

노예제 유지!

노예제 폐지!

중립

게다가 에스파냐에서 얻어낸 플로리다 지방의 세미뇰 인디언들이 폭동을 일으켜 전쟁상태가 되었어도

플로리다

미군은 지지부진 어쩔 줄 모르는데 뷰런은 제대로 된 조처도 못 취하고

어쩔까요?

글쎄….

텍사스 지방의 연방가입신청을 거부하는 등

전 주인 에스파냐와 싸움이 벌어질지도 모르니까 텍사스는 받아들이기 곤란해….

NO!

우유부단하고 눈치만 보는 뷰런 정권의 인기는 바닥까지 추락했다고.

무능한 정권!

눈치 정권

무사 안일 주의!

그런데도 그는 어리석게도 이 안 좋은 시기에 대대적인 백악관 보수공사를 벌여

대통령관저가 폼나지 않으면 국민이 우습게 본다!

백악관 보수공사중

정적은 물론 국민들로부터 맹렬한 비난을 받았어.

자기 폼 잡으려고 물을 쓰듯 돈을 쓰다니!

경제가 엉망인데 백악관 보수할 때냐?

사람들은 그에게서 등을 돌렸다. 그리고 그의 이름을 빗대 놀려댔다.

Martin Van Ruin(폐허)!

마틴은 폐허를 만든 장본인!

그의 귀족적인 태도와 취향도 비웃음의 대상이 되었는데

봉주르, 마담!

그의 부모는 귀족이 아니라 뉴욕주 시골의 선술집 주인이었기 때문이지.

어흠!

술집 아들 주제에 귀족 흉내는….

1840년 선거에서 뷰런의 경쟁자는
윌리엄 해리슨 장군으로

1836년 후보 지명전에서 뷰런에게
패한 인물이었어.

밴 뷰런!

두고 보자
….

그들은 뷰런을 조롱하는 노래를
만들어 전파시켰지..

Van, Van's
a used-up
man!

밴, 밴은 아무
쓸모없는 사람!

밴은 선거에서 졌고 재선에서 실패한
세번째 대통령이 되었다.

졌네….

그러나 그의 낙선으로부터 제16대
링컨에 이르기까지 8명의 대통령이
한 명의 예외도 없이

제8대 대통령 **밴 뷰런**

재선실패

임기중 죽거나 재선에 실패하는
진기록이 세워져.

8대 M. V. 뷰런	— 재선실패
9대 W. H. 해리슨	— 사망
10대 J. 타일러	
11대 J. K. 포크	모두 4년 1기뿐
12대 Z. 테일러	
13대 M. 필모어	극심한 남북 대립으로 인한 정치혼란기
14대 F. 피어스	
15대 J. 뷰캐넌	

고향으로 돌아온 밴 뷰런은 20여 년
뒤인 1862년 7월 24일 세상을 떠났어.

요즘 나이 80세면
많이 산 거지….

임종 직전 그는 이렇게 중얼거렸다고 해.

노예제는 종말을
불러올 거야….

끔찍한
동란으로….

나는 그것이 두렵다.
그래도 올 것이다….

노련한 정치기술자답게 그는 임기중
노예제문제를 교묘히 회피해갔지만

노
예
문
제

직업정치인의 동물적인 육감으로 이미
남북전쟁을 예감하고 있었던 거야.

노예제를
둘러싼 분쟁이

언젠가 미국을
파탄으로 몰고
가겠지!

그 예감을 현실이 되지 못하게 막지
못했던 것 또한 직업정치인의
한계였고….

진작에 과감한
조처를 취하지….

'과감'한 직업정치인
이란 없는겨. 우선
자리부터 지켜야지.

✝
밴 뷰런

윌리엄 헨리 해리슨 1841

선거는 쇼, 이미지 정치를 시작하다

W.H. Harrison

취임후 한달만에 사망 (향년: 68세)

인디언토벌 역대 무적장군인

흑색선전, 상대 후보 비방, 약점 잡고 늘어지기!

나는 통나무집에 살고 거친 사과술을 마시는 서민이라우!

진정한 시민의 대변자

정책 좋아하네. 선거는 무조건 이기기만 하면 되는 거야!

이미지 조작, 대중선동!

William Henry Harrison

휘그당, 1773.2.9~1841.4.4

출생지 버지니아주 찰스시티카운티
Charles City County

부 인 애너 터트힐 심스 해리슨Anna Tuthill Symmes Harrison 1775~1864

자 녀 엘리자베스, 존, 루시, 윌리엄, 존 스콧, 벤저민, 메리, 카터, 애너, 제임스

부통령 존 타일러J. Tyler

해리슨은 세 가지 면에서 미국 역사의 새로운 장을 연 사람으로 기록되고 있다.

Harrison

첫째, 취임 후 한 달도 안 돼 병으로 죽어 백악관에서 사망한 첫 대통령이란 것.

각하, 각하~~~!

어매, 이게 웬일이니?

둘째, 미국 역사에서 가장 뛰어난 군인 중 한 사람이었다는 것.

G. 워싱턴   A. 잭슨   W. 해리슨

셋째, 대통령 선거전을 정책과 이념 대결이 아닌

내가 대통령이 되면 이러한 정책으로 저렇게 나라를 이끌겠다!

폭로, 상대방 흠집내기 등 당선을 위해서 수단방법을 가리지 않는 이미지 전술로

저 사람은 이래서 대통령이 되면 안 돼요! 이런 저런 비리가 있어요!

대통령 선거 자체를 거대한 쇼로 만들어 현대 선거전의 시발점이 되었다는 사실이야.

이거 선거가 아니라 생쇼를 하는군!

해리슨은 버지니아주 버클리의 부유하고 귀족적인 정치가문에서 태어나 우수한 교육을 받은 뒤

또 버지니아 출신이냐?

버지니아 가문 자손들은 대대로 떵떵거리며 잘산다더라!

해리슨

군에 입대하여 용맹을 떨치며 빠른 속도로 경력을 쌓아갔어.

배경 빵빵….

가문

그는 특히 무자비한 인디언 토벌로 이름을 날려 28세 때(1801) 지금의 인디애나주 지방의 첫 지사로 임명되어 12년을 통치했고

나, 인디언 킬러!

여러 인디언 종족들을 협박하여 2500 에이커(약 1만km²)의 땅을 강탈했지.

백인들의 지나친 횡포에 인디언들이 쇼니족 지도자 테쿰세를 중심으로 동맹하여 대항하자

해리슨이 토벌대 지휘관이 되어 맨 앞에 섰다고.

1811년 11월 티피커누* 강에서 벌어진 인디언 동맹군과의 전투는

* Tippecanoe

큰 승리가 아니었음에도 해리슨을 전국적으로 유명하게 만들었어.

전과

미국 국민에 바치는 승리의 선물

포장

1812년 영국과의 전쟁이 터지자 해리슨은 미 북부군 지휘관이 되어

온타리오주* 테임즈에서의 전투를 승리로 이끌었고

* 캐나다 영토

백인들에게 공포의 대상이었던 인디언 동맹 지도자 테쿰세도 여기에서 살해하여 전국적인 영웅이 되었어.

* 반란 지도자 테쿰세

해리슨 장군은 이 군사적 평판을 재빨리 이용, 반인디언정책으로 하원에 입성하는 데 성공해(1816).

인디언을 몰아내고 백인의 영토를 확대해야 합니다.

1825년 상원에 진출한 그는 임기 후 은퇴하여 몇 년간 정계에 모습을 드러내지 않았어.

해리슨 없~다!

워싱턴 정가

그러나 1836년 대통령 선거에서 잭슨의 후광을 업고 마틴 밴 뷰런이 강력한 민주당 후계자로 떠오르자

나의 진정한 후계자요!

마땅한 경쟁 후보를 찾지 못해 고심 하던 휘그당은 국민적 영웅 해리슨을 지명하기에 이르렀다.

앤드루 잭슨도 군사영웅

해리슨도 군사영웅, 아주 적격이다!

그러나 절대적인 인기 속에 임기를 마친 앤드루 잭슨이기에 그 후계자 밴 뷰런은 간단히 해리슨을 누를 수 있었다고.

군인이면 다인 줄 아냐?

선거에서 진 휘그당은 즉시 해리슨을 후보로 다음 선거준비에 돌입했는데

슈슉

설욕전이다!

해리슨과 휘그당은 선거전략을 완전히 바꾸어버렸어.

모로 가도 서울, 아니 워싱턴만 가면 된다.

무조건 당선돼야 정권을 잡는 거야!

약아빠진 해리슨은 남부 출신 존 타일러를 부통령 후보로 지명한 뒤

중… 아니 남부표를 몰아주게나.

가장 중요한 선거전략으로 자신을 평범한 서민으로 가장하는 데 총력을 기울였지.

잭슨 이후 선거는 서민들의 표가 좌우한다. 귀족적 이미지로는 당선될 수 없다…

나는 부유하고 귀족적인 집안에서 태어났기 때문에 서민들에게 친근하게 다가가기 위해서 나를 서민으로 둔갑시켜야 해.

귀족적	서민적
소수표	다수표

이미지 변신

그래서 그가 내건 선거 슬로건이 바로 '나는 보통사람'이라는 의미의 것이었어.

Log Cabin
&
Hard Cyder
통나무집과 거친 사과술

Log Cabin(통나무집)이란 해리슨이 고급주택에 사는 귀족이 아니라

거친 통나무집에 사는 서민의 하나이며

위장전입 아녀?

언제 주민등록 이전하셨나?

Hard Cyder(거친 사과술)란, 그가 비싼 고급술이 아니라

서민들이 주로 마시는 거친 사과술을 마시는 보통사람으로

수입 양주가 아니라 말하자면 막걸리여!

출생이야 어떻든 서민들과 기쁨과 슬픔을 함께한다는 '이미지' 작전이었던 거야.

유권자는 순진하거든. 감성으로 꼬드겨야…

칼칼칼

또 선거전 로고송을 만들어 전국에 유행시켜 선거사상 로고송이 도입된 첫 케이스가 되었지.

바꿔 바꿔 모두 바꿔!

그 로고송은 인디언 토벌로 그에게 붙여진 별명 '늙은 티피커누와 타일러도'로

Old Tippecanoe & Tyley, Too!

그의 무공을 국민에게 일깨우는 작전이었어.

인디언 토벌의 영웅을 대통령으로!

과대 포장됐다!

또 전국에 캠페인 소나기를 퍼붓고

해‥해‥해리슨

모자, 풍선, 현수막 등으로 뒤덮었으며

와와와 HARRISON HARRISON HARRISON

해리슨을 백악관으로!!

통나무집 모형과 거친 사과술통이 선거전에 동원되는 등

※선거전에 사용된 통나무집과 사과술통 배지

1840년의 선거는 잘 조직된 두 개의 국가정당의 대결이라는 현대적인 정치운동의 출발점이 되었지.

정당 정당

후보들이 전국을 누비며 연설하고 다닌 첫 선거였으며

24회 이상 연설회에 청중만 5만 명 이상…

HARRISON TYLER

상대방에 대한 폭로, 비방, 야유가 난무한 혼탁한 선거였다.

Van, Van's used-up man!

밴, 밴은 쓸모 없는 인간!

1840년의 선거는 미국 역사에서 아주 좋지 않은 선례가 되었어.

정책대결이 아닌 폭로, 비방, 흑색선전이 판을 치게 되고

유부녀와 놀아났다더라!

공금 떼어 먹었다더라!

공무중에 술파티 열었다더라!

휴우… 썩은내!

내용보다는 포장만 그럴듯하게 하는 이미지 정치가 지배하고 인기도에 의해 정책이 결정되는 포퓰리즘이 만연했으며

유권자

감언이설

이 포퓰리즘은 선거 때에 더욱 극성을 떨어 유권자의 현명한 판단을 흐리는 우민(愚民)정책의 뿌리가 되었다.

수도 옮겨 줄게!

세금 깎아 드릴까?

지원금 팍팍 준다!

선거결과는 해리슨의 압도적인 승리였어.

1840년 선거결과

휘그당		민주당
윌리엄 H. 해리슨		마틴 밴 뷰런
존 타일러		리처드 M. 존슨
1,275,390	득표수	1,128,854
234		60
	선거인단수	

경제공황 속에서 치러진 선거여서 밴 뷰런에 실망한 유권자들은 변화를 기대하였고

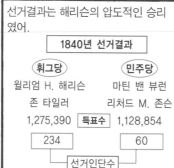

끄억 끄억

못살겠다, 갈아보자!

해리슨이 결론이다!

우유부단하고 소극적인 밴 뷰런보다 강력한 전쟁영웅을 선택했던 거지.

제가 인디언을 독하게 토벌해서 재미 좀 봤습니다.

그 독기로 경제를 팍팍 키워….

대통령 선거가 끝나자 해리슨은 심각한 문제에 당면하게 되었어.

급할 땐 몰랐는데…

볼일 보고 나니 냄새 나네….

화장실

선거 기간 동안 그의 이미지는 사과술을 마시는 서민이라는 것으로 굳어졌고 통나무집에 사는 서민들의 벗으로 인식되어버렸던 거야.

통나무집

거친사과술

그러나 그는 귀족적으로 태어났고 또 이를 즐겨 그의 새로운 이미지가 너무 싫었던 거지.

내가 서민? 말도 안 돼….

나는 새로운 이미지가 필요해. 내가 보통사람, 서민이 아니라 대통령이란 것을 알려야 해. 그러지 않으면 모두가 기어오를걸….

나는 워싱턴, 제퍼슨, 매디슨과 나란히 서 있는 버지니아의 신사라니까!

1841년 3월 4일, 미국 제9대 대통령 윌리엄 헨리 해리슨의 취임식이 거행되었어.

처음엔 대통령 취임식은 늘 3월 4일이죠.

3월 4일

그의 나이 68세, 1981년 취임한 레이건과 함께 미국 역사에서 가장 나이 많은 대통령이었지.

* 해리슨의 취임식

이날은 늦겨울의 추운 날씨에 비까지 내리는 아주 음산한 날씨였대.

전쟁의 영웅이자 최고령 대통령은 그가 아직 젊고 능력있음을 과시하려는 듯

각하, 외투는 왜 벗으십니까?

강골의 무인이 이 따위 추위에 껴입고 다니면 폼이 안 나지!

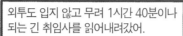

외투도 입지 않고 무려 1시간 40분이나 되는 긴 취임사를 읽어내려갔어.

미국을 이렇게 바꾸겠습니다. 미국을 이런 나라로 만들겠습니다!

그러나 연설문에 나타난 그의 야심찬 계획도 미국의 웅장한 미래에 대한 꿈도 이루어질 수 없었어.

취임사가 영원히 계속되려나 봐.

이 순간을 위해 평생 공들였는데…

취임식에서 너무 무리를 한 탓으로 해리슨은 급성폐렴에 걸렸고

빗속에 너무 폼을 잡았나?

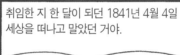
취임한 지 한 달이 되던 1841년 4월 4일 세상을 떠나고 말았던 거야.

임기중 백악관에서 사망한 대통령 1호.

아, 그 치열했던 선거전이 아깝다.

5월 14일, 서거한 대통령을 위한 애도의 날이 특별 선포되었어.

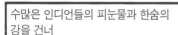

수많은 인디언들의 피눈물과 한숨의 강을 건너

오직 대통령이 되기 위해 한길을 달려온 정치군인 해리슨

권력…
권력…

백악관

그의 꿈은 이루어졌으나 그의 죽음은 그 꿈이 얼마나 허망한 것이었는가를 웅변으로 말해주고 있는 거야.

천하의 전쟁영웅 감기로 사망하다…

William Henry Harrison

존 타일러 1841~1845

처음으로 대통령직을 이어받은 부통령

John Tyler

부당적자.

동지는 없고 사방에 모두 적뿐이로구나!

John Tyler 휘그당, 1790.3.29~1862.1.18
출생지 버지니아주 찰스시티카운티
　　　 Charles City County
부 인 1. 레티샤 크리스티안 타일러
　　　　　Letitia Christian Tyler 1790~1842
　　　 2. 줄리아 가드너 타일러
　　　　　Julia Gardiner Tyler 1820~1889
자 녀 메리, 로버트, 존, 레티샤, 엘리자베스, 앤,
　　　 앨리스, 테즈웰, 데이비드, 존 알렉산더,
　　　 줄리아 가드너, 라클런, 라이언, 로버트, 펄
부통령 대통령직 승계로 부통령 없음

취임식 한 달 만에 세상을 떠난 제9대 해리슨 대통령은

애고, 정말 원통 하겠다….

어떻게 딴 대통령자린데….

헌법에 명시되어 있으나 미국 국민이 처음 겪는 새로운 상황을 만들었어.

이제 어떻게 되는 거야?

부통령이 있기는 한데….

즉 부통령이 대통령직을 이어받아야 하는 사태 말이야.

대통령이 유고* 시 대통령의 권한은 부통령에게 '똑같이' 이양된다.

* 유고(有故): 죽거나 직무를 수행할 수 없는 상황

문제는 '똑같이' 라는 문구였어. 만약 부통령이 죽은 대통령의 권한과 의무만을 '똑같이' 이어받아야 한다고 해석하면

권한
의무
대통령

부통령인 존 타일러는 4년간 '똑같이' 부통령으로 남아 대통령의 권한과 의무를 대행해야 했고,

공석
대통령
부통령
대통령 권한대행

대통령 직무, 그 자체를 '똑같이' 이어 받는다고 해석하면 그는 대통령이 되는 것이었어.

힘!

대통령
공석
부통령

해리슨이 죽은 직후 존 타일러 부통령이 가장 먼저 직면한 것이 바로 이 문제였지.

대통령 이냐

대통령 권한 대행 부통령 이냐….

농장에 머물다가 대통령 서거의 급보를 받고 급히 워싱턴으로 돌아온 그에게

웬일 이니…

대통령 별세 급거 귀경 요망!

워싱턴 D.C.

그의 동료들은 부통령이란 호칭을 썼어.

부통령 각하, 중책을 맡게 되셨습니다!

부통령이라고?

그의 첫번째 입장 표명은 단호했다.

오늘 이후 '대통령 권한대행 타일러', '부통령 타일러' 앞으로 보내진 편지는 일절 열어보지 않을 것이오!

그러고는 즉시 국무회의를 소집하고 다음과 같이 선언했다고.

나는 여러분같이 유능한 분들이 내각에 있다는 것을 매우 기쁘게 생각하오.

그러나 나는 미합중국 대통령입니다!

수군 수군 숭성숭성

?! ! 수군 ?! !?

만일 여러분이 나를 대통령이라고 생각하지 않는다면 여러분의 사직서는 이 자리에서 즉각 수리될 것입니다.

존 타일러는 애매한 헌법규정을 그의 단호함으로 분명히 한 부통령이었어.

대통령이 사망하면 → 부통령이 대통령이 된다!

밑줄 좌악 긋고….

대통령이 모든 정치의 중심에 서는 대통령중심제 미국에서 부통령은 마치 대통령의 그림자 같은 존재로

대통령

부통령

대통령에게 무슨 일이 생기면 그 자리를 메우는 정도로밖에 인식되지 않았는데 이럴 경우에

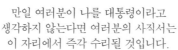

대통령

부통령

부통령이 대통령직을 이어받는다고 분명히 하여 험난하고 고통스러운 선거를 치르지 않고 대통령이 될 수 있었던 거야.

저렇게 대통령이 되는 수도 있구나….

백악관

버지니아주 거대농장 주인의 아들로 제임스강가의 찰스시티카운티에서 태어난 타일러는

또 버지니아니?

돈 없이 정치하는 거 봤어?

버지니아
Charles
City
County

제퍼슨과 같은 거물정치인들과 깊은 친분을 쌓아온 아버지의 덕으로

애야, 출세를 하려면 인맥이 최고란다.

예, 아버지….

아주 쉽고 빠르게 워싱턴 정가에 그의 자리를 굳힐 수 있었던 행운아야.

타일러군. 자네 아버지를 그대로 닮았군

상원의장님. 아버지가 안부를 전하십니다.

윌리엄앤드메리대학을 졸업하고 변호사가 되어 1811년, 21세의 나이로 제퍼슨민주당 후보로 주의회 의원에 당선돼

연방하원

주의원

변호사

기본 코스!

그 후 순탄한 정치 경력이 계속되어 하원의원, 상원의원을 거치며 거물급 정치인으로 성장했어.

그는 원래 반잭슨파였지만, 존 퀸시 애덤스가 싫어서 그의 정적인 잭슨 진영으로 합류해 민주당원이 되었어.

JQA

A. 잭슨

VS

그러나 꼬장꼬장하고 굽히기 싫어하는 그의 성격은 잭슨의 고집과 독선을 결코 그냥 두지 못했어.

적과 동지로 가르는 저 이분법… 짜증나!

1820년 미주리협정 반대로 아예 하원의원직을 사퇴한 것으로 유명해진 타일러는

이 따위 타협을 하느니 의원직을 때려치우지!

하원의원

잭슨에 대한 탄핵을 철회한 의회결정을 의사록에서 지우느냐 마느냐는 투표에 반발

지우자!

그냥두자!

투표로 결정하자!

한심한 작자들!

상원의원직까지 사직해버림으로써 더욱 큰 화제가 되기도 했지.

미스터 '못 말려'야. 타일러는… 타일러도 안 들어!

잭슨보다 더 왕고집일세!

결국 잭슨파에 등을 돌리고 휘그당에 들어간 그는

철새정치인!

변절자!

잭슨
민주당

휘그당

해리슨과 함께 부통령에 출마하지만 1836년 선거에서 참패를 당해.

그래도 난 잭슨 떨거지들이 싫다!

너무 가볍고 천박해!

해리슨과 타일러는 같은 고향 출신

성님요!

아우님!

두 사람의 아버지는 둘 다 버지니아 주지사를 지낸 거물급 정치인이어서

아버지 — 버지니아 주지사 — 아버지

W. 해리슨   J. 타일러

두 사람 모두 집안의 탄탄한 배경을 기반으로 빠르고 순탄하게 성장한 점도 같아.

문

1840년 선거에서도 두 사람은 다시 정·부통령 후보가 되어

Old Tippecanoe & Tyler, Too

드디어 민주당을 누르고 승리를 거둘 수 있었지.

휘그

갑작스러운 해리슨의 사망으로 대통령직을 이어받은 그는

재주는 곰이 넘고 과자는 타일러가 따먹…

즉각 기강을 확립하고 자신이 대통령임을 분명히 하여 스스로 권위를 지켜냈어.

내 권위에 도전하면 이거… 뎅겅!

최고령(68세) 대통령을 맞았던 미국민들은 한 달 만에 최연소(50세) 대통령에게 국정을 맡기게 되었지.

68

50

타일러는 당시 시대적 조류였던 제국주의에 편승할 목적으로

약소국   강대국

미국 해군을 대대적으로 정비하고

중국에 진출하여 외교통상을 시작하자는 망하조약(望廈條約: 1844)을 체결했는데

이때는 영국이 이미 아편전쟁을 빌미로 본격적인 중국침략을 시작하던 때였어.

CHINA

미국은 복잡한 국내사정으로 중국 침략에 손대지 못한 덕분에

중국과의 관계는 다른 열강국가들에 비해 상당히 우호적이었다고 할 수 있어.

유럽사람 나빠요!

미국사람 안 나빠요!

그러나 국내에서는 자신의 정당인 휘그당과 번번이 마찰을 빚었고

당신, 휘그당 대통령 맞아?

의회가 이렇게 내 발목을 잡아서야…

당과 내각이 추진한 법률을 거부해 버리자

VETO!

(거부)

당·내각

법안

내각은 총사퇴하고 당은 대통령과의 관계 청산을 선언함으로써

어디 대통령 혼자서 잘해 보시더라고요!

현직 대통령이 어느 정당에도 가입되지 않은 무당적자라는 기이한 현상이 발생했지.

당적 없음

당은 계속해서 그의 사임을 요구하며 대통령 정책의 발목을 잡고

누구 덕에 대통령이 되었는데 당을 무시해?

대통령직을 사퇴하라!

의회 또한 그에게 호의적이지 않은 타일러 정부는

의회

결국 경제의 실패로 이어져 인기는 바닥을 모르고 곤두박질했어.

지지기반

결국 휘그·민주당이 모두 그에게 등을 돌린 상황에서 재선 출마를 포기하고 임기 후 홀가분하게 백악관을 떠났지.

내가 치사해서 다시 출마 않는다!

백악관

백악관을 떠나기 직전 백악관 창가에 나타난 그를 보고 군중들이 환호하자

와 와 타일러

타일러는 평생에 몇 번 될까 한 농담 중의 하나를 했대.

나에게 정당이 없다고 이제 누가 말할 수 있는가?*

훌쩍

* 국민이 자기편이라는 뜻

1845년 고향으로 돌아온 타일러는 1852년 민주당에 다시 가입하였다.

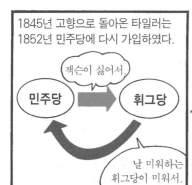

잭슨이 싫어서.

민주당 → 휘그당

날 미워하는 휘그당이 미워서.

1860년 선거에서 공화당의 링컨 후보가 당선되자, 남북은 큰 소리를 내며 갈라지기 시작했어.

남 북

우지지지

노예제를 둘러싸고 남북간의 분열과 전쟁은 피할 수 없는 막다른 골목까지 떠밀린 셈이지.

전쟁

노예제 지지자인 타일러는 1861년 2월 리치먼드 평화전당대회 의장에 선출되어

노예제는 유지되어야

대통령 당선자인 링컨에게 전당대회에서 통과된 결의문을 전달하였는데

이것이 남부의 통일된 의견이오.

그 내용은 노예제에 대한 더욱 폭넓은 허용과 확대를 요구하는 것이었다.

노예제는 분명한 주의 권리이니 연방은 참견 말고

새로 연방 편입하는 주도 완전히 자유에 ….

당연히 링컨은 그 제안을 거부하였고

노예제를 핑계삼아 연방을 탈퇴, 분리하려는 행동은

결단코 용납할 수 없소이다!

타일러는 연방에서 남부가 탈퇴하는 것을 지지했지.

링컨과는 말이 안 통한다.

이제 남은 것은 남과 북으로 갈라서는 것뿐이다!

비록 전쟁을 치를지 모를지언정 노예제 등 주의 자유와 권리를 박탈하려는 연방정부에 더 이상 남아 있을 필요가 없다!

1861년 11월, 타일러는 새로 만들어진 남부동맹 하원의 의장으로 선출되었어.

그러나 그는 그 자리에 앉아보지도 못하고 세상을 떠나고 말았지.

타일러는 임기중 재혼한 첫 대통령이자 15명이나 되는 자녀를 남겨 역대 가장 다복(?)한 대통령으로 기록되지.

제임스 K. 포크 1845~1849

영토팽창 시대의 맹렬지도자

Young Hikory

'Manifest Destiny

· 북쪽 49° 이남의 땅 · 영국과 협상 · 45년 택사스 28번째 주
· 네바다, 유타, 아리조나 · 뉴메시코 (일부 와이오밍, 콜로라도)

영토확장 1846~1848 Guadalupe Hidalgo 강화조약 1821 먼로라 주 2명

멕시코

James Knox Polk

민주당, 1795.11.2~1849.6.15

출생지 노스캐롤라이나주 메클런버그카운티
Mecklenburg County

부 인 사라 차일드리스 포크
Sarah Childress Polk 1803~1891

자 녀 없음

부통령 조지 M. 댈러스 G. M. Dallas

제임스 포크의 정치 스승이자 존경하는 인물은 바로 앤드루 잭슨이었어.

대선배님!

보스님!

포크는 언젠가 잭슨에게 정치생활을 하는 데 있어 도움이 될 충고를 부탁했지.

내 한마디 해주지.

정치란 내조가 빵빵 해야 성공할 수 있는 거야.

그러니 자네도 여자 꽁무니만 따라다니지 말고 장가를 가게, 가정을 꾸미라고.

잭슨의 충고를 받아들여 1822년 27세의 포크는 19세인 사라 차일드리스에게 청혼했는데

나도 당신만큼 정치적 야심이 있어요.

만약 당신이 주의원이 되면 청혼을 받아들이죠.

다음 해 포크는 주의원에 당선됐고 1824년 1월 둘은 결혼했다.

장가도 아무나 가는 게 아니구나….

미국 제11대 대통령 제임스 포크는 영토확장기의 국가지도자로서

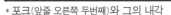
* 포크(앞줄 오른쪽 두번째)와 그의 내각

미국 영토 넓히기에 모든 힘을 쏟아 부은 대표적인 팽창주의자였어.

당! 땅! 당! 그리고 땅!

이때는 신이 미국을 선택해 북미 대륙의 지배권을 부여했다는 이론,

신의 뜻으로 Go West!

아전인수도 유분수지.

즉 '명백한 운명' 론이 미국을 지배하여

Manifest Destiny

미국의 지배는 신의 명령이다!

인디언을 무자비하게 토벌하여 그들의 땅을 빼앗고

나가!

멕시코, 에스파냐에 싸움을 걸어 거대한 영토를 빼앗는 등

순순히 내놔!

제국주의를 향한 몸집불리기에 여념이 없었던 시절이지.

USA

포크는 시대에 맞게 '명백한 운명' 을 따라 '영토확장' 을 선거공약으로 내세워 대통령에 당선됐고

선거공약
신의 섭리에 따라
미국 영토확장
∞

임기중 그 공약을 '성실히' 지키기 위해 최선을 다한 '미국 패권주의' 선두주자라 할 수 있다.

땅 뺏어라! 땅 사들여라!

백악관

부동산 중개업 하려나?

1795년 11월 2일 노스캐롤라이나주 메클런버그카운티에서 태어난 포크는 테네시주에서 자랐어.

KY   VA

테네시   노스캐롤라이나

사우스 캐롤라이나

AL   조지아

그 후, 노스캐롤라이나대학을 졸업했고 25세인 1820년에 변호사가 되었으며

지금처럼 제도가 완전했던 때가 아니라

젊은 나이에 변호사가 되는 건 어렵지 않았죠.

20대 변호사 ?

잭슨민주당에 입당하여 주의회 의원에 당선되는 것으로 정치생활을 시작했지.

- 1824 주의원
  ↓
- 연방의회 의원
  ↓
- 1834~1839 하원의장
  (39~44세)
  ↓
- 테네시 주지사

테네시 주지사 임기가 끝난 후 그는 두 번을 연거푸 주지사 선거에서 낙선하였는데

낙선

낙선

이러한 경력에 비한다면 포크가 대통령 후보까지 떠오를 수 있었던 것은 뜻밖이었고

주지사 선거에서도 떨어진 포크가?

웬일이니… 민주당에 사람이 그렇게 없나?

이는 포크를 밀었던 민주당의 실질적인 보스이자 지도자였던 앤드루 잭슨의 힘이라고 봐야지.

나는 포크를 지지한다!

1844년 대통령 선거에서 포크는 휘그당의 지도자이자 의회의 터줏대감과 같은 헨리 클레이* 후보와 격돌했어.

* Henry Clay(1777~1852)

포크 후보는 두 가지 공약을 내세웠는데 모두가 영토확장을 약속하는 거였다.

공약1 영토확장

공약2 영토확장

첫째, 거대한 땅덩이인 텍사스를 합병할 것이며

691,201km² (한반도의 세 배)

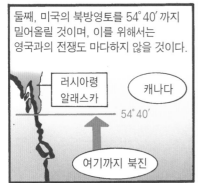

둘째, 미국의 북방영토를 54°40′까지 밀어올릴 것이며, 이를 위해서는 영국과의 전쟁도 마다하지 않을 것이다.

러시아령 알래스카

캐나다

54°40′

여기까지 북진

이것이 바로 민주당의 선거전 구호였어!

Fifty-Four Forty or Fight! (54°40′가 아니면 전쟁이다!)

54°40′이란 당시 러시아 영토였던 알래스카 경계선까지로, 이는 북미 대륙 서부해안 모두를 차지하겠다는 뜻이었지.

우리는…?

캐나다

태평양

미국

이런 미국의 주장은 캐나다를 지배하고 있는 영국에게는 기막히기 짝이 없었으며

웃기지도 않는 억지를 부리네…

54°40′이라면, 캐나다의 서해안은 완전히 없어지는 거 아냐?

미국 국경의 북방한계선 문제, 즉 '오리건' 문제는

뻔뻔한 것도 정도가 있지, 남의 땅을 다 먹어버리겠다고?

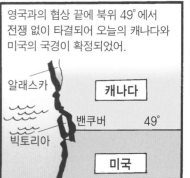

영국과의 협상 끝에 북위 49°에서 전쟁 없이 타결되어 오늘의 캐나다와 미국의 국경이 확정되었어.

알래스카

캐나다

밴쿠버   49°

빅토리아

미국

또한 포크는 공약대로 1845년 텍사스를 28번째 주로 미합중국에 합병하였다.

이런 공격적이고 팽창주의적인 선거공약을 내건 포크는 가까스로 승리했어.

1844년 선거결과

민주당	득표수	휘그당
제임스 K. 포크		헨리 클레이
1,339,494	득표수	1,300,004
170	선거인단수	105

대통령이 된 포크는 멕시코에 영토 분양을 요청했다.

땅 좀 파쇼.

얼마 줄래?

뉴멕시코와 캘리포니아를 합쳐 3,000만 달러 쳐 드리지. 텍사스도 우리가 합칠 거야.

요즘 같은 부동산경기 침체기에 아주 잘 쳐서 주는 거요.

세상에 이런 날강도 같은…

아예 거저 달라고 그래라. 거저!

안팔아!

미국과 멕시코 사이에 전쟁의 먹구름이 짙게 드리우자

너 자꾸 집적 거릴래?

미군 지휘관 재커리 테일러 장군에게 포크는 밀명을 내렸어.

멕시코군을 자꾸 건드려서

먼저 공격하도록 유도하라!

멕시코군이 공격해야 우리가 전쟁을 할 수 있는 명분이 생긴다.

미군의 도발로 1846년 리오그란데에서 충돌이 벌어져 미군 16명이 멕시코군에 의해 살해되었지.

그것이 바로 미국이 바라던 것, 드디어 전쟁은 터졌다!

그러나 3만 2,000명의 멕시코군에 비해 미군은 겨우 7,000명에 지나지 않았어.

* 멕시코전쟁(1846~1848)

전쟁이 터지자 미국의 여론은 둘로 갈라졌다.

영토확장은 좋다! 그러나….

군사력으로 뺏는 것은 반대다! 전쟁 반대!

영토확장에는 전쟁이 필수적 아닌가?

NO WAR

ONLY WAR

헨리 D. 소로 같은 지식인은 전쟁세를 내는 대신 감옥에 가는 것으로 항의했고

문명이 싫다.

인간의 탐욕이 싫다!

월든 호수

* Henry David Thoreau: 『월든』의 저자

랠프 에머슨은 미국의 폭력을 부끄러워했으며

보라. 멕시코는 미국에게 두고두고 독이 될 것이다!

그의 예언이 한 세기 반이 지나 현실로 증명되고 있지.

미국 내 히스패닉계 급증.

멕시코인 불법 이민 폭발적!

미국

멕시코

또 뒷날 남북전쟁의 영웅이 된 U. S. 그랜트 장군도 이를 두고 한탄했대.

아, 미국이 참으로 부끄러운 짓을 하고 있구나!

* Ralph Waldo Emerson: 미국 시인, 사상가

그러나 미군은 수적으로 우세한 멕시코군을 격파하고

2년여에 걸친 전쟁은 미국의 승리로 막을 내렸지.

· 1846년 5월 13일 미국, 선전포고
· 1847년 9월 14일 멕시코시티 점령
· 1848년 2월 2일 강화조약

1848년 미국과 멕시코는 과달루페 이달고*에서 강화조약을 맺었어.

서명해!

* Guadalupe Hidalgo

이 조약으로 미국은 캘리포니아, 네바다, 유타, 뉴멕시코의 대부분과 애리조나 (와이오밍, 콜로라도 일부)를 얻고

멕시코로부터 할양받은 땅

리오그란데를 경계로 하여 텍사스를 차지하는 대신 멕시코에 단돈 1,825만 달러를 지불했다.

날강도 같으니….

이제 미국은 단숨에 128만km² 즉 한반도의 여섯 배나 되는 영토를 넓힐 수 있게 되었지.

뻥 튀기!

새 영토를 얻었지만 포크의 정적들은 그를 매섭게 공격했다.

이긴 전쟁도 문제가 되나?

야당인 휘그당은 도덕성을 들어

원리원칙을 버리고 영토확장으로 개인의 인기를 끌려는 것 아닌가?!

뉴잉글랜드 지방은 노예제문제로 공격했어.

새로 얻은 영토는 모두 남쪽 지방이다!

이들은 노예주가 될 게 분명하니, 포크는 노예제도 유지를 목적으로 한다!

승리에도 불구하고 그의 인기는 바닥을 헤맸다.

전쟁에 이기고도 이게 뭐야….

지지도

그는 '강한 대통령' 으로 자신의 약속을 지키고 목적을 달성하였지만

약속 지켜도 야단, 안 지켜도 야단….

대통령, 못해먹겠다!

군사적 신망도 못 얻고, 반대 여론을 압도할 카리스마도 없었지.

포크는 무능하다! 와 와

특히 멕시코와의 전쟁에서 영웅으로 떠오른 재커리 테일러 장군이

1848년 휘그당 대통령 후보로 지명되어,

와 WHIG VICTOR 와 ZACHARY

온갖 비난과 악소문을 퍼뜨린 것이 그에게는 결정적인 타격이었어.

그는 전쟁에 미쳐 미군을 희생시킨다!

영토확장한 것은 그의 욕심을 채우기 위한 것이다.

그의 아버지는 독립전쟁 때 도망다녔대.

민주당 대통령 후보 지명전에서 밀려나 재선의 꿈을 접고 고향으로 돌아온 포크는

당신으로는 안 되겠소. 당선 가능성이 없어.

민주당

급격히 건강이 악화되었고

콜록 콜록

백악관을 떠난 지 석 달 만에 세상을 하직하였다.

앤드루 잭슨이 올드 히코리였고, 포크는 영 히코리*였어.

JAMES KNOX POLK

* Young Hikory

재커리 테일러 1849~1850

백악관으로 직행한 평생 군인

J. Taylor.

위대인 5번 *멕시코 전쟁영웅* *Compromise*
Old Rough and Ready 1848 *1850*

전쟁은 영웅을 만드는 법이지!

멕시코

장군

대통령

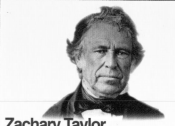

Zachary Taylor

휘그당, 1784.11.24~1850.7.9

출생지 버지니아주 오렌지카운티
Orange County

부 인 마거릿 맥콜 스미스 테일러 Margaret
Mackall Smith Taylor 1788~1852

자 녀 앤, 사라 녹스, 옥타비아, 마거릿, 메리,
엘리자베스, 리처드

부통령 밀러드 필모어 M. Fillmore

재커리 테일러는 정치인이 아니다.

난 그런 거 몰라….

정치

그는 워싱턴, 잭슨, 해리슨처럼 군인 때 세운 무공으로 대통령에 오른 인물이지만

단 한 번도 선출직에 있은 적은 물론 자신의 선거 때 외엔 대통령 선거에서 투표해본 적이 없는 사람이었다.

군인은 정치에 관심 가지면 안 된다!

그가 대통령이 된 이유는 단 한 가지, 멕시코전쟁의 영웅이었다는 것이고

그 전쟁의 실질적인 승리자인 포크를 버리고 포크의 명령으로 전쟁에 임했던 테일러를 선택했다는 사실은

테일러! 테일러!

어… 제작, 감독 한 건 난데….

미국 정치가 이미 철저한 인기주의, 포퓰리즘, 이미지 정치로 기울어져 있었음을 말해주지.

배우 보려고 연극 가지 감독 보려고 가냐?

멕시코전쟁의 승리로 미국인들의 영웅으로 떠오른 테일러는

테일러와 와와 테일러 와!

민주당의 포크 대통령을 꺾을 수 있는 후보 찾기에 고심하던 휘그당에서

와, 테일러 인기 짱이다!

The WHIGS

당내 최고 실력자들이었던 D. 웹스터, H. 클레이를 물리치고 대통령 후보 지명을 받았어.

저희 당의 요청을 받아주옵소서!

후보

?

정치는 물론 선거전을 치러본 경험이 전혀 없는 테일러였지만

후보

영 불편하네….

또다시 대통령에 출마하려는 마틴 밴 뷰런에 의해 민주당이 분열되어

민주당

자유 토지당

어부지리로 대통령에 당선될 수 있었지.

1848년 선거결과		
휘그당	민주당	자유토지당*
재커리 테일러	루이스 카스	마틴 밴 뷰런
1,361,393	1,223,460	291,501
163	127	0
	선거인단수	

* Free Soil Party

대통령으로 백악관에 입성한 테일러는

반항하는 인디언들을 어떻게 할까요?

군인답게 정치문제를 강하게 밀어붙였고

깔아뭉개버려!

뒷날 A. 링컨은 테일러를 이렇게 평했어.

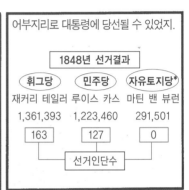

그는 계략보다는 확고한 판단과 신념으로 전쟁에서 승리했다.

그러나 그의 뜻이 제대로 펼쳐지기도 전인 1850년 독립기념일

의사, 의사를 불러와!

무더위 속에 과식한 테일러는 위경련을 일으켜 쓰러졌고 그 뒤 5일 만에 세상을 떠났어.

취임한 지 16개월 만이었지.

천하를 때려 눕힌 장군들이

어째서 제 몸 하나 못 다스리누?

ZACHARY TAYLOR 1784-1850

재커리 테일러는 1784년 11월 24일 버지니아주 오렌지카운티에서 태어나

또 버지니아야?

당시엔 미국 남부가 대부분 버지니아였다구.

1808년 입대해 사십 평생을 군인으로만 지내다가

곧장 대통령이 되었고 백악관에서 세상을 떠난 두번째 대통령이라는 진기한 기록을 남겼어.

좀 튀는 인생이지?

장군   대통령

의무감 있고 용기있는 군인으로 1812년 영국과의 전쟁에서 큰 공을 세웠지만

그 이후로는 주로 인디언을 토벌하고 인디언 봉기를 무자비하게 진압하는 데 큰 공을 세운

인디언들에겐 '저승사자'나 다름없던 무서운 탄압자였지.

테일러에게 저주 있으라!

그에게 'Old Rough and Ready'라는 별명이 따라다녔는데

'거칠고 노련한 준비된 지휘관'이란 뜻이 되겠지?

이는 거칠고 무자비하게 상대방을 파괴하며

언제나 이러한 행동을 할 준비가 되어 있었던 지휘관이었기 때문이야.

누구든지 덤비는 자는 박살내주마!

영토문제로 멕시코와 전쟁위기로 치닫고 있을 때

멕시코 국경

테일러에게 포크 대통령의 밀명이 전달되었어.

멕시코를 자극하여 먼저 발포하도록 유도하라!

이 지령을 받은 테일러는 즉각 명령을 내렸지.

국경을 넘어가 멕시코 마을을 포위하라!

불법으로 경계선을 넘은 미군은 당연히 멕시코군의 저항을 받았고

총격전이 시작되자 테일러는 대통령에게 보고했어.

적들의 적개심이 이제 전쟁을 시작해도 될 수준에 이르렀다고 생각됩니다.

이제 전쟁이 시작된다. 먼저 선수치는 쪽에게 유리하다. 우리가 먼저 공격하자!

미군은 선전포고도 하기 전에 진군을 시작했고

뭐야? 미군이 선전 포고도 없이 공격해와?

기습공격을 당한 멕시코는 큰 타격을 입었던 거야.

1848년, 전쟁이 끝나고 테일러는 미국의 영웅이 되어 있었어.

와 테일러장군 만세!

와 와

대다수의 휘그당원들은 테일러를 영웅으로 만들어준 멕시코전쟁에 반대하였지만

와 테일러!

와

전쟁반대

THE WHIGS

1848년 대통령 후보로 그를 내세웠다.

선거는 어쨌든 이겨야 하고

민주당 후보를 꺾으려면 테일러만한 후보가 없다!

THE WHIGS

의원 경험이 없는 최초의 대통령이 된 테일러는 정치인으로서는 전혀 검증된 바가 없었지.

Z. 테일러	
이력서	
주 하원의원	X
연방 하원의원	X
상원의원	X
지사	X

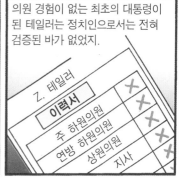

그의 부인은 남편이 선거에서 패하기를 간절히 기도했지만

그를 고향에 남아 있도록 해주소서 …

테일러는 군인다운 패기와 신념으로 노예문제를 해결할 수 있을 것이라는 기대를 받았고

아무도 해결 못한 노예문제도

테일러라면 해낼 수 있을 거야.

남부   북부

남·북부의 고른 지지로 테일러는 제12대 미국 대통령에 당선되었지.

테일러 지지

남부   북부

멕시코전쟁의 승리는 막대한 영토를 미국에 안겨주었지만

새 영토

그에 못지않은 엄청난 문제들, 특히 노예제도를 둘러싼 남북대결을 더욱 심각하게 만들었어.

애들, 다 호적에 올려야죠.

노예제도문제

즉, 새 영토가 된 주에 노예제를 허용하느냐 하지 않느냐의 문제로

YES! NO!

남부　　　북부

겨우겨우 균형을 유지해왔던 남북간 관계를 근본적으로 뒤흔들 수 있었지.

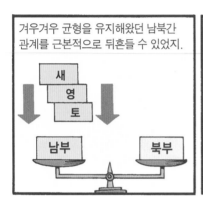

새 영 토

남부　　　북부

테일러는 남부 출신이고

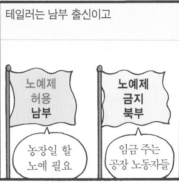

노예제 허용 남부

노예제 금지 북부

농장일 할 노예 필요

임금 주는 공장 노동자들

또 80명의 노예를 소유하고 있었던 노예주였음에도 불구하고

북부의 시각으로 노예제를 보고 있었기에

노예제는 확산시켜서는 안 된다고 생각하네.

새 영토의 연방가입문제에 반노예제 성격을 분명히 하였어.

이미 노예제가 시행 되고 있었던 새 영토는 연방가입이 되지만….

"아직 공식적으로 노예제를 채택하지 않았던 주는 노예제 허용주로 연방에 가입할 수 없다!"

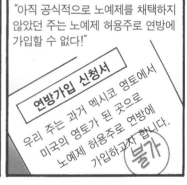

연방가입 신청서

우리 주는 과거 멕시코 영토에서 미국의 영토가 된 곳으로 노예제 허용주로 연방에 가입하고자 합니다.

불가

이에 대해 그를 지지했던 남부는 거세게 반발했지.

이것은 분명히 남부에 대한 노골적인 도전이다!

이런 식으로 노예제 금지주가 늘어난다면 남북간의 균형은 반드시 깨지고, 남부는 불이익을 당한다!

이는 분명한 주의 권리를 침해하는 것이며, 우리는 연방에서 탈퇴할 것을 고려해야 한다!

이쯤 되면 막해 보자는 거지, 대통령?!

연방탈퇴를 들먹이며 반발하는 남부를 달래기 위해

탈퇴

당근!

의회는 '1850년의 타협안' 수용 문제로 그가 죽을 때까지 옥신각신 했다.

Compromise 1850

와글

와글

YES! NO!

그 내용은, 노예제 허용문제는 주민 의사에 맡기는 대신, 지금의 노예법은 더욱 강화해 남부 노예 소유주의 이익을 보호하자는 것으로

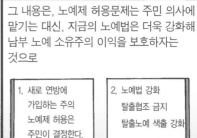

1. 새로 연방에 가입하는 주의 노예제 허용은 주민이 결정한다.

2. 노예법 강화
탈출협조 금지
탈출노예 색출 강화

이는 결국 언젠가는 벌어지고야 말 남북의 대충돌을

임시 땜질로 막아 10년 뒤로 미룬 것에 지나지 않았어.

흥~

1850년 독립기념일 오후, 무더위 속에서 체리와 우유를 과식한 테일러는 위경련으로 쓰러져

아이고~

배야!

5일 후인 7월 9일 사망했어. 어떤 이는 당시 엉망이었던 워싱턴의 위생상태로 보아 콜레라로 죽었다 하기도 하고

워싱턴?

말도 마! 진흙 땅에 파리, 모기떼….

너무 갑작스러운 죽음에 두고두고 독살설이 떠돌아다녔지만

틀림없이….

테일러 정책에 반대하는 무리가….

1991년 유해발굴 검사결과 사실이 아님이 밝혀졌지.

독살된 흔적이 없었다.

모두가 유언비어였다.

그의 갑작스러운 죽음은 의회 내의 노예제 찬성론자들을 안심시켰을 거야.

휴우~ 어휴~

남부   북부

남부 출신이면서도 강력한 노예제 반대론자였던 테일러에 비해

노예제는 절대 확산 되어서는 안 된다!

그의 자리를 이어받은 밀러드 필모어는 북부 출신이었지만 노예제에 우호적 이었기 때문이지.

남부 노예 소유주의 이익은 보호되어어 한다!

밀러드 필모어 1850~1853

양복재단사에서 백악관의 주인까지

1850 Compromise, Fugitive Slave Act. Millard Fillmore
남북문제 심화. 일본개항

무슨 말이든 들어줄 테니 제발 집 나간다는 소리만 하지 말아줘….

흥, 하는 거 두고 봐서요.

기껏 뽑아줬더니 나는 처다보지도 않고….

남부

북부

1850 타협안

노예 취급법

연 방

Millard Fillmore
휘그당, 1800.1.7~1874.3.8
출생지 뉴욕주 카유가카운티 Cayuga County
부 인 애비게일 파워스 필모어
　　　 Abigail Powers Fillmore 1798~1853
자 녀 밀러드, 메리
부통령 대통령직 승계로 부통령 없음

미국 역사상 두번째로 부통령으로서 대통령직을 이어받은 밀러드 필모어는

나는 헌법을 준수하며….

오히려 작고한 테일러보다 탁월한 능력과 타협적인 면이 뛰어났다고 평가받고 있어.

아주 타협 적인데….

테일러는 무조건 밀어 붙이기만 했어.

애기가 좀 통하네!

그러나 문제는 국가가 노예제문제로 두 조각이 난 상황에서

남부

북부

그 어떤 능력있는 지도자라도 타협 능력을 발휘할 여지가 없었다는 게 현실이었다.

OH… NO…

남부

북부

그래서 링컨의 전임 대통령들은 무능력한 것으로 정치적 평가를 받지만

쿵

남

북

이는 당시 상황에서는 지도자에 대해 상당히 지나친 요구가 아닐 수 없어.

분열만은 피해보려 최선을 다했지만….

필모어는 대부분의 미국 대통령과는 달리 가난하고 미천한 환경에서 자랐어.

1800년 1월 7일, 뉴욕주의 카유가 카운티의 통나무집에서 태어난 그는

Cayuga County

가난 속에서 교육도 받지 못하고 재단사 견습생으로 들어갔지.

그 뒤 독학으로 버펄로에서 변호사가 된 뒤

독학으로 변호사가 되었던 대통령

제7대
앤드루 잭슨

제8대
마틴 밴 뷰런

당시의 많은 젊은 변호사들처럼 정치에 매력을 느꼈고

워싱턴 D.C.

그래, 정치계로 나가 꿈을 실현해보자!

뉴욕주 의회를 시작으로 네 번에 걸쳐 연방 하원의원으로 일했어.

· 1833 ~ 1835
· 1837 ~ 1839
· 1839 ~ 1841
· 1841 ~ 1843

휘그당

THE WHIGS

1844년 뉴욕 주지사 선거에서 패하였지만

낙선!

1848년 선거에서 부통령 후보로 지명되었는데

대통령 후보
재커리 테일러

부통령 후보
밀러드 필모어

그의 선거구인 뉴욕주 대표단의 열렬한 지지와

우리주 출신을 부통령으로!!

필짱 파이팅!

와 와

뉴욕주

다른 경쟁자들의 과격함이 온건한 그가 선택되도록 도운 셈이야.

대통령 후보 못해먹겠다!

저렇게 과격해서야…

확 뒤집어 버리자!

그가 부통령이 된 지 16개월 만에 테일러가 사망하여 대통령직을 승계하게 되었지만

ZACHARY TAYLOR

노예제로 남북이 갈라져 치열하게 싸우는 와중에 선거로 뽑히지 않은 대통령이 제대로 할 수 있는 일은 거의 없었지.

어쩌라고…

남부

북부

더구나 그때 미국 의회에는 미국 역사상 가장 쟁쟁한 의원들이 진을 치고

헨리 클레이	스티븐 더글러스	제퍼슨 데이비스

정부를 힘으로 누르며 정치를 주도하고 있던 터여서

존 C. 칼훈	다니엘 웹스터

필모어는 대통령이 되면서부터 강력한 의회에 굽히고 들어갈 수밖에 없었어.

의회

남북으로 갈라진 의회가 강력한 힘을 지녀 대통령의 권한이 위축되어 있고 의회는 노예제문제를 놓고 치열한 싸움만 거듭하는 상황에서

대통령은 속수무책으로 사태가 악화되는 것을 지켜보고 있을 수밖에…

반대!
와글 찬성!
와글

그러나 사우스캐롤라이나주가 연방을 탈퇴할 기미를 보이자

도저히 북부와는 함께 지낼 수 없다!

필모어는 더 이상 그냥 둘 수 없음을 깨닫고 강력한 군사조치로 대응했지.

만약 법으로 억제하기에 너무나 강력한 저항에 직면한다면

쾅

군사동원을 비롯하여 모든 수단을 동원하는 것이 대통령의 의무다!

대통령의 단호한 태도에 분리주의자들은 일단 꼬리를 내렸고

찔끔!

무시라…

분열의 위기는 잠시 진정되었어.

…그래도 맹물은 아니네…

휴우….

보기보단 성깔이 있네…

그러나 그것은 더 큰 분열과 충돌의 서곡에 불과했었던 거야.

봤지?

전쟁

필모어가 대통령이 되자마자 수용한 '1850년의 타협안'은

1850 Compromise

남부 달래기용

남부 사람들이 도망친 노예를 잡아오는 것을 너무 쉽게 만든 법이어서

남의 주에 맘대로 들어와서….

심지어는 캐나다로 도망친 수천 명의 노예들을 도로 잡아오는 일도 벌어졌어.

캐나다가 아니라 지옥까지 가서 잡아올 거다!

그러나 필모어는 이 법이 남북간 대립을 해결할 수 있는 유일한 방법이라 생각했고

너무하는 거 아닙니까?

그 외에 다른 방법 있으면 말해보소.

이 법에 반대하는 많은 북부인들을 극단적이라고 공격하였지.

노예는 개인 재산인데 북부는 왜 그걸 가지고 문제삼는 거요?

나는 가장 미국적인 심장을 지닌 사람이오. 그래서 나는 북부의 극단적인 사람들에게 저항할 준비가 되어 있소!

그러나 1850년 타협안과 노예취급법*의 가장 큰 문제는 노예에게는 재판조차 허용하지 않는다는 점과

자유노예인데 억울하게 납치되어….

그런 문제는 취급 안 해!

법원

북부의 자유로운 흑인노예들조차 보호해줄 장치가 없었다는 점에서

나는 해방된 노예라니까!

넌 이제 내 소유야!

법 자체가 불완전한 모순덩어리였고

남부 편만 들어 주면 문제가 해결되나?

이건 완전한 억지에 노예 소유 주만 이득보는 법이다!

* Fugitive Slave Act

북부에서 들끓던 반노예제 여론에 대한 모독이었던 거야.

북부인이라 밀어줬더니

대통령이 앞장서서 노예제를 옹호해?

와글 와글

북부

소극적인 반노예자였던 필모어는 결국 이 법에 서명을 했고

미국의 평화를 지킬 유일한 방법이니…

이 법은 북부를 분노케 하여 필모어의 재선은 막히고 말았지.

불성실한 배신자 필모어!

다음 선거에서 몰아내자!!

그의 치적으로 남은 작은 외교적 성과란 일본의 개국이었어.

1840~1842년에 벌어진 아편전쟁에서 영국이 청나라에 승리함으로써

유럽 열강의 본격적인 아시아, 아프리카 대륙 침략이 시작되었지.

Unequal Treaties
불평등조약
청나라는 우리의 요구를 무조건 들어주어야 한다.
· 영국
· 프랑스
· 네덜란드
· 도이칠란트

미국도 이 대열에 끼어 식민지를 얻으려 하였으나

우리도 한몫 건져 볼까?

중국은 영국과 프랑스 등 유럽 국가들이 이미 침략을 본격화하여

네 몫이 어디 있니?

미국이 끼어들 틈이 없었다고.

투덜 투덜 투덜

미국은 아직 유럽 열강의 손이 닿지 않은 일본을 선택하고

중국
미국
일본
유럽 열강

1853년 매튜 페리 제독*과 군함 4척을 보내 개국을 강요했어.

* Matthew Calbraith Perry(1794~1858)

이에 일본은 이듬해 미일수호통상조약을 맺고 쇄국을 풀었는데

보내기는 필모어가 보냈지만

통상조약은 다음 대통령 피어스 때 맺었다.

이 조치는 1868년 메이지 유신(明治維新)으로 이어졌고

Restoration

일본이 동양의 군사강국이 되는 계기를 마련해주었지만

富國
强兵

정작 미국은 남북전쟁으로 치닫고 있던 국내사정으로 더 이상 일본을 집적대지 못했지.

내 코가 석 자나 빠졌는데….

USA

휘그당 대통령 후보 지명에 실패한 필모어는 1853년 백악관을 떠났고

대통령 짓 못해먹겠다. 안 시켜줘서….

백악관

새 대통령에 민주당 출신이 당선됨으로써 필모어는 휘그당이 배출한 최후의 대통령이 되었어.

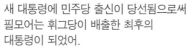
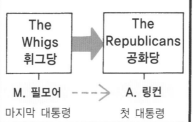

The Whigs 휘그당	→	The Republicans 공화당
M. 필모어	--→	A. 링컨
마지막 대통령		첫 대통령

1856년 군소정당 후보로 다시 대통령 선거에 나섰지만 선거인 8명이라는 참패를 당했지.

1856년 선거결과		
민주당	공화당	미국당
제임스 뷰캐넌	존 C. 프리몬트	M. 필모어
1,836,072	1,342,345	873,053
174	114	8
	선거인단수	

은퇴 후엔 고향이나 다름없는 버펄로로 돌아가 지역사회에 헌신하고

뭐 하고 지내슈?

그럭저럭….

그곳에서 1874년 3월 8일, 세상을 떠났어.

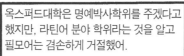

온타리오호

버펄로

이리호

뉴욕주

뉴욕

그의 시대에는 인정받지 못한 '실패한' 대통령이었지만 필모어는 능력있고 마음 따뜻한 대통령이었지.

밀러드 필모어

미국 제13대 대통령

재선 지명 실패
1856년 낙선
남북문제 심각화

퇴임 후 1855년 필모어는 영국 옥스퍼드대학을 방문했다.

옥스퍼드대학은 명예박사학위를 주겠다고 했지만, 라틴어 분야 학위라는 것을 알고 필모어는 겸손하게 거절했어.

나는 고전교육을 받지 못했습니다.

나의 생각으로는 내가 읽을 줄도 모르는 분야의 박사학위는 받아서는 안 될 것 같군요.

반대로 앤드루 잭슨은 하버드에서 라틴어 분야 박사학위를 받을 때

기분 째진다!

못 배운 한이 한꺼번에 풀리네….

훌쩍

그가 외운 몇 마디 라틴어를 외쳤다고 해.

E pluribus Unum! Sine qua non!
뜻은 묻지마!

공자 앞에서 문자 읊네….

제대로 배우지 못한 열등감과 허영심에 차 있던 잭슨에 비해 필모어는 적어도 분수는 아는 대통령이었던 것 같지?

프랭클린 피어스 1853~1857

남부를 보호하려던 북부 지도자의 실패

H.B. Stowe
"Uncle Tom's Cabin" 1854 Kansas-Nebraska Act.
해리엇 비처스토
Gadsden Purchase (남부땅)

복수림단원리선
남부 '' 저격
Ostende Manifesto (쿠바 X)

Franklin Pierce

Franklin Pierce
민주당, 1804.11.23~1869.10.8
출생지 뉴햄프셔주 힐즈버러 Hillsboro
부 인 제인 민스 애플턴 피어스 Jane Means
Appleton Pierce 1806~1863
자 녀 프랭클린 Jr., 프랭크 로버트, 벤저민
부통령 윌리엄 R. 킹 W. R. King

저 사람, 북부 출신 지도자 맞아?

냐, 놓으란 말야!

위… 위험해. 비켜!

캔자스 사태

북부

남부

프랭클린 피어스는 화려한 공직 경력이 증명하듯 기록적인 국민 봉사 이력을 지닌 인물이다.

공직 공직 공직 공직

그는 다정하고 뛰어난 연설가며 유쾌한 술친구이자 선량한 인간이었지만

남북전쟁으로 흐르는 거대한 물결을 막기에는 부족했던 무능한 대통령으로 기록되고 있어.

전쟁

아니, 전쟁 같은 극단적인 방법이 아니고는 도저히 풀 수 없는 문제,

즉 남북갈등문제가 해결되기 전에는 그 누구도 빛날 수 없었던 시대에

모든 노력과 의지가 빛을 잃고 무능한 지도자로 기록된 여러 대통령 가운데 한 사람이었다는 것이 더 정확할 거야.

핵 핵

피어스는 1804년 11월 23일 뉴햄프셔주 힐즈버러에서 주지사의 아들로 태어났어.

보든대학을 졸업하고 23세에 변호사가 된 이후

가문의 배경을 업고 워싱턴 사교계에 진출하여 빠르게 정치적인 성장을 거듭했지.

젊은 나이에 민주당원으로 연방 하원의원이 되었고 30대에 상원의원이 될 수 있었어.

와, 초고속 출세네…

그러나 그의 아내가 너무도 정치를 혐오하여

여보, 제발 정치에서 손 떼요.

정치판이 너무 추하고 더러워요.

1842년(38세)에 상원의원직을 사퇴하고 정계에서 은퇴했다고.

잔소리 말고 따라와요!

1840년대 중반에 터진 멕시코와의 전쟁에 참전하여 사병에서 준장까지 진급했지만 영웅적인 활약을 보여주었다는 기록은 전혀 나타나지 않아.

* 시원치 못한 장교 피어스를 풍자한 그림

전쟁이 끝난 뒤 피어스는 부인의 반대에도 불구하고 다시 정치계로 돌아온다.

정치는 마약이라더니…

한번 맛 들이더니 결코 빠져나오지 못하네!

1852년 민주당 전당대회에서 대통령 후보로 지명되자

* 당시 전당대회 풍경

그의 아내는 그 소식을 듣고 너무나 충격을 받은 나머지 기절을 했대.

못 살아~!

지금과 같은 혼란기에 대통령이 되겠다니

아무리 잘해야 본전도 못 찾을 현실을 모르는 바보 아닌가?!

피어스가 민주당 대통령 후보로 지명된 이유는 무엇이었을까?

F. PIERCE

당에 대한 무한한 충성심이 높이 평가되었고

충성!

대통령 된 뒤에 오리발 내밀지는 않겠지…?

남부에 호감을 가진 정치인으로 노예제에 긍정적이어서 남부의 지지를 끌어낼 수 있으며

노예제 YES

남부

북부 출신이기에 북부의 지지 또한 받을 수 있다는 것이 민주당의 계산이었어.

대통령이 남부인이 되어서는 안 되겠죠?

나는 북부인

북부

또한 패거리정치에 능했던 피어스였기에 '머신(계파)'을 잘 활용했다는 이유도 있었지.

쑤군 쑤군

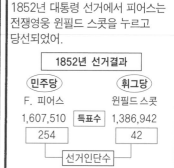

1852년 대통령 선거에서 피어스는 전쟁영웅 윈필드 스콧을 누르고 당선되었어.

1852년 선거결과

민주당		휘그당
F. 피어스		윈필드 스콧
1,607,510	득표수	1,386,942
254		42
	선거인단수	

그러나 그가 취임하자마자 '불길한' 징조들이 나타나기 시작했는데

우르르릉

친남부적인 대통령의 취임에 힘입어 남부의 입김이 거세어지기 시작하자

자. 대통령은 우리 손안에 있으니

북부에 압력을 넣어 우리의 우세를 확실히 해두자구!

그를 뽑아준 북부인들의 불만과 반발 또한 거세어지기 시작했다.

남부놈들 벌써 부터 설쳐대네!

완전히 저희 세상 된 줄 아나 봐!

여기에 기름을 붓듯 해리엇 비처 스토 부인이 쓴 『톰 아저씨의 오두막』이란 소설이 출간되어

Uncle Tom's Cabin

H.B. Stowe

노예제문제에 관심이 없던 북부인들조차 적극적으로 노예제 반대에 가담했어.

노예의 삶이 이처럼 비참하단 말인가?

이 비인간적인 제도는 당장 없어져야 해!

남북전쟁의 먹구름이 천둥·번개까지 휘몰고 온 거지.

폭풍우는 이제 피할 수 없겠네…

꽈르르릉

또한 정부의 각료들도 대부분 남부 출신 인사들로 채워지고

F. 피어스 내각

국무장관	윌리엄 L. 마시	남
재무장관	제임스 거스리	남
전쟁장관	제퍼슨 데이비스	남
해군장관	제임스 C. 도빈	북
법무장관	갈렙 쿠싱	남
내무장관	R. 맥클랜드	북

전쟁장관으로 임명된 제퍼슨 데이비스는 뒷날 남부동맹의 대통령이 된 인물이야.

* 제퍼슨 데이비스 부부

이러니 북부의 불만이 어느 정도이고 남북간 갈등은 도저히 걷잡을 수 없을 정도란 게 짐작되지?

기껏 북부 출신 뽑아주면 꼭 남부만 끼고도니…!

북부는 안 보이고 연방이 깨지는 것만 겁나서….

피어스는 가장 민감하고 피할 수 없는 핵심문제였던 노예제를

어떻게든 건드리지 않고 피해가려고 했지만

더 이상 서로를 자극하지 말고 현상을 유지하도록 합시다.

1854년에 제정된 캔자스-네브래스카 법은

Kansas-Nebraska Act
(1854)

이 지역에서의 노예제 여부는 주민의 투표로 결정한다.

캔자스는 36° 30′ 이북에 위치하죠.

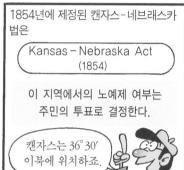

1820년에 체결된 미주리협정 자체를 휴지조각으로 만들어버리고

미주리협정

무효!

36° 30′ 이북에서는 노예제를 금지한다

캔자스 지방에서는 축소판 남북전쟁이 벌어지고 말았어.

남부놈들 죽여라!

북부놈들 몰아내자!

캔자스

남부에 우호적인 피어스의 태도는 결국 북부의 지지를 잃어 재선을 위한 지명을 받는 데 실패하였지.

STOP

피어스는 공격적인 외교정책으로 전임자들과 마찬가지로 영토확장에 적극적이었다.

미국의 영토 확장은 분명한 신의 뜻이다! 무력을 써서라도 이뤄낼 것이다!

그의 업적 중에서 대표적인 것이 개즈던매입*인데

땅을 사시겠 다고?

피어스 대통령 특사 J. 개즈던 이오.

* Gadsden Purchase

1,000만 달러를 주고 멕시코로부터 남부 뉴멕시코와 남부 애리조나 지방의 75,000km²의 땅을 사들였어.

멕시코로부터 사들인 땅

캘리 포니아

힐라(Gila)강

멕시코

 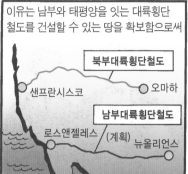 

* Ostende Manifesto

이러한 피어스의 친남부적인 성향과 남부 달래기 정책은

오히려 불에 기름을 끼얹은 격이 되었고

남부

1856년 전당대회에서 민주당은 피어스 대신 제임스 뷰캐넌을 대통령 후보로 지명했지.

민주당 대통령 후보

F. 피어스
J. 뷰캐넌

유혈사태로 번진 캔자스문제는 그의 가장 큰 오점으로 기록되었으며

미국 제14대 대통령
프랭클린 피어스
• 그의 재임시 캔자스에 유혈충돌 사태로 미니 남북전쟁 상태가 됨.
• 사태를 악화시킨 대통령의 책임이 큼.

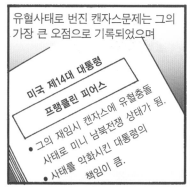

당내에 강력한 세력을 지닌 남부 출신에 대한 굴복과 친남부적 경향은

남부

끝내 나라를 분리와 내전으로 내몰고야 말았어.

임기를 마치고 물러난 피어스는 고향인 뉴햄프셔로 돌아왔지.

정치하지 말라던

마누라 얘기를 들을걸…

뉴햄프셔

그는 가급적 남의 이목을 끌지 않으려 노력하면서도

사람들도 별로 관심 안 가져…

면회사절

에이브러햄 링컨의 정책을 격렬하게 비난하였다.

노예해방령은 가장 큰 국가적 재앙이다.

링컨, 노예해방 선언하다

프랭클린 피어스는 역대 대통령 중 가장 잘생긴 대통령이었을 거야.

그러나 평생 호흡기질환에 시달렸으며, 아들들은 모두 어른이 되기 전에 세상을 떠났지.

1세
프랭클린 Jr.
1836~1836 †

4세
프랭크 로버트
1839~1843 †

12세
벤저민
1841~1853 †

피어스는 별 애도도 받지 못하고 그토록 정치를 혐오하던 아내 옆에 묻혔어.

자기야, 나 왔어…

제인 M. 애플턴
1806~1863 †

F. 피어스
1804~1869 †

제임스 뷰캐넌 1857~1861

또다시 남북갈등의 제물이 되다

James Buchanan

'Dred Scott 사건'

이것으로 문제를 분명히 해결할 수 있소이다!

남부사랑·편들기

남북갈등

James Buchanan

민주당, 1791.4.23~1868.6.1
출생지 펜실베이니아주 코브갭 Cove Gap
부 인 없음(평생 독신생활)
자 녀 없음
부통령 존 C. 브레킨리지 J. C. Breckinridge

제임스 뷰캐넌처럼 강한 신조를 지니고 집중적인 공직훈련을 거쳐 백악관에 입성한 대통령은 찾기 힘들어.

나는 남북문제 해결을 위한 준비된 대통령이다!

그는 남북문제 해결을 장담한 대통령이었으나

노예제 해결에 모든 노력을 기울일 것이며

남북갈등과 분쟁의 조정자가 되겠다!

그의 임기가 끝난 뒤 불과 6주 만에 남북전쟁이 터졌지.

제임스 뷰캐넌의 경우는 결과적으로 전쟁의 가능성을 높인 것이 사실이며

전쟁

아무리 뛰어난 재능과 경험을 갖추었다 하더라도

부적절한 인물이 대통령이 되었을 때 어떤 결과가 초래되는가를 보여주었어.

내 실력으론 안 되겠다!

그는 1791년 펜실베이니아주 코브갭에서 부유한 스코틀랜드인과 아일랜드인 부모에게서 태어났다.

대학을 졸업한 23세 때 펜실베이니아주 의원이 되었고

저 나이에 벌써….

장래가 탄탄하네.

30세가 되기 전에 연방 하원의원이 되어 다섯 번을 연임하고 상원에 진출했지.

이만하면 최고의 관록이지?

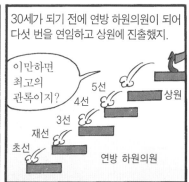

초선
재선
3선
4선
5선
상원
연방 하원의원

1852년 민주당 전당대회에서는 가장 유력한 대통령 후보였으나

뷰캐넌! 뷰캐넌
대통령 후보로!

무명의 프랭클린 피어스에게 패하고 1856년에야 대통령 후보가 되었어.

그때까지 그는 러시아 공사, 영국 공사 등 매우 다양한 요직을 거친 인물이었다.

오스텐데선언에 뷰캐넌도 한몫….

당시 영국 공사였거든.

런던

뷰캐넌도 전임 피어스와 마찬가지로 북부 출신에 친남부적인 성향이었는데

북
남

피어스의 실패를 겪고도 민주당은 왜 비슷한 뷰캐넌을 대통령 후보로 지명하였을까?

북부 출신 뽑았더니

남부 쪽만 끼고돈다.

뷰캐넌은 다르겠지!

첫째, 당선을 위해서 남부의 표가 필요했는데, 뷰캐넌만큼 남부의 지지를 받는 북부 출신이 없었기 때문이야.

뷰캐넌

남부 표

둘째, 러시아와 영국 공사 등을 거치며 얻은 다양한 국제경험이 미국의 외교 정책에 도움이 되리라는 계산이었어.

뷰캐넌만큼 국제감각을 가진 정치인도 드물지.

뷰캐넌은 상대 정당인 휘그당이 분열된 데 힘입어

WHIGS
휘그당

공화당
Republicans

미국당
Americans

쉽게 선거에서 승리하고 민주당의 기대 속에 대통령에 취임하였지.

갈라지면 약해지는 거 몰라?

민주당

공화당
미국당

그러나 뷰캐넌은 민주당과의 약속과 달리

남·북 인사를 고르게, 파벌도 신경 써서 내각에 임용하리다.

그를 지지했던 여러 파벌을 무시하고 자기 사람만 등용하여

내 패거리 모여라!

친뷰 인맥 모여라!

코드 맞는 측근 모여라!

민주당 내에서 반발을 불러일으켰으며

또 코드인사냐? 맘에 맞는 사람만 쓰겠다고?

뭐야, 대통령 만들어준 우릴 왕따시키다니!

남부 입장만 편파적으로 지지하여 북부가 격렬하게 반발했어.

왜 북부를 역차별하는 거야?

우는 아이 떡 하나 더 주는 거 몰라?

남부에 좀더 신경을 써주어야 연방탈퇴 한단 말이 안 나오지…!

미국 사람도 떡을 먹나?

남북관계를 '조정' 한다더니 남부 편만 드는 햇볕정책뿐이야!

남부 비위 맞추려고 할 말도 못하고 쩔쩔매는 꼴이라니….

뷰캐넌은 7명의 장관 가운데 4명을 노예를 소유한 남부 사람으로 임명하고

나머지 3명 가운데도 2명은 남부를 추종하는 북부 사람을 임명했다.

그러니 북부에서 뷰캐넌을 비난하지 않았겠어?

아예 남부정권 이라고 이름 짓지!

피어스도 그런 짓 하다 피멍 든 거 몰라?!

* 뷰캐넌의 내각 사진

뷰캐넌은 남부 추종 북부인이다! 반북친남 운동권 출신이 아닌가?

뷰캐넌은 실패한 대통령이 되고야 말 것이다! 그 대가는 반드시 치르리라!

그의 노예제 지지가 행동으로 드러난 것이 바로 드레드 스콧* 사건으로

먼나라이웃나라 11권 '미국의 역사' 122쪽을 보세요.

온 나라가 이 사건에 매달려 법정에서 남북간 대리전쟁을 하는 터에

자유주에 간 노예는 더 이상 노예가 아니다!

자유주에 갔어도 노예는 주인의 소유물이다!

와글 와글

* Dred Scott(1795~1858)

고향인 펜실베이니아주의 판사 등을
매수하여

연방이 깨지지 않으려면
남부를 달래야 하네.

남부에게 유리한 판결을 내리도록 했어.

남

북

이러한 일방적인 그의 친남부성향은
북부의 거센 반발을 샀고

연방정부가
남부의
꼭두각시냐?

뷰캐넌은
북부인이
아닌가?!

뷰캐넌이
배신
때렸다!

그의 재선을 위한 대통령 후보 지명도
물건너가게 만들고 말았지.

지명철회!

민주당이 단결해도 선거에서 승리하기
어렵던 상황에서

민주당

공화당

뷰캐넌은 경쟁자인 스티븐 더글러스에
대한 적개심을 극복하지 못하고

당이 쪼개지는
한이 있어도

저 작자를 대통령
시킬 수는 없어!

끝내 민주당도 두 갈래로 갈라지고
말았어.

휘그당

민주당

공화당

미국당

민주당

남부
민주당

뷰캐넌의 정적 스티븐 더글러스가
분열된 민주당 후보로 출마하고

내가 정통
민주당 대통령
후보요!

DEMOCRATIC

뷰캐넌 때 부통령이었던 브레킨리지가
출마한 1860년 대통령 선거에서

남부 출신이
대통령이
되어야...

더글러스를
꼭 떨어
뜨려야...

SOUTHERN DEMOCRATIC

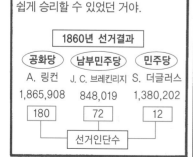

공화당 후보인 에이브러햄 링컨은
쉽게 승리할 수 있었던 거야.

1860년 선거결과		
공화당	남부민주당	민주당
A. 링컨	J. C. 브레킨리지	S. 더글러스
1,865,908	848,019	1,380,202
180	72	12
선거인단수		

남부를 달래 연방탈퇴를 막겠다는
나약한 친남부정책은 결코 해결책이
못 되었으며

남부

뷰캐넌도 피어스와 마찬가지로 전쟁
위기만 높인 채 재선이 막히고 말았지.

남북갈등으로 재선이 막힌 대통령들
8대 마틴 밴 뷰런
9대 W. H. 해리스(사망)
10대 J. 타일러
11대 J. K. 포크
12대 Z. 타일러(사망)
13대 M. 필모어
14대 F. 피어스
15대 J. 뷰캐넌

링컨이 당선되자 사우스캐롤라이나주가 연방을 탈퇴했어.

친북정권이 들어선 이상

더 연방에 남아 있을 이유가 없다!

뷰캐넌은 이 행동이 불법임을 강조하면서도

그…그러면 안 되는데…라고 하면 절대 틀린 말이 아니라…

아무런 조처도 취하지 않아 남부의 계속적인 탈퇴의 길을 열어버린 셈이 되었지.

왜 탈퇴하는 걸 그냥 둬요?

제 발로 떠나는 걸 무슨 수로 막나…

그러면서도 남부의 연방탈퇴가 북부의 탓이라고 비난했어.

오죽하면 남부가 연방을 떠났겠는가?

그것은 북부가 무절제하게 남부의 노예제문제를 간섭했기 때문이 아닌가?!

노예제를 안 하면 그만이지, 각 주의 자유와 권리가 보장된 미국에서 남의 주 안의 문제를 간섭하고 나서는가?

노예제를 하든 개미허리에 권총을 차든, 장작개비로 이빨을 쑤시든 그게 북부에게 무슨 상관이란 말인가?!

저 사람, 북부 출신 대통령 맞아?

말을 너무 막 하는 거 아냐?

저 사람, 입만 열면 내 가슴이 조마조마하다고…

대통령쯤 되면 말을 아낄 줄 알아야지!

링컨의 취임식장으로 향하는 길에서 뷰캐넌은 링컨에게 이렇게 말했다.

나는 이제 떠나오.

당신은 대통령이 되어 행복하오?

대통령자리를 물러나 떠나는 입장이라면 더 행복하겠죠.

그 자리는 그렇게 힘든 자리라오.

만약 당신이 이곳을 떠나 집으로 돌아가는 나만큼 이곳에 들어오는 게 행복하다면, 당신은 이 나라에서 가장 행복한 사람일 것이오!

평생을 결혼하지 않은 미국 역사상 유일의 독신 대통령 뷰캐넌.

총각 대통령

신중하지만 여기저기 기웃거리는 변덕스런 기회주의자란 비난을 받으면서도

인기를 유지하려면…

표를 잃지 않으려면…

한번 마음을 정하면 그대로 밀고 나가는 고집불통이었던 그는

그쪽이 아니옵니다!

시끄러워, 내 갈 길을 가련다!

1850년대 혼란 속의 미국이 필요로 했던 공정하고 중립적인 지도자는 아니었다.

남부   북부

그는 북부 여론에는 귀를 닫고

왜 북부 얘기는 안 듣고…

북쪽 사는 사람과 빵 먹고 차 마신다고 뭐 할 얘기가 있겠소?

NO!

남부의 소리에만 귀를 열었고

행정수도를 남쪽으로 옮깁시다!

남부 역사 바로세우기 합시다!

친북부 행적 조사해서 처벌합시다.

이는 결과적으로 남부의 호전성에 부채질만 한 격이었어.

우기면 통한다!

조르면 내준다!

남부

퇴임 후에 그는 자신을 정당화하는 데 모든 노력을 쏟았고

난 잘못한 거 없지?

전쟁은 링컨이 일으켰다!

나 때문에 전쟁 난 거 아니지?

남북전쟁이 일어난 것은 북부 탓이라는 주장을 굽히지 않았어.

남쪽이 먼저 공격해서 터진 전쟁인데….

공격하게끔 북쪽이 유도하지 않았나?

미국 역사는 그를 똑똑한 사람이라기보다는 고통스러운 준비로 능력을 대신한 인물로 기록하고 있는데

노력

역사의 기록이 어떻든 그의 노예제 지지가 어떻든 그는 분명 선량한 사람이었음이 분명해.

남부가 노예제를 유지하는 것은 그들의 자유이지만…

남부에서 계속 노예를 사들여 자유주인 펜실베이니아주에 풀어주었으니까.

노예제는 인간으로서 해서는 안 될 일이지!

101

에이브러햄 링컨 1861~1865

영웅, 성자, 순교자가 된 역사의 거인

Abraham Lincoln

남북전쟁의, 노예해방. 통일된나라.

전쟁을 승리로 이끈 지도자!

노예해방을 선언한 성자

암살범의 총탄에 쓰러진 순교자

갈라질 수 없는 통일된 나라를 만들다!

노예해방선언

모두에게 자유로운 나라를 만들다!

Abraham Lincoln

공화당, 1809.2.12~1865.4.15

출생지 켄터키주 하딘Hardin

부 인 메리 토드 링컨Mary Todd Lincoln 1818~1882

자 녀 로버트 토드, 에드워드 베이커, 윌리엄 윌리스, 토머스

부통령 한니발 햄린H. Hamlin 1861
앤드루 존슨A. Johnson 1865

1999년 미국의 공영방송국 CSPAN은 역대 미국 대통령의 인기도를 조사했어.

당신은 어느 대통령을 가장 존경하십니까?

당시 대통령은 42대 빌 클린턴이었고 또 클리블랜드는 22대와 24대 대통령이었으니 모두 41명의 대통령에 대한 인기순위였지.

내가 존경하는 대통령이라….

미국 국민이 가장 존경하는 대통령은…

순위	대통령	표수
1위	에이브러햄 링컨	856표
2위	조지 워싱턴	840표
3위	시어도어 루스벨트	826표
4위	프랭클린 D. 루스벨트	798표
5위	토머스 제퍼슨	793표
6위	로널드 레이건	771표
⋮	⋮	⋮

미국 국민에게 가장 인기 없는 대통령은…

순위	대통령	표수
⋮	⋮	⋮
35위	윌리엄 해리슨	461표
36위	빌 클린턴	455표
37위	밀러드 필모어	437표
38위	앤드루 존슨	428표
39위	프랭클린 피어스	410표
40위	워렌 하딩	385표
41위	제임스 뷰캐넌	366표

이 조사뿐 아니라 어느 조사에서도 링컨은 미국인들이 가장 사랑하고 존경하는 대통령 1위를 차지하지.

그의 전임자 제임스 뷰캐넌이 최하위인 데 비해 이처럼 천지 차이가 나는 이유는 무엇일까….

링컨 16대

1쉬

뷰캐넌 15대

꼴찌

에이브러햄 링컨은 미국 역사의 거인이다.

사실 또 그는 미국 역대 대통령 중 가장 키가 큰 거인이기도 했다.

A. 링컨 193cm
(최장신)
제임스 매디슨 162.5cm
(최단신)

어느 나라 국민이나 국가가 위기에 처했을 때 슬기롭게 이끌어줄 영웅적인 지도자를 원하지.

영웅이라 잘 이끄는 건지

잘 이끌어서 영웅이 되는지는 모르지만…

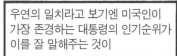

우연의 일치라고 보기엔 미국인이 가장 존경하는 대통령의 인기순위가 이를 잘 말해주는 것이

1. 링컨
2. 워싱턴
3. T. 루스벨트
4. F. 루스벨트

1~4위에 손꼽히는 이른바 '최고의 대통령' 들은 모두 미국이 위기와 전쟁에 처했을 때의 지도자로

조지 워싱턴은 독립전쟁을 승리로 이끌어 미국을 탄생시킨 국부이고

시어도어 루스벨트는 전쟁터의 용사이자 풍운의 사나이로 20세기 초 미국의 부강을 이끌었으며

프랭클린 D. 루스벨트는 대공황에 빠져 빈털터리가 된 미국을 구원해냈고

2차 세계대전을 승리로 이끌어 미국이 세계 초강대국이 되는 발판을 마련한 지도자였어.

그러나 이들 모두를 제치고 링컨이 단연 정상에 자리잡고 있는 이유는

링컨이 분열위기에 빠진 미국 연방을 전쟁이라는 뼈저린 대가를 치르면서도 지켜내어

오늘의 미국이 존재하는 데 가장 중요한 역할을 하였기 때문이야.

링컨이 없었더라면 오늘의 미국은

50개의 작은 힘없는 나라로 나뉘어져 있었을 거야.

워싱턴은 13개의 주를 묶어 미국이라는 하나의 나라를 만들었지만

최초의 미국 국기

그 연방은 언제고 깨질 수도 흩어질 수도 있는 허술하고 엉성한 연방이었으며

만들어지는 순간부터 끝없이 갈등하고 반목하는 위기의 연속이었지.

연방파 반연방파 남부

우지지직

노예주 자유주 북부

전쟁의 승리로 끈질기고 지루했던 갈등과 반목의 역사에 마침표를 찍은 인물이 링컨이었으니

워싱턴이 미국의 후손에게 남겨준 것은 깨어질 수 있는 하나의 나라였고

대충 붙여놨다.

미국에 사는 사람 가운데 일부를 위한 자유였으나,

백인

링컨이 미국의 후손에게 남겨준 것은 깨질 수 없는 하나의 통일된 나라였으며

미국

일부가 아닌 모두를 위한 자유였던 거야.

그러니까 살아남은 미연방과 사라진 노예제도야말로 링컨이 남긴 가장 위대한 유산이지.

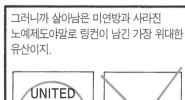

UNITED STATES of AMERICA

SLAVERY 노예제도

링컨은 전쟁을 승리로 이끈 영웅이자 이를 통해 나라를 위기에서 구출한 위대한 지도자가 되었고

남부에서 보면 입장이 다르지만….

노예해방선언을 통해 도덕성을 빛내 성자로 추앙되었으며

노예해방

임기중 암살당해 순교자가 됨으로써 국민에게 신화적인 존재로 자리매김했던 것이다.

국민이 요구하는 지도자상에 완전히 부합하는 대통령으로서 링컨은

영웅　성자　순교자

미국 역사에서 아마도 영원히 가장 존경받고 또 사랑받는 대통령으로 기록되겠지.

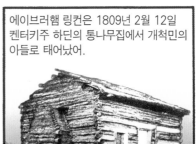

에이브러햄 링컨은 1809년 2월 12일 켄터키주 하딘의 통나무집에서 개척민의 아들로 태어났어.

* 링컨이 태어난 통나무집

부모는 글을 읽지 못하는 까막눈이었고

링컨도 학교 교육을 제대로 받은 기간은 채 1년도 못 돼.

개척촌에서 학교 다닌다는 게 쉬운 일이 아니지.

A B C D E··

SCHOOL

하지만 야만에서 탈출하려는 신념은 확고하여 독학에 열중했으며

배우지 않으면 이 가난과 무지에서 벗어나지 못한다···.

당시엔 구하기 힘들었던 책을 빌리기 위해 수 킬로미터를 걸어가기도 했대.

일리노이주로 이주한 링컨은 드디어 1836년 27세에 수습변호사가 되어 정치계에 입문하였지.

입당원서

휘그당

그는 그보다 훨씬 우수한 교육을 받고 자란 메리 토드와 결혼해.

* 젊은 메리 토드의 초상화

그녀는 성격이 복잡한 여성으로 남편에겐 결코 너그럽지 못한 성격이었으며

여봇!　깜짝

어떤 이는 토드가 악처였다고도 얘기하지만 넓은 의미에서 링컨의 결혼 생활은 그럭저럭 행복했다고 전해져.

* 아들과 함께 찍은 링컨의 사진

무명정치인 링컨이 미국 전역의 관심을 끈 것은 민주당의 거물정치인 스티븐 더글러스와의 토론회 때문이었어.

S. Douglas
vs
A. Lincoln

정치거물을 상대로 한 일곱 번에 걸친 토론회는 링컨을 대번에 스타로 만들어

* 토론회에 몰려든 청중들

드디어는 공화당 대통령 후보로 나서서 제16대 대통령에 당선되기에 이르지.

토론회로 재미 좀 봤죠.

그는 노예제도 폐지론자였지만 연방의 분열을 막기 위해서는 얼마든지 양보할 태도로 임했어.

연방의 분열만 막을 수 있다면 무엇이든 하겠다!

링컨은 취임사에서 남북간의 전쟁은 자신의 손이 아니라 불만에 찬 남부의 손에 놓여 있음을 강조하였고

"In your hands, my dissatisfied fellow-countrymen, and not in mine, is the momentous issue of civil war!"

자신은 결코 남부를 공격할 의향도, 노예제도로 남부에 도전할 의사도 없음을 분명히 하였어.

남부와의 전쟁도 원치 않는다!

노예제도 문제로 남부를 자극할 의도도 없다!

남부가 연방에 남아 우리 모두 손을 잡을 때 추억의 신비로운 화음이 연방의 합창에 넘쳐흐를 것입니다!

그러나 남부는 <u>섬터 요새공격</u>으로 이에 답함으로써 남북전쟁의 막이 올랐고

남북문제는 결국 대화와 타협으로 해결할 수 없음이 분명해져, 결국은 힘의 대결로 결정할 수밖에 없었다.

이는 결코 링컨이 원했던 방법은 아니었지만

우당탕

결과적으로 링컨의 가장 큰 업적인 연방 통일을 공고히 해준, 피할 수 없었던 과정이었던 거지.

링컨이 터뜨린 것은 아니다.

곪고 곪은 상처가 저절로 터진 것이지

남북전쟁

미국 역사에서 처음으로 전쟁중에 치른 1864년 선거에서 링컨의 재선 가능성은 거의 없었으나 어쨌든 재선되었고

1864년 선거결과	
공화당	민주당
에이브러햄 링컨	조지 B. 매클렐런
앤드루 존슨	조지 H. 펜들턴
2,218,388	1,812,807
212	21
선거인단수	

득표수

전쟁중이라는 상황이 그 지휘관인 링컨의 재선을 도와준 결과가 나왔어.

강을 건너는 동안에는 말을 바꿔 타지 말라는 뜻!

전쟁중에 대통령을 바꾸지 말라는 뜻…

시골 통나무집 출신답게 그의 외모나 태도는 아주 투박하였지.

멋없이 키만 커 가지고

촌티가 뚝뚝 흐르네….

목소리는 낮고 평평하였고 머리는 도끼로 자른 듯 거칠기 그지없었으며

머리도 안 빗고 다니나?

외모엔 전혀 신경 안 쓰나 봐.

대통령이 된 뒤 어느 소녀의 제안으로 구레나룻을 길렀지만 외모에 별 도움은 주지 못했어.

좀 낫네….

그래도 촌티는 대책 없어….

주변 사람들에게 가장 당혹스러웠던 것은

통나무집에 사는 사람들은 이를 뭘로 쑤시는지 아슈?

대통령이 뜬금없이 어울리지 않는 자리에서 엉뚱한 농담을 하여

작은 통나무로 쑤시지!

으허허허허허허

주위 사람들을 당황하게 만드는 거였대.

썰렁~

마치 일리노이 촌 친구들과 같이 있는 것 같은 분위기였다고 하는데

꺼억~

그의 정적들은 링컨을 '진짜 고릴라'라고 혹평했어.

오리지널 고릴라!

우아!

그의 제2기 임기가 시작된 직후인 1865년 4월 9일, 남부가 항복함으로써

남북전쟁은 물론 건국 이래 끊이지 않았던 남북간의 갈등도 드디어 종지부를 찍지만

건국

남북 갈등시대

끝

그로부터 약 1주일 뒤인 4월 15일, 링컨은 열렬한 남부 지지자에게 암살되고 말아.

탕

링컨은 자신의 고통과 희생으로 연방통일을 지켜낸 거야!

앤드루 존슨 1865~1869

의회와의 충돌로 탄핵을 당하다! 2편.

· 알래스카 구입(러시아로부터)

· 멕시코에서 프랑스군 물아내는데 도움

나는 어쩌라고 당신만 이토록 성자가 되어 버리셨습니까?

링컨

탄핵

이 기회에 의회가 대통령 좀 길들이자!

왜 링컨처럼 못하냐?!

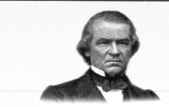

Andrew Johnson

공화당, 1808.12.29~1875.7.31
출생지 노스캐롤라이나주 롤리 Raleigh
부 인 엘리자 매카들 존슨 Eliza McCardle
　　　　Johnson 1810~1876
자 녀 마사, 찰스, 메리, 로버트, 앤드루 Jr.
부통령 대통령직 승계로 부통령 없음

빛이 강하면 그림자도 짙은 법이다.

링컨이 남북전쟁을 승리로 마감한 직후 암살됨으로써 영웅, 순교자, 성인으로 추앙된 반면

대통령직을 이어받은 앤드루 존슨에게 남겨진 것은 '제2의 링컨'이 돼야 한다는 견딜 수 없이 무거운 짐이었어.

링컨

앤드루 존슨은 남부(노스캐롤라이나) 출신이면서 북부에 가담하였고

연방탈퇴 반대!

남부 출신 맞아?

노예제를 지지하는 노예 소유주이면서 연방의 통일을 지지한 정치가로

노예제도를 유지하기 위해서라도 연방은 유지되어야 한다!

연방도 지지

노예제 지지

여러 면에서 색다른 면모를 지니고 있는 인물이었지.

가난한 농가 보호!

백인은 흑인보다 우수하다!

헌법을 존중하라!

부통령에서 대통령직을 승계받은 앤드루 존슨은 미국 노스캐롤라이나주 롤리의 가난한 가정에서 태어났어.

Raleigh N.C.

그는 링컨처럼 학교 교육을 전혀 받지 못하다시피 하고

대통령도, 부통령도 독학생 출신…

그래서 링컨이 존슨을 부통령으로 찍었나?

링컨 독학

존슨 독학

양복재단사로 사회생활을 시작했지.

나도 양복재단 견습공으로 시작했어.

제13대 대통령 밀러드 필모어!

그는 아내 엘리자로부터 글과 많은 지식을 배우면서 세상 물정에 눈떴고

이거 읽어봐요.

O…N… D…A…L… 온달….

ON DAL

웅변과 정치에 재능이 뛰어났다고 해.

존슨!

와 와

말 잘한다!

정치계에 입문한 잭슨은 1830년, 22세의 나이로 그린빌 시장에 당선되더니 곧 테네시주 하원의원으로 뽑혔어.

소도시 시장

주의원

그는 공공교육 실시와 농지 무료대여를 공약으로 내세워 연방 하원의원이 되었고 1857년에는 상원의원에 당선돼.

여기까지는 대개 비슷한 경력….

주의원

연방 하원

연방 상원

1861년, 링컨이 취임하자 남부의 주들은 연방에서 차례로 탈퇴했는데

남부

더 이상 같이 못 산다. 우린 남남이야!

연방

앤드루 존슨은 연방을 탈퇴한 주 출신으로 연방 상원에 남아 있는 유일한 의원이 되었지.

남부

이러한 그의 용기에 북부는 아낌없는 갈채를 보냈고

대단해요!

짝짝

짝짝 짝짝

링컨 대통령은 그를 테네시주의 군통수권자로 임명하였어.

남북전쟁 기간은 그의 전성기였던 셈이지.

남부 출신이 북부를 도와 활약했고

이런 그의 소신이 링컨을 감동시켰다!

남부의 배신자!

1864년 선거에서 링컨은 존슨을 러닝 메이트로 지명, 이에 존슨은 부통령에 당선되었는데

링컨 재선 성공!

부통령에 존슨!!

부통령 취임식장에 술에 취해 입장해 횡설수설하는 등, 임기 처음부터 삐걱거렸어.

링컨은 그를 주정뱅이가 아니라고 감쌌지만 일주일 만에 암살되고, 존슨은 원하지 않던 대통령이 되고 말았지.

진짜, 진짜 바라지 않던 일이 벌어졌구나….

존슨 행정부가 직면한 문제들은 대단히 풀기 어려운, 그러나 풀어야만 하는 현실문제로

남북전쟁 뒤처리

첫째, 폐허가 된 남부를 어떻게 회복할 것이며

전쟁에 졌어도 결코 사라지지 않는 남부의 불만과 증오를 어떻게 무마할 것인가?

둘째, 해방된 흑인을 어떻게 할 것인가?

너는 자유다!

전쟁에 진 충격과 링컨의 암살로 북부인들의 보복이 두려워 떨고 있던 남부인들이었지만

흑인들을 대번에 '인간대접' 해주고 평등하게 대해줄 준비는 전혀 되어 있지 않은 상황이었어.

검둥이는 검둥이지!

백인우월주의자였던 존슨이 이러한 남부의 태도를 그대로 내버려둠으로써

흑인이 백인과 맞먹으려 드는 것은 안 되지.

기가 산 남부는 의회에서 또다시 북부와 대립하였고

남부가 흑인을 어찌 대하든 상관 마라!

존슨이 문제야, 존슨이….

남부

북부

KKK단 등 인종차별단체가 발호하며 흑인들을 괴롭혔지.

노예제도 폐지를 주장해온 공화당은 공화당대로 존슨을 공격했으며

당신 때문에 남부에서 노예해방은 하나마나가 되었소!

아직도 도전적인 남부는 남부대로 존슨을 우습게 보며 공격해와

남부 출신이면서 남부를 배반한 당신, 우린 잊지 않고 있소!

존슨은 그 어느 때보다도 거센 의회의 도전에 직면한 대통령이 되고 말았어.

날이 갈수록 의회는 물론이고 내각까지 존슨을 흔들어대며 명령에 잘 따르지 않더니

힘도 못 쓰는 주제에….

1867년에는 드디어 스탠턴사건이 터지고 말았어.

Stanton Affair

육군장관 스탠턴은 군지휘자가 충성할 상대는 대통령이 아닌 의회라고 선언해 대통령에게 정면도전했지.

충성!

의회

군사지휘 총 책임자는 대통령인데 어찌 의회에 충성할 의무가 있다고 하는 것인가?

모든 권력은 의회에서 나온다고 헌법에 명시되어 있으니, 군대는 대통령이 아닌 국민의 대표인 의회에 충성해야 하는 것 아닙니까?

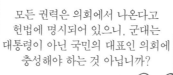

이것은 대통령 권위에 대한 모욕이자 도전이다. 이쯤 되면 막가자는 거지? 당신, 육군장관에서 해임이야!

의회에 충성할 것을 선언한 스탠턴을 해임한 것은 의회에 대한 도전이다!

드디어 대통령과 의회는 정면충돌하여

맞장 뜨자 이거지?!

미국 역사에서 최초로 대통령에 대한 탄핵안이 제출되었지.

Impeachment 탄핵

대통령을 몰아내자!

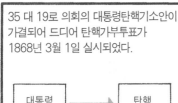

35 대 19로 의회의 대통령탄핵기소안이 가결되어 드디어 탄핵가부투표가 1868년 3월 1일 실시되었다.

대통령 탄핵기소안 → 탄핵 가부투표

35 : 19   1868. 3. 1

남은 임기 1년

재적의원 3분의 2가 찬성하면 존슨은 대통령직에서 파면되는 거였지.

파면!

백악관

탄핵에 찬성하는 의원이 전체 의원의 3분의 2가 훨씬 넘는 상황에서

* 탄핵투표 당일의 의회 방청권

사람들은 존슨이 대통령자리에서 쫓겨날 것을 믿어 의심치 않았지.

존슨이 드디어 파면되네.

원래 대통령감이 못 되는 위인이야.

그러나 투표결과는 의외로 3분의 2에서 1표가 모자라 탄핵결의안은 부결되고 말았다고.

1표 부족!

탄핵안은 부결!

그 이유는 존슨의 탄핵에 찬성하던 공화당 의원들 가운데 7명이 반대표를 던졌기 때문이지.

탄핵 반대!

NO NO NO NO NO NO

탄핵안에 찬성한다 더니 왜 반대표를 던졌소?

가만히 생각해 보게나.

지금은 우리가 흥분한 나머지 존슨을 쫓아내야 한다고 야단법석이지만

"이 사태가 선례가 된다면 의회는 툭하면 대통령을 탄핵할 것이고 대통령은 일을 제대로 못 할 게 아닌가?"

탄핵

탄핵이 고질적으로 대통령의 권한을 마비시키는 선례를 남기지 않기 위해 반대표를 던진 걸세.

존슨 이후 현재까지 미국 정치에는 탄핵당한 대통령이 더 이상 안 나타났지만

닉슨은 탄핵 전에 사임….

클린턴은 탄핵 직전에 모면….

미국   역사

일단 탄핵소추에 존슨의 정치생명은 치명적인 타격을 입고 말았어.

탄핵당한 주제에

정신 못 차리고 고집만 부리네!

탄핵을 모면하긴 했어도 정치생명뿐 아니라 명예에도 치명타를 입은 존슨은

탄핵 당한 대통령.

무능하고 오만하다!

좌절과 비애 속에 임기를 마감해야 했어.

아무도 거들떠보지 않는구나….

그가 임기중에 이루어놓은 성공적인 업적이라면

앤드루 존슨
임기 1865~1869

재선은 꿈도 못 꾸었고….

러시아로부터 텍사스의 두 배나 되는 알래스카를 구입한 것과

텍사스
691,201km²

ALASKA

1,593,694km²

먼로독트린을 내세워 멕시코에서 프랑스군을 몰아내는 데 도움을 준 것이야.

아메리카에 유럽은 얼씬대지 말랬지?

멕시코

그러나 알래스카 구입조차 당시엔 의회의 비웃음거리였고

미쳤어. 그런 쓸모없는 땅을 뭐 하러 사?

시워드 장관이 앞장섰으니 '시워드 냉장고'라고 하자.

실제 정치적인 이유를 빼고는

북미 대륙에서 러시아의 세력을 물리치고

캐나다(영국)가 태평양으로 크게 진출하는 것을 견제해야….

태평양

캐나다

미국

무진장의 자원이 묻혀 있는 알래스카의 가치를 제대로 안 사람은 드물었지.

받은 돈 10배 줄게 도로 팔아라.

그 돈의 100배를 줘도 안 팔아!

옛 소련

알래스카

미국

우렁찬 목소리와 거친 말투에 고집스러웠던 존슨은

명예회복을 한다고 고집스럽게 정계를 떠나지 않아서

난 못 떠나! 죽어도 못 떠나!

대통령 퇴임 후, 사망 직전에 테네시주 상원의원에 당선되었고

미합중국 대통령이 주 상원의원으로?

그래서 정치에 발 담그면 죽기 전엔 못 빼는 거 아냐?

1875년 7월 31일, '한 많은' 삶을 마감하였어.

링컨이 너무 위대해서 나만 곯았다….

A. 존슨
미국 17대
대통령

율리시스 S. 그랜트 1869~1877

정치엔 무력했던 전쟁의 영웅

남북전쟁의 영웅 · 무능한 정치 지도력. "미그의 자서전 저술
메시코와 전쟁 참전. 부하들의 부패
인디안 · 흑인들에 대한 차별

부패하고 무능한 측근들을 몰아내셔야 합니다!

이들은 절대 그런 부하들이 아니야!

이들에 대한 비난은 곧 나에게 도전하는 것이다!

인종갈등   부정·부패

Ulysses Simpson Grant

공화당, 1822.4.27~1885.7.23

출생지 오하이오주 포인트플래전트
Point Pleasant

부 인 줄리아 보그스 덴트 그랜트 Julia Boggs
Dent Grant 1826~1902

자 녀 프레더릭, 율리시스, 엘렌, 제시

부통령 쉴러 콜팩스 S. Colfax 1869
헨리 윌슨 H. Wilson 1873

율리시스 그랜트는 미국 역사에서 남북전쟁을 승리로 이끈 최고 장군의 하나로 기록되며

가장 축복받으며 백악관에 입성한 대통령이지만

나는 대통령직에 막중한 책임감을 느끼지만

두려움 없이 이를 받아들입니다.

군인이 아닌 국가 지도자로서 그랜트는 무능하고 무력하여 두 번에 걸친 임기를 스캔들과 불명예 속에 겨우 마친 인물이지.

부정부패   스캔들

그랜트는 오하이오주에서 가죽 가공업자의 아들로 태어나

침례교에서 하이럼 율리시스란 이름으로 세례를 받았어.

하이럼(Hiram)이라 명하노라.

어린 시절 그랜트는 별다른 재능을 보이지 않아 육군사관학교로 가서 군인의 길을 걷게 되었지.

촌스럽게 하이럼이 뭐냐?

이때 그는 이름을 '율리시스 심프슨'으로 바꾸었다구요.

그는 사교성이 없고 친구와 어울릴 줄도 몰라 늘 외톨박이로

외롭게 사관학교를 졸업하고 1843년 장교로 임관되었어.

1846년 멕시코의 영토를 빼앗기 위해 미국이 전쟁을 일으키자 청년장교 그랜트는 눈물을 흘리며 애통해했지만

이런 부도덕한 전쟁을 일으킨 뻔뻔한 미국은 묘지가 될 것이다!

전투에서는 노련한 전술과 대담한 작전으로 훌륭한 지휘관의 역량을 유감없이 발휘했다.

공격!

1848년 종전이 되자 그는 줄리아 덴트와 결혼을 하였는데

* 그랜트의 가족

이들 부부의 금실은 유난히 좋았다고 해.

워낙 외로웠던 사람이라

아내에 대한 사랑이 각별해….

그러나 너무 좋은 부부의 금실은 그랜트의 군 이력을 희생시켰으니

여보!

자기야~

부인과 헤어져 오랜 병영생활의 외로움을 견디지 못해 술을 입에 대기 시작한 그는

계속되는 폭음, 알코올중독으로 1854년 불명예 퇴직하고 말았지.

당신 같은 장교는 필요없어!

직업을 잃고 가난에 찌든 그는 아버지의 가업을 이으려고 몇 년간 일리노이에 가 있었는데

장군을 꿈꾸던 사람이 가죽 가공….

끝내 터지고야 만 남북전쟁은 그랜트가 화려한 부활을 할 수 있게 하늘이 준 기회였어.

하지만 나라의 부름을 받고 군지휘관 으로 복귀한 뒤에도 폭음과 알코올 중독에서 벗어나지 못했지.

그럼에도 그는 부드럽고 예민한 사람으로 피를 끔찍하게 혐오했다고 해.

피…
어서 치워라!

그는 헨리요새와 도넬슨요새를 점령하고 남부군을 격멸한 맹장으로 이름을 떨쳤고

* 포트도넬슨전투: 그랜트 최대 승전의 하나

적의 즉각적이고 무조건적인 항복이 아니면 어떤 협상도 거절하여

잠시 휴전하자!

그런 것 없다. 무조건 항복과 전투 중 선택하라!

그랜트에게는 '무조건 항복' 이라는 별명이 붙었어.

그랜트 장군.

Unconditional
Surrender.

도넬슨 함락에 이어 전설적인 빅스버그전투*에서도 남부군을 전멸시키자

* 빅스버그(Vicksburg, 미시시피주)전투: 1863.5.17~7.4

그랜트 장군은 일약 전 미국의 위대한 영웅으로 떠올랐고, 링컨은 그를 북부군 총사령관으로 임명했지.

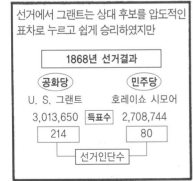

그는 1865년 남부군 로버트 E. 리 장군의 항복을 받아냄으로써 남북전쟁에 종지부를 찍은 승장(勝將)이 되었다.

링컨의 암살로 대통령이 된 앤드루 존슨이 의회의 탄핵을 받는 등, 재선의 길이 막히자

탄핵

존슨은 안 된다!

공화당은 당연히 전쟁영웅 그랜트를 1868년 대통령 선거 후보로 내세웠지.

전쟁영웅 그랜트!

그라면 해낼 수 있다!

링컨을 승리한 대통령으로 만든 장군!

그랜트

선거에서 그랜트는 상대 후보를 압도적인 표차로 누르고 쉽게 승리하였지만

1868년 선거결과	
공화당	민주당
U. S. 그랜트	호레이쇼 시모어
3,013,650	특표수	2,708,744
214		80
선거인단수	

1869년 초, 그가 취임할 때의 미국은 대통령에게 엄청난 능력과 용기를 요구하던 극심한 혼란기였어.

USA

가장 큰 문제는 역시 흑인과 인디언 등 인종문제였지.

링컨의 노예 해방선언문은 종이에 불과하다!

현실에서는 아무것도 해결된 것이 없다!

USA

인종문제

남부에서는 공공연히 흑인들의 시민권을 박탈하는가 하면

검둥이가 시민 좋아하네!

KKK단 같은 흑인에 대한 테러단체가 기승을 부리고

서부에서는 백인들의 탄압에 저항하는 인디언들의 무장봉기가 계속되고 있었지.

우리도 무기를 들고 싸우자!

게다가 급속도로 진행되는 산업화는 빈부차를 가속화하여 사회갈등이 심각했다고.

전장에서는 단호하고 용맹한 장군이었던 그랜트도 백악관에서는 무력하기만 한 대통령으로 전락했어.

정치판이 전쟁판 보다 훨씬 힘드네….

와글와글

이런 어려운 때에 그의 정부 각료들은 책임질 일은 모두 대통령에게 떠넘기고 눈치만 보고 있었으며

복지부동(伏地不動).

납작 엎드려 안 움직이는 게 상책.

대통령을 은근히 무시하면서

장군으론 어떨지 몰라도

대통령 직무가 생각보다는 쉽지 않을걸….

부정직하게 온갖 추문만 뿌리고 있었지.

잘 좀 봐주시오.

$

그의 임기중인 1872년에 터진 금융 스캔들이 대통령의 명예에 먹칠을 하고 대중의 지지도도 급격히 떨어뜨려

정부고위관리, 철도회사에서 뇌물받다!

정치판이 온통 썩었네. 그랜트는 코도 없나….

그해 선거에서 그랜트는 겨우 공화당의 대통령 후보 지명을 받아 재선할 수 있을 정도였어.

그랜트는 안 되겠는데….

그래도 그랜트만한 후보가 없으니 어쩌?

구시렁 구시렁

공화당

그의 두번째 임기는 온통 스캔들로 얼룩져

부패 1873 부정 1877 뇌물 횡령

나라는 온통 난장판이 되고 말았다고.

크~

USA

대통령의 비서는 위스키 밀매조직과 손을 잡아 고발되는가 하면

나 얼마 안 먹었는데…

전쟁장관이란 사람이 인디언들에게 사기를 쳐서 땅을 빼앗은 죄로 체포되는 등 썩은 냄새가 코를 찌르는데도

인디언 땅은 임자 없는 땅인데 왜 날 잡어….

한없이 정직하고 돈과 재물에 어두웠던 그랜트는 타락한 주변 인물들을 끝까지 신뢰했고

그들은 내 동료들이야.

절대 그런 짓을 했을 리가 없어!

NO!

주위 사람들이 고발될 때마다 자신의 명예가 추락하는데도 불구하고 이들을 옹호했지.

이처럼 순진한 대통령이 다스리는 미국에서

대통령이 저렇게 아무것도 모르니….

아무리 얘길해도 쇠귀에 경 읽기야!

흑인, 인디언들은 약탈자의 손아귀에서 고통당하고

인구의 1%에 지나지 않는 부유층이 19세기 말에는 전체 국부의 7~8분의 1을 차지하는 등

미국민의 99%

부유층 1% 차지

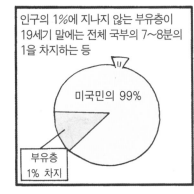

빈부의 차이는 하늘과 땅처럼 벌어지기만 했어.

$

특히 공무원들의 부정부패가 심하여 국민들은 대통령을 맹렬하게 비난했지.

와 와 와

부방시감
부패방지
시민감시단

뇌사모
뇌물을 사양
하는 모임

그정도
그랜트
정부는
도둑 소굴

그러나 대통령은 상황을 제대로 이해하지 못했어.

왜들 이러는 거야? 우리는 지금 최선을 다해 잘하고 있는데.

그는 부패에 대한 주장을 일축하고, 그의 부하들에 대한 공격을 정부에 대한 공격으로 받아들였으니

대통령을 흔드는 행동, 용납하지 않겠다!

언론과 야당의 부패 타령은 곧 나를 겨냥한 정치적 술수야!

오기는 그의 눈을 가려 부패를 보지 못하게 했고, 증오는 그를 위대하게 만들었던 성실한 부하 고르는 능력을 망가뜨렸던 거야.

우씨…

내 편이 아니면 적이다!

코드 맞는 부하가 있어야지….

대통령직을 떠난 뒤 그랜트는

* 중국 외교사절과 함께 찍은 사진

친구가 경영하는 중개회사에 자신의 이름을 빌려주었다가 사기를 당해 알거지 신세가 되었어.

파산

대통령에게 사기치는 자도 있네….

1884년 파산선언을 한 그랜트는 가족들에게 경제적인 도움을 주기 위해 자서전을 집필하기 시작하였고

* 말년의 그랜트

후두암으로 1885년 7월 23일 세상을 떠나기 며칠 전에 완성을 하였지.

쿨럭

쿨럭

이 책으로 빚은 다 갚을 수 있을 거야….

그랜트의 이 회고록은 미국 군 역사상 최고의 자서전 중 하나로 평가되며

Personal Memoirs of U. S. Grant

Ulysses Simpson Grant

당시의 화폐로 50만 달러 이상을 저작권료로 받았다고 해.

미국 대통령들은 퇴임 후에 뭘로 먹고살지?

회고록을 쓰고, 몇십만 달러씩 받으며 강연해서….

미국의 대통령들

전설적인 명장 율리시스 그랜트에게도 아픈 전투의 추억은 있다.

남북전쟁이 막바지로 치닫던 1864년 6월, 피터즈버그전투에서 한 달 동안 11만 8,000명의 병력 중 4만 5,000여 명이 전사하여

Petersburg

링컨 주변에서는 그랜트를 해임하라는 요구가 빗발쳤지.

희생이 너무 큽니다. 이대론 안 돼요.

그랜트는 졌어요. 바꾸십시오.

그러나 링컨은 단호히 이 요구를 거절했어.

나는 그랜트를 해임할 수 없소!

그는 지금 싸우고 있소이다!

위대한 지도자는 위대한 지휘관을 알아보는 법이야.

그러나 전쟁터의 사자가 곧 정치판의 현자가 되기는 쉽지 않음을 그랜트에게서 깨닫게 되는 거지.

좋은 장군이 되기보다

좋은 대통령 되는 게 몇 배나 더 어려워….

Ulysses S. Grant

러더퍼드 B. 헤이스 1877~1881

현실의 벽을 넘지 못한 도덕정치

(손글씨 메모:) 중국인 이민제한법 거부
부정 부패한 관료.
악악권 미음껄권만.

(손글씨 메모:) 오하이오 대학이사 (교육개선)
주립 감옥위원회 의장 (죄수인권)
평생일기

R.B.Hayes

Rutherford Birchard Hayes

공화당, 1822.10.4~1893.1.17

출생지 오하이오주 델라웨어 Delaware

부 인 루시 웨어 웨브 헤이스 Lucy Ware
Webb Hayes 1831~1889

자 녀 버처드, 러더퍼드Jr., 조지프, 조지,
패니, 스콧, 매닝

부통령 윌리엄 A. 휠러 W. A. Wheeler

러더퍼드 버처드 헤이스 대통령은
두 가지 점에서 다른 대통령들과 달라.

첫째로는 대단히 인도주의적이며
도덕적이고

그는 단점이
될 만큼 선량하고
정직한 인간이다.

특히 인디언들을 비롯 인종적 소수에게
따뜻한 배려를 했다는 점.

많은 인디언들은
백인들이 지키지
않는 약속과

정의롭지 못한
법 때문에
고통받고 있다!

또 한 가지는 미국 역사에서 가장
우스꽝스러운 선거에 의해 대통령에
당선되었다는 점이야.

대통령자리를
도둑맞았다!

세상에 이런
엉터리도 다 있냐?

즉 유권자의 직접투표에 의한 유효
득표는 민주당 후보에 크게 뒤졌음에도

1876년 선거결과	
공화당	민주당
러더퍼드 B. 헤이스	새뮤얼 J. 틸던
4,034,311 **득표수**	4,288,546
185	184
선거인단수	

단 한 명의 선거인을 더 얻음으로써
가장 아슬아슬하고 우습게 승리를
거두었던 거지.

이 한 명의 선거인
결정이 너무 웃긴다고!

서부개척이 시작된 이래, 인디언들은 끊임없이 핍박당하고 고향에서 쫓겨나기를 계속,

드디어는 무장봉기하기에 이르러 인디언 부족연합과 조지 A. 커스터 대령의 미군은

싸우자~~!

리틀빅혼강을 사이에 두고 1년이 넘는 전투를 벌이게 되었지.

탕탕 타탕 타탕

Little Bighorn River

대통령이 된 헤이스는 인디언에 대한 정책을 일방적 탄압에서 설득, 포용으로 바꾸어

대화·포용

햇볕정책

젊은 인디언에 대한 교육과 직업 알선을 제공하고

우리 함께 살자!

교육 기회 제공

직업 알선

인디언 보호구역으로 내모는 대신 토지를 나누어주고 시민권을 부여하겠다고 제안했어.

토지 분배

시민권 부여

그러나 헤이스 임기의 다른 공약들처럼 이 제안들 가운데 어느 것도 실현되지 않았지.

뻥이었어!

혹시나 했더니 역시나야….

인도적이며 모범적이고 기독교적인 목표는 제시되었지만

인간애, 이웃사랑

기독교도들의 대표자 모임인 의회가 막강하게 버티고 있는 한 결과는 언제나 비인도적이었고 비기독교적이었어….

백신의 이익!

NO!

의회

러더퍼드 헤이스는 오하이오주 델라웨어에서 태어나 도덕주의자인 어머니의 교육을 받으며 자랐지.

도덕, 윤리, 사람의 길, 사랑, 실천.

1842년 오하이오주 캐니언대를 수석으로 졸업하고 하버드법대를 3년 뒤에 졸업해

* 1845년경의 헤이스

변호사로 개업한 그는 정치적 개혁, 사회정의, 인도적인 삶의 방식에 관심을 가졌지.

정치개혁!

사회정의!

인도주의!

노예제 반대운동에도 앞장서던 그는 첫 대학교육을 받은 신여성 루시 웨브와 결혼하는데

그녀는 금주, 노예제 반대에 앞장서 많은 활약을 하였고

술 NO

노예제 NO

백악관 안주인이 된 뒤에는 절대 술을 들여오지 못하게 하고 레모네이드를 손님들에게 대접하여 '레이디 레모네이드' 란 별명을 얻었어.

"Lady Lemonade"

그는 점차 정치에 대한 야망을 품었으나

사나이로 태어나 꿈을 펼치려면….

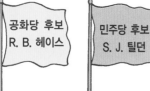

워싱턴 D.C.

남북전쟁의 발발로 그는 정치의 꿈을 접고 자원입대, 포병부대 소령이 되었지.

그는 4년간 군에 복무하며 다섯 번 부상당했고 준장으로 명예제대, 그해에 연방 하원의원이 되었어.

1867년에 오하이오 주지사에 당선된 뒤 두 번이나 거푸 다시 당선된 헤이스는 공화당 대통령 후보로 떠올랐는데

공화당 후보 R. B. 헤이스

민주당 후보 S. J. 틸던

그랜트 대통령 시대에 부정부패로 궁지에 몰린 공화당은

와

무능, 부패정권 갈아치우자!

민주당의 맹렬한 공격에 맞설 만한 '깨끗하고 도덕적인' 후보가 필요했던 거야.

전쟁에서 세운 공로, 개혁적인 주지사의 이미지, 오하이오주의 중요성!

Rutherford Hayes

그러나 여론은 그랜트 정권의 부패에 넌더리를 내고 공화당을 떠나

공화당 NO!

민주당은 1856년 이래 16년 만에 집권할 수 있을 것으로 보였고

민주당

16대 링컨
17대 존슨
18대 그랜트
정권독점 공화당
나빠요!

사실 일반투표에서 민주당 후보 틸던은 헤이스보다 더 많은 득표를 하였지.

만세

민주당이 압승했다!

더욱이 민주당은 선거인수에서도 184 대 166으로 18명을 더 확보하고 있었지.

이제 누가 뭐래도 승리는 민주당의 것이다!

민주당	공화당
184	166

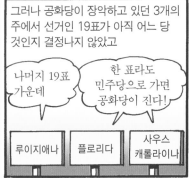
그러나 공화당이 장악하고 있던 3개의 주에서 선거인 19표가 아직 어느 당 것인지 결정나지 않았고

나머지 19표 가운데

한 표라도 민주당으로 가면 공화당이 진다!

루이지애나   플로리다   사우스 캐롤라이나

그 개표결과가 전 미국의 관심을 집중시켰어.

이 19표가 대통령을 결정짓는다!

15명의 의원과 대법관으로 구성된 특별 개표관리위원회는 지루한 토론과 공방 끝에

표차가 너무 적어 도저히 결정하지 못하겠다.

수십 번도 더 세어봤지만 매번 다르니 ….

당선자 발표도 못하고 벌써 몇 달째냐….

와글 와글

워싱턴 D.C.

대통령 취임식 이틀 전에야 기묘한 결론을 내렸지.

표수로는 워낙 백중라 결정이 어려운 만큼

전체 하원의석 비율에 의해 결정 내리자면

내일모레 새 대통령이 취임은 해야 하니

현재 공화-민주 의원 의석수의 비율이 8 대 7로 공화당이 우세하므로

공화당 의석 : 민주당 의석

8   7

한 표라도 더 많은 당이 전체를 차지하는 유닛룰시스템(URS)에 의해 아직 결정되지 않은 19표는 공화당 것임을 인정한다!

내가 봐도 억지다….

따라서 민주당 선거인 184표, 공화당 166표+19표=185표로 헤이스가 대통령임을 선포한다!

땅땅땅

온 나라가 벌집 쑤신 것같이 들고일어난 것은 너무도 당연했어.

세상에 그런 엉터리…!

사사오입도 아니고.

대통령 자리 도둑 맞았다!

특히 남부에서는 폭동이 일어날 기미까지 보이자

북부 공화당 녀석들, 그냥 둘 수 없다!

도둑맞은 대통령 자리를 되찾자!

헤이스는 당근으로 이들을 무마하고야 겨우 대통령에 취임할 수 있었지.

남부에서 군정을 끝내고

남부 경제기반 시설을 재건해 줄 것이며

민주당원들을 대거 장관으로 내각에 입각시켜 줄 것을 약속합니다!

그가 대통령에 취임한 1877년은 극심한 불황기였어.

＊ 헤이스 취임식

미국의 4대 철도회사가 손해를 메운다고 요금은 크게 올리면서 임금은 10%나 깎아버리자

그해 7월 노동자들은 대폭동을 일으켰어.

임금인상

곳곳에서 파업 노동자와 연방 방위군이 전투를 벌이는 내란사태와 흡사한 상황이 벌어지기도 하고

연방 방위군이 파업 노동자와 손을 잡고 연방 방위군과 싸우는 곳도 나타나는 등 나라가 극도로 혼란스러워졌으나

헤이스는 단호하게 파업과 폭동에 연방 방위군을 파견하여 진압하였어.

안전과 질서를 파괴하는 행동은 용납할 수 없다!

이로써 헤이스는 앤드루 잭슨 이후 두번째로 노동문제에 연방 방위군을 동원한 대통령이 되었지.

연방군: 외국과의 전쟁 등에 투입되는 정규군

연방 방위군: 각 주의 치안에 투입되는 주 방위군

헤이스는 의회와의 마찰도 심하여

대통령을 뭘로 보는 거야?!

물로 본다. 어쩔래?

으르렁!

의회의 결의사항에 대해 일곱 번이나 거부권을 행사하는 등 극도로 사이가 좋지 않았다고.

NO NO NO NO NO NO

정말 막해 보자고 하네….

의회

그의 인도주의적인 면은 중국인에 대한 태도에서도 나타나.

미국 서부에 철도건설, 금광개발로 중국인이 대거 늘어나면서 반중국인 정서가 팽배하여

중국인이 너무 늘었다! 더 못 오게 만들어야 해.

의회는 중국인 이민을 제한한 법률을 제정하였지만 헤이스는 단호히 거부했던 거야.

부려먹으려고 마구 데려올 땐 언제고…!

NO!

그랜트로부터 물려받은 것이라고는 약해질 대로 약해진 대통령의 권한

잘 부탁하네.

대통령의 권한

파당의 극심한 대립과 반목

도와줘…요.

우지끈

그리고 속속들이 썩고 냄새나는 관료들뿐.

뇌물

부정

부패

높은 도덕성으로 그 속에서 벗어나려 했던 헤이스는 결국 재출마를 포기하고 단임으로 백악관을 떠났지.

도덕

부패

혼란

대통령직에서 물러난 그는 흑인과 백인 교육개선을 위한 자선단체에서 활약하고

백인도, 흑인도 배워야 합니다!

오하이오대학 이사

내 고향 오하이오….

OHIO UNIV.

그리고 국립감옥위원회 의장으로 죄수의 인권을 위해 힘썼지.

도덕·인권!

어머니 교육이 평생 가네….

헤이스의 친구들은 그를 실력도 능력도 없는 실패한 대통령으로 평가했지만

교회 목사라면 몰라도

대통령으로서는 아니올시다였지.

같은 시대를 살았던 문호 마크 트웨인의 평가는 달랐어.

조용하고 검소하며 실제적인 인물인 헤이스는

톰 소여의 모험

마크 트웨인

"날이 갈수록 점점 더 탁월해지는 위대함을 보인 인물이었다!"

헤이스는 평생을 하루같이 계속 일기를 쓴 것으로도 유명해.

존 퀸시 애덤스도 일기를 꼭 썼지.

1862년 사우스마운틴전투에서 부상당해 거의 죽기 직전까지 갔던 상황에서도 쓴 일기가 남아 있지.

제임스 A. 가필드 1881

부패에 항거하다 암살된 부패한 정치인

James Abram Garfield

공화당, 1831.11.19~1881.9.19

출생지 오하이오주 오렌지Orange

부 인 루크레시아 루돌프 가필드Lucretia
  Rudolph Garfield 1832~1918

자 녀 엘리자, 해리, 제임스, 메리, 어빙,
  에이브럼Jr., 에드워드

부통령 체스터 A. 아서C. A. Arthur

러더퍼드 헤이스 대통령은 제임스 가필드를 이렇게 평했어.

미국의 역사를 모두 뒤져보아도 그처럼 낮은 곳에서 출발하여

그처럼 많은 업적을 이룩한 사람은

HISTORY OF THE USA

"가필드 외에는 없을 것이다. A. 링컨과 벤저민 프랭클린까지도!"

헤이스의 말처럼 가필드는 스스로 가난을 극복하고

학자, 장군, 성직자, 정치가 등에 이르기까지

제임스 A. 가필드
이력서
· 윌리엄스대학 학장
· 설교사, 전도사
· 장군
· 하원의원
· 정치가
· 그리고, 그리고….

역대 미국 대통령 가운데 가장 다양하고 화려한 경력을 지녔어.

대~단 해요!

가필드

비록 그 경력이 대통령에 취임한 지 4개월도 안 되어 임기중에 암살된 두번째 대통령으로 바뀌었지만….

탕

제임스 가필드는 1831년 오하이오주 클리블랜드 근처 오렌지의 통나무집에서 가난한 농민의 아들로 태어났지.

그가 태어난 지 2년 만에 아버지가 죽어 어머니는 고된 들판일을 해야 했고 세탁부로도 일했어.

'게으른' 소년이었던 가필드는 소설이나 읽으며 애써 가난을 외면하고 환상의 세계를 헤매다가

아… 부잣집에서 태어난 애들은 좋겠다….

가난을 벗어나려는 목적으로 16세 때 가출, 6주 동안 운하를 오르내리는 작은 배의 선원 노릇을 하면서

물에 무려 열네 번이나 빠진 후 열과 추위로 지독하게 앓아야 했지.

그를 간호하면서 어머니는 그에게 배워야 한다고 설득했어.

애야, 가난에서 벗어나는 길은 배우는 것뿐이란다.

여기 내가 모은 17달러가 있으니 이걸로 학교에 가 공부를 시작하도록 하여라.

어머니의 설득으로 학교에 간 그는 비로소 배움에 눈을 떠 열정적으로 공부를 했고

어머니가 준 17달러가 떨어지자 목수로 일하고, 학생을 가르치며 공부를 계속했지.

선생님, 많이 피곤한가 봐요.

공부를 하면서 그는 학생이자 교사로 학교에서 일했고

미국의 역사는 다른 나라 역사와 전혀 달라서….

신앙심 깊은 어머니의 뜻에 따라 성직자가 되려는 목표를 세워 '예수의 사도'교 신자 겸 설교자가 되었어.

기도 합시다!

Disciple of Christ

1856년 윌리엄스대학을 졸업한 그는 대학교수, 학장의 경력을 쌓는 등 빠르게 출세가도를 달렸다.

Williams College President

그 과정에서 가필드는 노예제도의 비도덕성에 눈을 뜨게 되었고

Slavery

어머니의 반대에도 불구하고 정치로 방향을 돌려 1859년 오하이오주 상원의원에 당선되었지.

야만적인 노예 제도는 마땅히 폐지되어야 합니다!

OHIO

1862년에는 최연소로 연방 하원에 의원으로 진출하여 17년간 의원활동을 계속했어.

하원의원 임기가 2년이니까 나는 9선 의원!

17년

남북전쟁 때에는 군에 자원입대하여 소령으로 진급하는 등 군인으로서의 경력도 쌓았고.

진격~

그의 이런 다양한 경력과 지적인 인품, 설득력 있는 언변도 큰 인기였던 데다가

가삐~ 가필드 옵빠~!

인기가 장난이 아니군….

GARFIELD

중도노선을 표방하여 적이 없는 그는 워싱턴 정계의 핵심인물로 떠올랐지.

완장부대도

중도·온건 보수

수구꼴통도 아니다!

집권 공화당의 핵심인물인 가필드에게 부패한 그랜트 시대의 뇌물유혹이 줄을 이었다.

이 상자 속에 뭐가 들었는지는 아시죠?

APPLE

일곱 명이나 되는 아이를 둔 그는 돈은 없으나 권력은 큰 정치인이었고

요즘 세상에 못 먹는 게 바보죠. 그럼 믿고 갑니다.

APPLE

이런 현실은 가필드로 하여금 현실과 타협하지 않을 수 없게 만들기도 했어.

부적절한 행동인 줄 알지만

그들의 유혹을 물리치기엔 너무 돈에 쪼들리기도 했다.

예컨대 한 푼도 투자하지 않은 기업으로부터 배당금을 받는가 하면

329달러입니다. 배당금 명목이죠.

투자도 않고… 이건 뇌물인데!

특혜를 베푼 업체로부터 5,000달러나 되는 사례금을 받는 등 뇌물 스캔들이 터져나왔지만

관두지 마시지 마시지….

그가 대통령에 출마하고 당선되는 데 걸림돌이 될 정도는 아니었다.

선거운동비용을 모으려면

어쩔 수 없이 부정한 돈이라도….

1880년 대통령 선거는 사상 유례가 없는 박빙의 대접전이었어.

공화 민주

1880

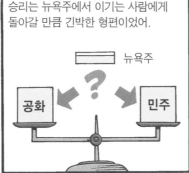

승리는 뉴욕주에서 이기는 사람에게 돌아갈 만큼 긴박한 형편이었어.

뉴욕주

공화 ← ? → 민주

뉴욕주는 공공연하게 관직을 주면 지지하겠노라는 엽관, 매직자들이 장악하고 있어서

협상합시다.

뉴욕 실세 콩클링 의원!

가필드는 결국 이들과 타협하고, 관직을 주겠다는 흥정에 응함으로써 대통령에 당선되었지.

부통령은 우리 차지 장관 몇도

약속 지키시오!

알았소!

감투 장사하네.

이때의 선거가 얼마나 격전이었는지 표차가 겨우 1,898표에 지나지 않았다는 사실이 증명해.

1880년 선거결과

공화당		민주당
제임스 A. 가필드		윈필드 S. 핸콕
4,446,158	득표수	4,444,260
214		155
	선거인단수	

가필드는 선거에서는 승리했지만 관직 흥정에 응한 것이 그의 발목을 잡았고

감투 내놔!

대통령의 권한 또한 제한받지 않을 수 없었다고.

국방장관 에는…

안 돼, 그 자리는 우리 몫이야!

결국 가필드는 선거전의 흥정을 깨고 약속을 지키면 안 된다는 결심을 했어.

선거 때 약속 대로 관직을 나누어주다 보면

결국 내가 해야 할 일을 못하고 끌려다니게 된다!

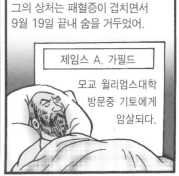

당연히 관직을 기대하고 가필드를 지원했던 자들이 크게 격노했고

관직 준다던 약속 안 지키고

오리발 내민다!!

1881년 7월 2일, 취임한 지 넉 달도 안 돼 그들 중 하나인 찰스 J. 기토*의 총탄에 암살되고 말았다.

탕

가필드는 고통스럽게 11주를 버텼지만 의사들은 끝내 그의 몸에 박힌 총알을 찾지 못했고

그의 상처는 패혈증이 겹치면서 9월 19일 끝내 숨을 거두었어.

제임스 A. 가필드

모교 윌리엄스대학 방문중 기토에게 암살되다.

* Charles J. Guiteau

복잡하고 모순에 찬 가필드는 쉽게 평가를 내리기 어려운 인물이야.

* 가필드의 가족 그림

부정부패, 금권정치가 판치던 시대에 그는 방종한 물질주의를 배격하는 엄격한 도덕론자의 모습을 보여주었지만

도덕정치

뇌물 절대사양

그 이후에는 부정부패와 타협하는 현실주의자의 모습으로 변했지.

뒤로는….

$

부분적으로 개혁론자였지만 부분적으로 이권추구자였던 가필드는

개혁

MONEY…· OK!

부정한 정치인이라는 평판을 얻은 반면

부정 부패

부정에 항거하다 암살된 용감한 순교자라는 평판도 얻은 인물이야.

1860년에 당선된 링컨 이후 20년 만에 당선된 가필드가 대통령 재임중 암살되고

16대 링컨   19대 가필드

암살

또다시 20년 뒤인 1900년에 당선된 윌리엄 매킨리 대통령이 재임중 암살되자

25대 매킨리   1900년 당선

암살

워싱턴 정가에는 지금까지도 이른바 '테쿰세*의 저주'가 화제가 되고 있어.

20년마다 대통령이 변을 당하는데

테쿰세의 저주가 아직도 안 풀렸나?

* Tecumseh

테쿰세는 인디언 쇼니족의 추장으로

인디언 토벌에 용맹을 떨쳤던 장군 윌리엄 해리슨(제9대 대통령)에게 저 목숨을 잃었는데

올드 티피커누*(별명)

W. 해리슨

그가 죽으면서 남겼다는 저주가 신기하게 맞아떨어져 생긴 얘기지.

매 20년마다 0자가 붙는 해에 당선되는 미국 대통령은

저주를 받아 임기중 목숨을 잃으리라!

* 인디언 토벌 티피커누전투에서 유래됨(해리슨 편 참고)

테쿰세의 '제로(0)해 저주'의 첫 해당자가 바로 '1840' 년에 당선된 윌리엄 해리슨으로 임기중 병사했어.

1840년 당선
W. 해리슨
병사

'1860' 년에 당선된 A. 링컨은 1865년 임기중 암살되었고

1860년 당선
A. 링컨
암살

'1880' 년에 당선된 제임스 가필드도 암살되었지.

1880년 당선
J. 가필드
암살

'1900' 년에 당선된 윌리엄 매킨리 역시 암살되었으며

1900년 당선
W. 매킨리
암살

'1920' 년에 당선된 워렌 하딩 대통령도 임기중 병사했다고.

1920년 당선
W. 하딩
병사

'1940' 년에 당선된 프랭클린 루스벨트 대통령도 임기중에 병사했는가 하면

1940년 당선
F. D. 루스벨트
병사

'1960' 년에 당선된 존 F. 케네디 대통령도 암살되었으며

1960년 당선
J. F. 케네디
암살

'1980' 년에 당선된 로널드 레이건 대통령도 암살범의 총탄을 맞고

1980년 당선
R. 레이건
암살미수

구사일생으로 목숨을 건져, 살아서 임기를 마친 첫 0년 당선 대통령이 되었지.

죽는 줄 알았다….

휴우

'2000' 년에 당선된 제43대 대통령 조지 W. 부시

2000년 당선
G. W. 부시
?

테쿰세의 저주가 그에게도 적용될지는 모르지만

야, 미국 대통령 경호실, 엄청 신경 쓰이겠다!

아무려면 21세기에 그런 미신이 통하려고….

20년마다 당선된 대통령에게 닥치는 불운은 우연이라고만 하기에는 너무 신기하지?

| 1840 |
| 1860 |
| 1880 |
| 1900 |
| 1920 |
| 1940 |
| 1960 |
| 1980 |

체스터 A. 아서 1881~1885

추락한 대통령의 권위를 끌어올리다

· Pendleton Civil Service Act 성의병.
매관매직금지. 실적으로평가.

더 이상 부패는 안 된다!

매관 대통령의 권위 ※Tiffany Co -주택과개보수 -실병 고교취임.

매직

청탁

연줄

펜들턴법

공직 사회

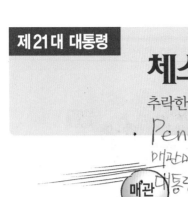

Chester Alan Arthur

공화당, 1829.10.5~1886.11.18

출생지 버몬트주 노스페어필드 North Fairfield

부 인 엘렌 루이스 헌든 아서 Ellen Lewis Herndon Arthur 1837~1880

자 녀 윌리엄 루이스, 체스터 앨런, 엘렌 헌든

부통령 대통령직 승계로 부통령 없음

체스터 앨런 아서는 네번째로 대통령의 죽음으로 대통령직을 이어받은 경우다.

10. 타일러
13. 필모어
17. 존슨
21. 아서

부통령이란 직책은 대통령의 유고시를 대비한 권력대기자란 것을 빼면

부통령

대통령

사실 있어도 그만, 없어도 그만인 본질적으로 불필요한 존재라고 할 수 있어.

부통령

대통령

그러나 현실적으로는 여러 계파가 주도권을 놓고 당내에서 경쟁을 벌이다가

계파 A

계파 B

계파 C

이긴 계파가 대통령 후보를 내고, 1등 자리를 놓친 계파에 위안으로 주는 자리

계파 A

계파 C

대통령 후보

부통령 후보

즉, 당내 파벌 2위 그룹에게 돌아가는 자리라고도 할 수 있겠지.

1

2

그래서 부통령에서 대통령이 된 뒤에는 자신의 파벌을 위해 대통령을 낸 파벌과 치열한 싸움을 벌이게 되며

이제는 우리 파 세상이다!

웃기지 마, 대통령은 우리 파가 만들었어!

타일러, 필모어도 자기가 속한 당내 파벌과의 싸움에

대통령은 죽었어도 우리 계파가 중심이 되어야 해!

새로 대통령이 된 사람의 계파 중심이다!

그리고 존슨은 자기 당은 물론 전체 의회와의 싸움에 모든 힘을 소진했어.

탄핵

취임 후 6개월 만에 사망한 가필드 대통령은 부패한 상원의원 로스코 콩클링과 타협하여 대통령 후보가 되었고

대신 부통령은 우리 계파 몫이오.

콩클링은 그 대가로 자기 파벌 중에서 체스터 아서를 부통령으로 내세운 거였어.

대통령 후보 J. 가필드

대통령 후보 C. A. 아서

그러니까 아서는 가필드와 권력 실세 콩클링 간의 정치협상 결과로 부통령이 된 거였지.

아서

콩클링 계파

부통령

가필드가 세상을 떠나자 미국 정계는 근심에 휩싸였다.

콩클링파의 아서가 대통령이 되니….

대통령 아서, 그 뒤에 실세 콩클링! 그 파의 발호가 걱정된다!

그러나 아서는 이러한 우려와는 반대로 자신을 키워주고 밀어준 콩클링과 관계를 끊고

부패한 정치인과는 인연을 끊는다.

자기 계파 사람들은 중요한 자리에 쓰지 않음으로써

나는 코드인사를 하지 않겠다!

우리는 아서파 We ♥ 아서

그를 밀었던 사람들에게서는 격분과 큰 원망을 샀지만

배·신·자!

아서는 전임 대통령의 노선을 충실히 지켜 정책의 일관성을 지켜내고

가필드 노선

산 자여, 따르라!

방향 변경 없다!

편파적 인사관행의 고리를 끊어 국민이 뽑은 대통령의 권한 연계가 자연스럽게 성공했다는 높은 평가를 받지.

연줄

인사청탁

더욱이 1883년 계파, 인맥, 협상, 거래에 의해 관직이 오가는 것을 금지하는 펜들턴법에 서명함으로써

Pendleton Civil Service Act
펜들턴 공무원법
매관매직을 금하고 실적에 의해 평가한다.
상원 공무원 개혁위원회 위원장
G. H. 펜들턴

미국에 뿌리박힌 엽관제를 없애고

엽관제＝관직을 사냥하는 것.

관직

경쟁과 실력에 기초한 현대식 행정체계를 확립한 대통령이라고 칭송받아.

펜들턴법은 깨끗한 정부, 공무원 만들기로

흔히 미국 공무원 제도의 마그나카르타(대헌장)라고 일컬어지죠.

펜들턴법

그러나 그 자신은 그 시대가 그랬듯이 '적당히' 청렴한 듯하면서 챙길 것은 다 챙긴 '적당히' 부패한 관리여서

$

헤이스 대통령에 의해 뉴욕 관세청장 자리에서 부패혐의로 해임된 적도 있어.

부패 공무원 추방!

그러나 정치가 직업이었던 그에게 그만한 부수입은 당연한 것으로 여겨졌지.

요즘 세상에 나만 돈을 먹냐?

그까짓 것 먹은 거 가지고….

체스터 아서는 아일랜드계 이민 출신인 가난한 목사의 아들로 버몬트주에서 태어났어.

캐나다

메인주

대서양

버몬트주

25세에 뉴욕에서 변호사가 된 뒤 공화당에 입당하여 당을 위해 열심히 노력했고

※1859년의 C. A. 아서의 모습

성실함과 현실에 대한 판단력이 눈에 띄어 관리로서도 출세를 계속하다가

권력실세 로스코 콩클링의 후원으로 공화당 부통령 후보가 되었고, 가필드의 죽음으로 대통령이 되었지.

대통령

그는 책임있는 대통령, 부패관리를 쫓아낸 대통령, 미국 무역을 크게 확대시킨 대통령으로

부패 관리

선거로 뽑힌 전임자 가필드보다 오히려 능력있고 성공한 대통령이라는 평가도 받지만 미국인들의 뇌리에 뚜렷이 기억되는 대통령은 아니야.

인기 대통령 순위

28위 제임스 가필드

34위 체스터 A. 아서

그가 받은 또 다른 평가의 하나는 바로 '대통령의 위엄'을 되찾았다는 거지.

앤드루 존슨이 의회의 탄핵까지 받을 만큼 대통령이 힘을 쓰지 못했고

부정부패로 땅에 떨어진 그랜트 시대 대통령의 위상을

아서는 우선 당당하고 대통령다운 풍채로 되찾는 데 성공했어.

커다란 키에 112kg이 넘는 위엄있는 체구에다

그의 옷차림은 언제나 완벽하고 화려하여

그에게는 항상 '신사 보스(Boss: 두목)'라는 별명이 따라다녔지.

Boss!

그는 미식가에다 술을 즐겨 마셨고

오, 아주 좋은 포도주로군!

하루에 절대로 6시간 이상 일을 하지 않은 것으로 유명해.

대통령은 자유시간을 누릴 권리가 있다!

오전 10시~오후 4시 이외에는 나만의 시간이다!

CLOSED

뚱뚱한 체구답게 그는 여러 가지 성인병에 시달렸고, 퇴임 후 2년 만에 성인병으로 세상을 떠났지.

당뇨, 비만, 동맥경화, 간질환에…

부통령이 되기 전에 아내가 세상을 떠나 독신으로 백악관을 지킨 대통령이라는 것 외엔

홀아비 대통령

국내정치에서 그저 그렇고 그런 대통령으로 역사에서 서서히 잊혀져갔어.

체스터 아서….

그런 대통령도 있었지.

그는 대통령의 위엄을 지키기 위해 의회에 대해 거부권을 많이 행사했는데

의회가 대통령을 우습게 보지 못하게

버르장머리를 고쳐놔야지.

NO NO NO NO NO

그 대표적인 것이 의회가 중국인의 이민 금지기간을 20년으로 정한 법을 거부하여

20년간 중국인 이민을 금지시킵시다.

거부하오!

이민금지법 20년

10년으로 정한 것이야.

그러면 10년만 이라도….

그 정도라면 내가 의회 체면을 보아 양보 해줄 수 있지.

타협안 10년

체스터 아서는 또 언론과의 관계가 상당히 나빴던 대통령으로 알려져 있어.

모든 게 언론 탓이야.

나는 너무 잘하고 있는데 무조건 흠집내려고….

그는 언론을 두려워하고 경멸해서

이게 뭡니까? 왜곡보도하는 언론 나빠슛!

기자회견, 인터뷰를 피했던 대통령이야.

언론 개혁해서

신문을 모두 없앴으면….

인터뷰

그래서 당연히 언론으로부터 사랑받지 못하고

허구한 날 언론 탓 타령만 한다!

코드맞는 신문만 끼고돈다!

언론탄압할 궁리만 한다!

언제나 부정적으로 무능한 것으로 묘사되기도 했지.

일 않고 놀기만 하는 대통령.

언론 탓만 하는 대통령.

그러나 전기작가 토머스 리브스에 따르면 그는 거대한 체구답지 않게 여린 면모가 있었던 모양이야.

까꿍

아서는 감정이 풍부하고 낭만적이며 눈물을 잘 흘렸다는군.

주인공이 불쌍해.

그의 섬세한 면모는 곳곳에서 나타나고 있으며

여기엔 안 어울리는 그림이다.

세련되고 품위를 대단히 중요히 여겨 백악관 디자인에 깊은 관심을 가졌다.

가필드가 죽고 백악관에 입주한 아서는 백악관 관리가 엉망인 데 기겁을 했지.

이런 집에서는 절대 살 수 없다. 당장 백악관을 대통령관저답게 수리하라!

백악관 수리 기간 3개월 동안 그는 다른 거처에서 지냈어.

저러니 대통령을 우습게 알지!

백악관

빈방 있습니다

또 백악관의 주현관 디자인을 당시 최고의 디자이너에게 맡겼는데

그가 바로 당시 최고로 유행하던 아르누보 스타일의 거장 티퍼니*였지.

Tiffany Co. Jewels

지금도 세계 최고 디자인 명문 가운데 하나….

* Louis C. Tiffany

뿐만 아니라 백악관에서 사용하는 사기 제품 디자인도 티퍼니에게 맡기는 등

※ 티퍼니가 디자인한 백악관용 접시

대통령의 위엄과 백악관의 수준을 한 단계 끌어올린 고급스러운 취향을 지녔어.

역사학자 윌리엄 실은 아서를 이렇게 평가하고 있지. "역사는 아서에 대해 몇 가지만 기억한다.

제21대 대통령 아서… 펜들턴법 사인….

C. Arthur

그 중에는 그의 취향도 포함되어 있다!"

맞다. 아주 고급 스러운 취향의 대통령이었지.

그의 디자인 감각은 뛰어났어. 미식가였고….

딱

체스터 앨런 아서 대통령은 링컨 암살 후 위대한 지도자를 잃은 미국 사회가

오, 링컨, 링컨♥

링컨은 또 없나요?

그의 후임자들이 빛을 발할 수 있는 기회를 주지 않음으로써

링컨,

링컨,

그 누가 나와도 링컨이 아니면 안 돼….

땅에 떨어져버린 대통령의 품위와 위엄을 되찾아오는 데 크게 기여한 대통령이었어.

나도 대통령 이다!

그로버 클리블랜드 1885~1889, 1893~1897

가장 격렬했던 노동운동 시대의 지도자

[손글씨 메모]
- 남북전쟁후 가장 유능한 대통령 (부적. 쎈. 선념. 용기. 강직. 책임감
- American Federation of Labor결성 ※ Haymarket Affair 노사분쟁. 노동투쟁)
- Bankruptcy. 배우들 ...
- 지도 ...

Grover Cleveland
민주당, 1837.3.18~1908.6.24
출생지 뉴저지주 콜드웰Caldwell
부 인 프랜시스 폴섬 클리블랜드Frances Folsom Cleveland 1864~1947
자 녀 루스, 에스더, 마리온, 리처드, 프랜시스
부통령 토머스 A. 헨드릭스 T. A. Hendricks 1885
애들라이 E. 스티븐슨 A. E. Stevenson 1893

* 노동조합의 등장을 풍자한 만화(1886)

그로버 클리블랜드는 미국 역사에서 유일하게 두 번의 임기를 나누어 수행한 대통령이야.

1885	1889	1893	1897
제22대 대통령	낙선		제24대 대통령

제23대
벤저민 해리슨

미국의 역사가들은 그를 링컨과 시어도어 루스벨트 사이

16. A. 링컨 — 1861
17. A. 존슨
18. U. 그랜트
19. R. 헤이스
20. J. 가필드
21. C. 아서
22. G. 클리블랜드
23. B. 해리슨
24. G. 클리블랜드
25. W. 매킨리
26. T. 루스벨트 — 1901

그러니까 남북전쟁 이후 혼란기에 가장 유능하고 중요한 대통령이었다고 평가하고 있어.

링컨 이후 T. 루스벨트까지.

재선에 성공한 건 U. 그랜트뿐이야!

그러나 클리블랜드는 보수적인 눈으로 세상을 바라보던 정치인이어서

그는 그의 시각에서 본 정의를 실천했다. 그러나 그는 보수적이고 구식인 사고로 정의를 바라보았다.
– 딘 애치슨

대통령의 본분이란 나라에 이로운 일을 만들어내는 것이 아니라

준비 · 예방

나라에 해로운 일이 일어나지 않도록 하는 것이라는 신념으로 일관했다는 문제도 있었지.

위기

많은 정치가들이 잘못된 일을 잘못되었다고 말하지 못하던 데 비하여

저건 아닌데….

그래도 목 떨어질라….

표 떨어질라….

괘씸죄에 걸릴라….

그는 당당하게 '노(No)'라고 말할 수 있었던 소신과 신념을 지녔기에

그건 아니지!

아닌 건 아니라고!

용기있고 강직하며, 책임감을 지닌 대통령으로 기억되고 있어.

순 깡이야….

체격과 배짱이 정비례….

부럽다….

몸무게가 125kg이나 되는 거구로 미국 역대 대통령 중 27대 태프트에 이어 두번째로 뚱뚱했고

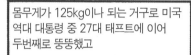

1위 27대	2위 22·24대
W. H. 태프트	G. 클리블랜드

175 kg

125kg

자신보다 무려 27세나 어린 여인에게 사랑을 느껴

딸…이 아니었나?

백악관에서 결혼식을 올린 첫 대통령이기도 해.

특보! 특보!

21세의 퍼스트 레이디 탄생!

그로버 클리블랜드는 뉴저지주 콜드웰에서 장로교 목사의 9남매 중 다섯째로 태어났어.

애고, 또 하나 늘었네….

감사… 기도나 올리자.

응애~

16세가 되던 해 아버지가 돌아가시는 바람에 학업을 포기하고 일을 해야 했지만

아부지, 유산도 안 남기시고….

쏘리….

비록 대학엔 못 갔어도 법률을 혼자 공부하여 버펄로에서 변호사가 되었지.

아항… 대학 못 가면

독학 → 변호사 → 대통령이 코스구나!

미국의 대통령들

정치에 입문한 그는 민주당에 입당했고

서민 출신 중심

상류, 부유층 중심

민주당

공화당

그의 정직함과 소신있는 행동

안 됩니다! 그럴 수는 없습니다!

저 황소 고집….

그리고 '머신(정치 계파)'에 속하지 않은 중립성을 평가받아 버펄로 시장에 이어 뉴욕 주지사(1882)로 당선되었어.

소신있는 정치인!

계파와 손 잡지 않는 공정함!

뉴욕 주지사로서 그의 업적은 성공적이었고 이 평판과 인기는 그대로 민주당 대통령 후보 지명으로 이어져

대통령 후보

뉴욕 주지사

1884년 선거에서 부패한 공화당이 후보로 내세운 제임스 블레인을 아슬아슬하게 눌러

1884년 선거결과		
민주당		공화당
G. 클리블랜드		제임스 G. 블레인
4,874,621	득표수	4,848,936
219		182
	선거인단수	

1860년 링컨 당선 이래 24년이나 백악관을 독점해온 공화당 시대는 막을 내려야 했어.

민주당 정권

이때 선거전의 최대 쟁점은 남북전쟁 출전 여부, 즉 병역문제였어.

참전용사
=
애국자

당시 정치인들은 좋든 싫든 전쟁에 참전했어야 이른바 '애국자'로 정치 생활이 가능했는데

병역기피자!

비애국자! 이기주의자!

클리블랜드는 가정형편상 전쟁에 나갈 수 없었던 점이 문제가 되었지.

병역기피자가 대통령이 되겠다니!

일부러 군대 안 간 게 아니라니까!

그의 형제 중 2명이 군대에 가서 그는 후방에서 여동생 둘과 어머니를 돌봐야 했고

남자가 모두 군대에 가버리면 누가 식구들 먹여살리냐?!

당시의 징병법에 따라 150달러에 폴란드 이민자를 대신 보내고 면제받았던 거야.

본인이 병역에 응할 수 없는 경우에는 대리인을 보낼 수 있다.

법을 어긴 것은 아니었어도 대통령 후보가 병역을 기피한 것은 치명적인 도덕적 결함이었지만

병풍

상대방 공화당 후보였던 블레인도 군대에 가지 않고 대리인을 보낸 처지라서

이 친구도안 갔대~~요!

미국판 '병풍(兵風)'은 클리블랜드의 발목을 잡지 못했고

X묻은 뭐가 △묻은 뭐 나무라고 있네…

절대로 허물어질 것 같지 않던 공화당을 누르고 민주당 정권을 수립했어.

큰일날 뻔 했다….

한국에서라면 절대 대통령이 못 되었을 거야.

휴우

재선을 노렸던 1888년 선거에서 클리블랜드는 총 득표수에서는 공화당 후보를 눌렀지만

1888년 선거결과	
민주당	공화당
G. 클리블랜드	벤저민 해리슨
5,534,488 득표수 5,443,892	
168	233
선거인단수	

선거인수에서 뒤져 낙선했지. 그러나 그는 포기하지 않고 집요하게 노력하여

두고 보자

반드시 백악관을 탈환하고야 말 거야!

1892년 선거에서 숙적 벤저민 해리슨을 누르고 다시 대통령에 당선됨으로써 깨끗하게 설욕했다.

그가 두 번에 걸쳐 대통령직을 수행할 때의 미국은 대통령을 비롯한 공직자의 위신은 형편없고 정치권력은 의회가 쥐고 있었으며

경제는 최악의 공황을 벗어나지 못하던 어려운 형편이었지.

H·E·L·P... 불황

* 취임식장으로 가는 클리블랜드(오른쪽, 마차 위에서 모자를 흔드는 사람)

그의 임기중 사상 가장 극렬한 노동자 봉기가 계속 일어났고

실업자를 구제하라!

임금인상 하라!

노동조건 개선하라!

1886년에 미국노동총연맹이라는 노동조합이 결성되어 노동운동이 대형화·조직화되어 갔으며

AFL
American Federation of Labor

헤이마켓사건*처럼 폭력이 확산되는 등 자본가와 노동자의 대립이 날로 날카로워져가고 있었어.

* Haymarket Affair: 1886년 시카고에서 일어난 노사간의 분쟁

클리블랜드의 정책 가운데 가장 관심을 끄는 것은 경제에 정부가 간섭하는 것을 절대 반대한 것이지.

시장의 자유 정부개입 절대불가!

또 국가가 가난한 국민을 도와야 한다는 주장도 단호하게 거부했어.

가난을 왜 국가가 구제해줘야 하나?

국민이 국가를 도와야지, 국가가 국민을 도와서는 안 된다!

클리블랜드의 이 주장은 뒷날 민주당 대통령 존 F. 케네디의 취임연설과 일맥상통해.

국가가 국민을 위해 무엇을 할 것인가 묻지 말고

국민이 국가를 위해 무엇을 할 것인가를 물어라!

이런 대통령의 정책은 당연히 노동자들의 극렬한 반발을 사서

없는 자의 고통을 무시하고 기업가들 편만 든다!

클리블랜드는 부자들만의 대통령이냐?!

그의 임기중 미국 역사에서 가장 심각한 노동투쟁이 발생했던 거야.

그의 두번째 임기는 대부분이 경제공황 속에서 허덕이는 것으로 일관했어.

* 독점재벌들에게 점령된 의회를 풍자한 당시 만화

그의 임기 시작과 동시에 600개 은행이 쓰러져 문을 닫으면서 시작된 최악의 불경기는

BANK

파산
Bankruptcy

1895년에는 국가보유금이 겨우 4억 1,300만 달러로 바닥나다시피 하여

국고

급해진 클리블랜드는 J. P. 모건 등의 은행그룹에 손을 벌릴 수밖에 없었고

모건 씨, 돈 좀 꿔주라….

6,200만 달러를 급하게 꾸어오는 등

스타일, 있는 대로 구겼네.

클리블랜드의 강직한 이미지는 은행에 팔려버린 대통령으로 추락하고 말았지.

저 꼬리 내린 꼴이라니.

이젠 은행의 꼭두각시야.

그 폼 다 어디 갔지?

건국 후부터 남북전쟁 전후까지의 미국 역사가 노예제를 둘러싼 남부와 북부의 갈등이었다면

건국　　**남북갈등**　　남북전쟁

남북전쟁 이후의 미국 역사는 급격한 산업화에 따른 빈부격차문제와

세계대전

빈부갈등　　**인종갈등**

절제되지 않은 자본주의와 그 결과인 경제공황 속에 허덕이는 대통령들의 역사이기도 해.

경제공황

그러나 체스터 A. 아서 이후 상당히 회복된 대통령의 권한은

클리블랜드에 이르러 더욱 강화되어

견제….

법안

대통령

의회

그는 자유롭게 거부권을 행사하여 임기중 의회가 가결한 법안을 무려 414개나 거부하였지.

거부권VETO

조자룡 헌 칼 쓰듯….

의회

뒷날 민주당 후보로 대통령이 된 우드로 윌슨은 클리블랜드를 높이 평가했어.

Woodrow Wilson

제28대 대통령

"존슨, 그랜트, 헤이스, 가필드, 아서는 의회에 얽매여 제 할 일도 제대로 못하고 쩔쩔맸지만

의회

클리블랜드는 1865년(링컨 사망)부터 1894년 사이에 미국에서 가장 지도적이며 결정적인 역할을 한 유일한 대통령이다!"

의회

클리블랜드는 아내가 된 프랜시스 폴섬을 1864년 그녀가 태어난 직후에 처음 만났대.

까꿍

그의 동업자이자 프랜시스의 아버지인 오스카 폴섬이 1875년 세상을 떠난 뒤

가족을 부탁하네….

그가 폴섬가의 재산을 관리하고 가족을 돌봤지. 그러나 언제부터 두 사람이 연인이 되었는지는 알 수 없어.

1885년 8월 대통령이 된 48세의 클리블랜드는 21세의 프랜시스에게 청혼했고

결혼해주겠소?

살이 너무 쪘지만….

YES!

그녀가 이 결혼신청을 기꺼이 받아들임으로써 백악관에서의 첫 결혼식이 거행되었지.

꽤나 '신데렐라' 비슷한 얘기네….

대통령이 아니었으면 '원조교제' 라고 할 사람이….

벤저민 해리슨 1889~1893

연설의 뛰어난 재능, 못 미친 대통령의 역량

이 의자가 내겐 너무 큰가…?

대통령

Benjamin Harrison

공화당, 1833.8.20~1901.3.13

출생지 오하이오주 노스벤드 North Bend

부 인 1. 캐롤라인 라비니아 스콧 해리슨
  Caroline L. scott Harrison 1832~1892

2. 메리 스콧 로드 디믹 해리슨
  Mary S. L. Dimmick Harrison 1858~1948

자 녀 러셀, 메리, 엘리자베스

부통령 레비 파슨스 모턴 L. P. Morton

벤저민 해리슨은 제9대 대통령 윌리엄 해리슨의 손자이다.

벤저민.

할부지!

그의 아버지 존 스콧 해리슨*은 연방 상원의원이었고

집안 한번 빵빵하네….

* John Scott Harrison

더욱 거슬러올라가면 그의 선조는 독립선언서 서명자 명단에 들어 있어.

Virginia(버지니아주)
카터 브랙스턴
토머스 제퍼슨
·벤저민 해리슨(1726~1791)
프랜시스 라이트후드 리
리처드 헨리 리
토머스 넬슨
조지 위스

이러한 전통적인 명문 정치집안에서 태어나고 자라난 해리슨은

가업(家業)이 뭐지요?

정치!

영특한 두뇌와 탁월한 웅변으로 사람들을 매료시키는 능력을 지녔음에도

요즘에야 TV가 정치가를 좌우 하지만

옛날에는 목청 크고 연설 잘해야 정치인 으로 클 수 있었지요.

훌륭한 대통령이 될 재능을 지니지 못하였음은 참으로 기묘하다 하겠지.

* 너무 큰 할아버지 모자를 쓴 해리슨(풍자만화)

할아버지 윌리엄 해리슨이 대통령에 취임하던 해(1841) 7세였던 그는

할아버지가 대통령 먹었다~!

직업정치인 가문에서 자라나 평생을 정치와 함께 보냈는데

정 치

단 한 번 정치에서 벗어난 경력이란 남북전쟁에 참전하여

사나이로 태어나서 군대를 피하면

정치가로서 평생 병풍(兵風)에 시달리게 된다!

지원소

셔먼 장군과 함께 싸웠다는 군 경력이 전부야.

소위로 임관한 지 3주 만에 대령 진급!

도대체 어떤 배경을 가졌기에…?

제대하고 난 뒤 인디애나주에서 주지사에 두 번이나 출마하였지만 모두 실패했음에도

주지사

1881년에 '가문의 힘'으로 상원의원이 될 수 있었어.

상원

해리슨 가문

그러나 이 상원의원직도 1887년 선거에서는 낙선해 잃고 말아.

또 낙선!

이런 그가 이듬해 전당대회에서 공화당 대통령 후보로 지명되고

낙선 선수가 대통령 후보로 지명돼?

공화당 해리슨지명

현직 인기. 대통령 클리블랜드를 꺾고 백악관을 차지할 수 있었던 것은 정말 의외였지.

클리블랜드

탁월한 연설실력을 제외하고는 특별한 능력이 별로 없었던 그였지만

말만 잘 한다….

그의 뒤에는 막강한 공화당의 힘과 기업인들의 재정적 후원이 있었고

공화당 기업

그리고 보호무역으로 치닫던 세계경제 현실 덕분이었다고나 할까….

클리블랜드

해리슨

자유무역

보호 무역 관세 장벽

벤저민 해리슨은 존 스콧 해리슨의 13자녀 가운데 하나로 오하이오주에서 태어났어.

그는 대통령 할아버지로부터 선사받은 24만m²의 농장 '포인트'에서 어린 시절을 보내기도 했지만

Benjamin's Ranch
POINT

가세가 기울어 원하던 동부의 명문 대학에 가지 못하고 오하이오주에서 대학을 마쳤지.

동부에서 대학 다니려면 돈이 많이 드니까 어쩔 수 없지….

대학 시절에 해리슨은 연설 실력이 뛰어나 토론 모임에서 두각을 나타냈고

'빙산'이란 별명이 붙을 정도로 개인적으로 쌀쌀맞았다고 알려져 있지만

인정머리 없군….

그의 연설은 청중을 매료시켰으며 변호사로서 많은 승소판결을 끌어낼 수 있었다고.

여러분, 피고에게 무죄를 선고해주십시오.

이런 그를 공화당에서 정치판으로 끌어들인 건 당연했지만

해리슨을 우리 당으로 영입합시다.

몇 번씩 선거에서 지고 난 뒤 아내에게 정치에서 손뗄 것을 약속하기도 했어.

이젠 정치 안 할게….

변호사 일에 전념하던 그는 큰 사건에서 계속 승리를 거두었고

그 인기를 높이 산 공화당은 그를 다시 정치판으로 끌어들였지.

당시 공화당은 개혁적인 민주당 대통령 클리블랜드에 맞설 후보를 찾고 있었어.

민주당
클리블랜드
개혁

타락한 부패정당이라는 이미지에서 벗어날 청렴결백한 후보가 필요했던 거야.

공화당
해리슨
청렴결백

해리슨은 뇌물과 부정부패로 찌든 대부분의 공화당원들과는 달리

상원에서 두드러질 만큼 청렴결백한 의원으로 널리 알려져 있었지.

할아버지의 명예를 봐서라도 절대 안 되네!

공화당은 결국 해리슨을 1888년 대통령 선거의 후보로 지명했고

대통령 후보

벤저민 해리슨

부통령 후보

레비 P. 모턴

공화당

민주당에게 빼앗긴 정권을 되찾기 위한 치열한 선거전이 시작되었다.

* 선거연설하는 해리슨

이때 공화당은 온갖 비방과 트집으로 클리블랜드를 끌어내리는 흑색선전을 총동원하였는데

군대도 안 갔다 오고….

흠집내기

모함

헛소문 퍼뜨리기

공화당

가장 비열하고 음침한 흑색선전은 바로 영국계와 아일랜드계 유권자를 이간질한 행태였어.

원수 같은 잉글랜드인!

아일랜드 야만족….

공화당 전략가가 영국 대사에게 선거에 조언을 요청하자,

영국의 입장에서는 어느 후보가 당선되는 것을 환영하십니까?

주미국 영국대사관

영국 대사는 자유무역주의자인 클리블랜드 쪽을 선호한다는 답장을 보냈는데

저희야 클리블랜드 쪽이 아무래도….

이를 선거전에서 대대적으로 선전하고 나선 거지.

영국은 클리블랜드를 지지한다!

클리블랜드는 친영국파다!

인구가 많은 뉴욕주에서 영국과 앙숙인 아일랜드계 유권자가 클리블랜드에게서 등을 돌려

1888년 여론조사는 물론 실제 선거에서도 더 많은 득표를 한 클리블랜드는

클리블랜드 후보 90,596표 앞서!

선거인수에서 뒤져 결국 백악관을 해리슨에게 넘겨줄 수밖에 없었어. 이런 일은 2000년에 다시 일어나지.

당 선

할아버지 때와 같이 장대비가 쏟아지는 가운데 그의 취임식은 거행되었고

전지전능하신 주님은 내게 지혜와 힘과 신의를 주시고….

취임연설조차 별 내용 없는 그저 그렇고 그런 거였다고 해.

국민에게는 평등의 정신과 정의, 평화, 사랑을 주시어….

비도 오는데 대충 끝내지. 별 얘기도 아닌걸….

취임 이후에도 그는 훌륭한 대통령으로 발전하기보다는 대통령으로 만들어준 사람들에게 끌려다니기만 했어.

누구 덕에 대통령 되었는지 아시죠?

아…알겠네.

해리슨은 1890년 보호무역의 벽을 높이는 매킨리관세법에 서명하였는데

윌리엄 매킨리

William McKinley

(뒤에 제25대 대통령이 됨)

McKinley Act

이 법은 수입 상품에 매기는 관세를 크게 올려 가격을 높임으로써

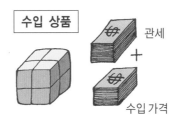

수입 상품

관세

+

수입 가격

가격경쟁에서 미국 상품을 유리하게 하는 것이 목표였지.

가격

수입 상품

미국 상품

그러나 수입 상품 가격의 폭등으로 다른 상품 가격도 덩달아 뛰어오르게 되어

수입 상품 가격

물가

미국 경제는 큰 불황에 빠지게 되었고

물가

실업자

이로 인해 1892년 선거에서 해리슨은 클리블랜드에게 참패당하게 돼.

문제는 경제야, 이 사람아!

민주당

해리슨은 당시에 기업들이 마구잡이로 덩치를 불려 시장을 독점하는 것을 막기 위해

중소기업

대기업

셔먼 독점금지법에도 서명하였지만

10년 뒤 T. 루스벨트 대통령의 전용무기가 되죠.

Sherman Antitrust Act 1890

기업들이 은밀히 짜고 벌이는 합병, 담합은 전혀 수그러들지 않았어.

…척하면서 …합시다.

무능한 정부가 알 리 없지요.

재선에 실패한 해리슨은 인디애나 폴리스로 돌아갔지.

1892년 선거결과		
민주당		공화당
G. 클리블랜드		B. 해리슨
5,551,883	특표수	5,179,244
277		182
	선거인단수	

대통령 시절에 첫 아내와 사별한 그는

퍼스트레이디가 작고하시다니….

장례식장 →

백악관

그곳에서 자식들의 반대를 무릅쓰고 25살 아래인 메리와 재혼을 해.

억울하다….

클리블랜드는 27살 어린 여자와 결혼했는데….

메리에게서 1897년에 딸 하나를 더 얻었는데 그때 그의 나이가 63세였어.

까강

딸이야, 손녀야…?

영감님 재주도 좋네….

그는 무난제일주의로 일을 벌이기 싫어하는 성격이었으며

꼭 그 일을 해야 하겠는가?

연설가답게 군중 앞에 서면 마음이 편해지면서도

애국심과 정의가 온 국민의 마음에….

개인적으로 사람 만나는 것을 무척 불편해하고 싫어하는 성격이었어.

어흠…

분위기 썰렁하네….

그를 잘 아는 사람들은 이렇게 평가해. "그는 유머감각이 있지만 써먹을 줄 모르고

하 하 하 하

만 명이나 되는 사람이 그의 연설에 매료되지만

요~ 아~

그를 만나는 순간 적이 되어 떠나갈 것이다…."

인간성 하고는….

한 가문에서 두 명의 대통령을 낸 집안이 넷.

2대	존 애덤스	(부)
6대	존 퀸시 애덤스	(자)
9대	윌리엄 해리슨	(조부)
23대	벤저민 해리슨	(손자)
26대	T. 루스벨트	(당숙)
32대	F. D. 루스벨트	(조카)
41대	조지 부시	(부)
43대	조지 W. 부시	(자)

역사는 애덤스 가문을 해리슨 가문보다 높이 평가하고 있어.

애덤스가

해리슨가

부시가

이쪽은 어디쯤 될까?

제25대 대통령

윌리엄 매킨리 1897~1901

힘의 제국을 건설하는 발판을 놓다

Gold Standard System (금본위제) → 부유층·기업에 유리
새 보호관세 정착 쿠바문제 개입 (푸에르토리코. 괌. 필리핀 장악)

IMPERIALISM
제국주의
우리도 이제 강대국의 하나다!
고립주의
19세기
20세기

William McKinley

공화당, 1843.1.29~1901.9.14

출생지 오하이오주 나일스 Niles

부 인 아이다 색스턴 매킨리 Ida Saxton McKinley 1847~1907

자 녀 캐서린, 아이다

부통령 개럿 A. 호바트 G. A. Hobart 1897
시어도어 루스벨트 T. Roosevelt 1901

윌리엄 매킨리는 19세기가 막을 내리는 시점, 제국주의 열강이 세계지도를 새로 그리던 시점의 대통령이었으며

제국주의
우리도!
21세기

그랜트 후 20년간 재선에 성공하지 못하고 단임에 그치던 혼란기에 처음으로 재선에 성공했고

19대	헤이스	(단임)1877~1881
20대	가필드	(암살)1881
21대	아서	(단임)1881~1885
22대	클리블랜드	(단임)1885~1889
23대	해리슨	(단임)1889~1893
24대	클리블랜드	(단임)1893~1897

미국을 '힘의 제국'으로 건설하기 시작한 대통령으로 기록되고 있어.

USA

그가 무슨 생각, 무슨 말을 했느냐가 중요한 것이 아니라

* 연설하는 매킨리

20세기로 넘어가는 중요한 전환기에 미국을 이끈 지도자로

미국의 이익이 우선!
보호무역

21세기 세계 유일의 초강대국 미국이 이때부터 빠르게 성장하기 시작했다는 데 매킨리의 의미가 있지.

매킨리가 태어난 오하이오주는 1868년부터 1920년까지 당선된 7명의 대통령* 중 6명을 배출한 곳이야.

오하이오 출신 대통령들.

18대	그랜트
19대	헤이스
20대	가필드
23대	해리슨
25대	매킨리
27대	태프트

이 주엔 많은 선거인단이 배정되어 있고, 동부와 남부, 중서부의 문화가 어우러져 있으며

캐나다

중서부　오하이오　동부

대서양

남부

농업, 광업, 제조업, 소매업 등의 산업이 고르게 발달한 곳이지. 2004년 부시의 재선도 이곳에서 결판이 났어.

농업　광업

제조업　SHOP

유통·소매업

*선거로 당선된 대통령

매킨리는 대통령 선거결과를 좌우지할 수도 있는 이 주의 가장 앞서나가는 하원의원으로 출발하였고 주지사가 되었어.

오하이오는 표밭이지.

워낙 인구가 많으니까….

주지사

물론 그 시대 정치인의 필수조건이었던 남북전쟁에서 큰 활약을 했다는 사실이 많은 도움이 되었고.

1861년 6월, 겨우 18세의 나이에 일등병으로 입대하여

매킨리 일등병 신고합니다!

앤티텀전투에서 세운 무공으로 소위로 특진하였으며

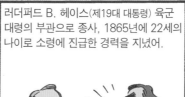

러더퍼드 B. 헤이스(제19대 대통령) 육군 대령의 부관으로 종사, 1865년에 22세의 나이로 소령에 진급한 경력을 지녔어.

그는 부드러운 성격을 지닌 독실한 기독교 신자로

간질에 걸린 아내를 평생 자상하게 보살핀 것도 그의 정치적 성공에 도움이 되었지.

그의 정치철학은 어려운 경제위기를 극복하는 것이었어.

높은 관세를 수입 상품에 매겨 미국 상품을 보호해야 합니다!

관세

높은 관세가 노동자들에게는 윤택한 생활을, 농부들에게는 안정된 시장을, 모든 국민들에게는 질 높은 삶을 약속합니다!

그러나 그의 제안으로 1890년 채택된 매킨리법은 경제위기를 가중시켰고

매킨리법

뒷날에는 1893년의 대공황과 뒤이은 경제불황의 원인이 되었다는 비난을 받아야 했지.

공황

매킨리

매킨리법으로 인한 해리슨의 재선 실패, 격렬한 노동운동으로 얼룩진 클리블랜드의 2기 임기가 끝나고

매킨리법   노동운동

1896년 대통령 선거에서 공화당과 민주당은 격돌했어.

정권을 반드시 되찾아오겠다!

절대로 넘겨줄 수 없다!

경제정책으로 맞붙은 두 당의 가장 큰 대결은 보호무역과 금본위제 문제였지.

자유무역을 폈던 클리블랜드의 실패를 보지 않았는가?

클리블랜드의 실패

역시 보호무역으로 되돌아가야 하며 금본위제를 도입하여야 한다.

금본위제

Gold Standard System
화폐 한 단위의 가치가 일정량의 금 가치와 결부되어 있는 제도

금본위제에서는 화폐의 가치가 항상 일정하여

보기

금 100g   =   1,000달러

1g=10달러

경제가 어려우면 화폐의 값이 올라가 임금이나 가격이 오히려 떨어지게 되므로 노동자에게 불리한 반면

한 달 임금이 100달러이니 금 10g.

경제가 나빠 금 8g 가치=80달러만 준다!

$100 $80

가진 돈의 가치가 항상 보장되기 때문에 부유층이나 기업가에게 유리해.

못 가진 자   가진 자

노동가치   소유가치
$100→$80 $100=$100

이에 반해 민주당은 필요하면 얼마든지 새로 돈을 찍어낼 수 있는 은화제도를 주장했는데

800달러

경제사정에 따라

금 100g
=1,000달러

1,200달러

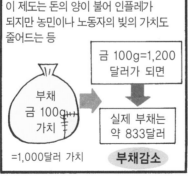

이 제도는 돈의 양이 불어 인플레가 되지만 농민이나 노동자의 빚의 가치도 줄어드는 등

부채
금 100g
가치

=1,000달러 가치

금 100g=1,200달러가 되면

실제 부채는 약 833달러

부채감소

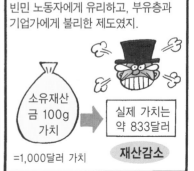

빈민 노동자에게 유리하고, 부유층과 기업가에게 불리한 제도였지.

소유재산
금 100g
가치

=1,000달러 가치

실제 가치는 약 833달러

재산감소

1896년 민주당 전당대회에서 대통령 후보 윌리엄 제닝스 브라이언은 역대 미국 전당대회 연설 중 가장 뛰어난 연설을 하지.

"당신들은 노동자의 머리 위에 가시관을 없을 수 없소! 당신들은 국민들을 금 십자가에 못박을 수도 없소!"

그러나 민주당의 집권을 두려워한 미국의 재벌들은 앞다투어 매킨리를 지원하여

브라이언이 대통령 되면 재벌들을 때려 잡을 거다.

반시장정책으로 우릴 못살게 할 거야!

매킨리는 역대 선거에서 가장 많은 돈을 선거운동에 퍼부었고

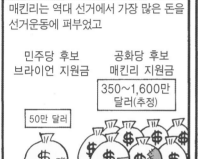

민주당 후보 브라이언 지원금	공화당 후보 매킨리 지원금
50만 달러	350~1,600만 달러(추정)

매킨리는 1872년 그랜트 대통령 당선 이래 최대의 승리를 거두었어.

1896년 선거결과

공화당		민주당+국민당
윌리엄 매킨리		윌리엄 J. 브라이언
7,108,480	득표수	6,511,495
271		149+27
	선거인단수	

예산이나 규모 등 모든 면에서 1896년 선거는 최초의 현대적인 선거였지.

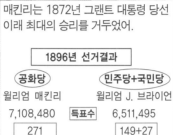

금본위제로 재미 좀 봤다….

원 없이 돈을 써봤다….

대통령에 취임한 매킨리는 새 보호관세를 적용했고

관세 장벽

USA

매~롱

금본위제도를 정착시켜나갔어.

GOLD STANDARD SYSTEM

그러나 매킨리는 외교문제에서 큰 어려움에 부딪히게 돼.

USA

쿠바

쿠바의 혁명가들이 식민통치를 벗어나기 위해 에스파냐를 상대로 투쟁하면서

독립

압제자를 몰아내자!

점차 미국은 이웃나라로서 쿠바문제에 개입하지 않으면 안 된다는 요구를 받게 되었지.

그냥 보고만 계실꺼?

쿠바에 가 있는 미국인 재산이 얼만데….

그러나 매킨리는 이런 요구를 거절했어.

나는 전쟁을 치러보았다. 산더미 같은 시체도 보았다.

이런 희생자들을 더 원하지 않는다.

NO!

1898년 2월 아바나항에 정박했던 미국 전투함이 폭발하는 사고가 터졌다. 에스파냐군의 소행이라 단정하고 격노한 미국인들의 개전요구 여론에 떠밀려서

* 뒷날 조사결과 기관실 폭발로 판명됨

에스파냐가 이미 미국의 요구에 대부분 동의했음에도 선전을 포고, 전쟁을 시작했어.

전쟁이닷!

쿠바

독실한 기독교도였던 그는 이 전쟁을 미국 민족과 신을 위한 정의의 십자군 전쟁으로 규정하였고

하나님의 이름과

미국 민족의 힘으로 악을 응징한다.

현실경제주의자로서 전쟁을 경제발전의 기회로 보았지.

전쟁이 끝나면

우리는 우리가 원하는 것을 지켜야 한다!

이익 전 리 품

전쟁은 5개월 만에 미국의 승리로 끝났어.

* 전투중인 미 해병대

이 전쟁으로 미국은 푸에르토리코, 괌, 그리고 필리핀을 손에 넣게 되어

필리핀

1898년 미국에 할양
1902년 미국통치시작
1941년 일본이 점령
1945년 미국이 탈환
1946년 독립

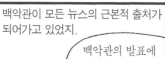

해외 식민지를 경영하는 제국주의 대열에 합류하게 되었지.

* 1900년 베이징에 진군한 미군

미국-에스파냐전쟁은 대통령의 지위를 크게 바꾸었으며

백악관 사무직원이 6명에서 80명으로.

공식 대통령 대변인 임명.

백악관이 모든 뉴스의 근본적 출처가 되어가고 있었지.

백악관의 발표에 따르면 이라크 전쟁의….

TV

매킨리의 정책 자체도 크게 변했어.

더 이상 미국의 고립주의는 불가능하고 바람직하지도 않다!

고립주의
보호무역

외국 시장의 중요성이 커지고 있는 현실에서 보호무역정책은 적절하지 아니하다. 번영과 제국주의를 위해 자유무역으로 방향을 돌려야 한다!

고립주의
보호무역

제국주의

번영과 제국주의를 주제로 내세운 매킨리는 1900년 선거에서 절대적인 인기몰이를 하며

민주당 후보 브라이언을 누르고 쉽게 재선에 성공했어.

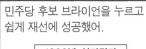

1900년 선거결과		
공화당		민주당
윌리엄 매킨리		W. J. 브라이언
7,218,039	득표수	6,358,345
292		155
	선거인단수	

1901년 9월, 당선 기념으로 서부 방문을 마치고 돌아오던 매킨리는

버펄로에서 열리는 범미국산업박람회에 참석했다가

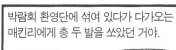
PAN AMERICAN INDUSTRY EXPOSITION

레온 촐고츠*라는 무정부주의자의 총에 맞아 역대 대통령 중 세번째로 암살되었다.

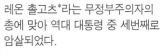

* Leon Czolgosz

그는 매킨리가 악수를 많이 하는 것으로 유명한 것을 알고

박람회 환영단에 섞여 있다가 다가오는 매킨리에게 총 두 발을 쏘았던 거야.

인간의 참자유를 추구하므로 무정부주의를 지지한다!

제국주의, 패권주의는 인간의 자유를 탄압한다!

탕 탕

매킨리는 19세기 말과 20세기 초의 변환기에 미국을 이끈 인물이었어.

* 매킨리 대통령 부부

그는 미국의 제국주의를 선언한 첫 대통령이야.

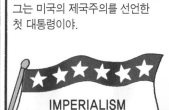
IMPERIALISM
제국주의

그로부터 반세기 뒤의 미국은 두 번의 세계대전을 승리로 이끌며

세계 유일의 초강대국이자 경제대국, 군사대국으로 떠오르는데

USA

매킨리는 바로 그 세계제국의 깃발이 나부낄 깃대를 세운 셈이지.

이곳에 최대 강국의 깃발이 휘날리리라.

시어도어 루스벨트 1901~1909

자유방임시장에 통제의 칼을 대다

Theodore Roosevelt

통제

담합

대기업

재벌

독점

인수·합병

중소기업

Theodore Roosevelt

공화당, 1858.10.27~1919.1.6

출생지 뉴욕주 뉴욕 New York

부 인 1. 앨리스 해서웨이 리 루스벨트 Alice
　　　　Hathaway Lee Roosevelt 1861~1884

　　　 2. 에디스 커밋 캐로 루스벨트 Edith Kermit
　　　　Carow Roosevelt 1861~1948

자 녀 앨리스, 시어도어 Jr., 커밋, 에델,
　　　 아치볼드, 퀸틴

부통령 찰스 워렌 페어뱅크스 C. W. Fairbanks

미국 대통령 인기순위 톱3는 어느 조사에서나 마찬가지로 나타난다.

1위	에이브러햄 링컨
2위	조지 워싱턴
3위	시어도어 루스벨트

그러나 링컨과 워싱턴은 인기있는 대통령이라기보다 미국민들의 존경을 받는 대통령인 데 비해

워싱턴=국부　　　링컨=연방통일

시어도어 루스벨트는 미국인들에게 가장 인기있는 '명물 대통령' 이야.

테디！　와　테디！
와

약자로는 TR, 본인은 아주 싫어했지만 '테디' 라는 애칭으로 불린 대통령.

TR
=Theodore
Roosevelt

Teddy

'테디' 란 말 듣기 싫어!

그의 다양한 면모와 불같은 성격, 그리고 아무도 못 말리는 행동은

아그르르르...

두고두고 미국인들에게 그를 전설 속의 영웅으로 기억시키기에 충분해.

대단한 인물이었지….　테디는 못 말려!

TR은 뉴욕의 귀족적인 상류가정에서 태어나 유복한 환경에서 자랐지만

* 1882년 뉴욕 주의원 시절의 테디

어릴 때부터 근시에 기관지천식 등 건강문제로 시달렸기 때문에

이를 극복하는 과정에서 **스포츠**와 자연, 역사와 친해질 수 있었어.

나 자신에게 질 수는 없어!

하버드대학을 최고성적으로 졸업한 그는 22세에 이미 역사책을 저술할 정도였지.

HISTORY T.Roosevelt

법률공부를 마친 TR은 공화당에 입당, 1882년(24세) 뉴욕 주의원이 되는 것으로 정치생활을 시작해.

Republican

정치

37세가 되던 1895년에는 매킨리 대통령이 뉴욕 경찰청장으로 발탁하여 전국적인 인물이 되었고

충성!

1898년 쿠바문제로 에스파냐와의 전쟁이 터지자

쿠바

TR은 스스로 조직한 의용군 기병대 '사나운 기마자(Rough Riders)'의 대장이 되어

케틀힐전투에서 승리를 거두고 전쟁 영웅으로 미국에 돌아왔지.

* 기병대장 테디

전국적인 명성에 힘입어 귀환 즉시 뉴욕 주지사에 당선되더니

테디! 짠! 테디! 쏴

N.Y. STATE

1900년 대통령 선거에서 부통령 후보로 지명되어 당선됐고

대통령	부통령
윌리엄 매킨리	시어도어 루스벨트

매킨리가 취임 후 6개월 만에 암살되어 TR은 42세라는 나이로 미국 역사상 최연소 대통령이 되었던 거야.

TR	J. F. 케네디

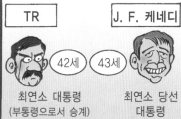

42세 43세

최연소 대통령 (부통령으로서 승계)   최연소 당선 대통령

학자이자 자연주의자이며 농장주에 공무원

육군 대령 출신의 전쟁영웅이며 뉴욕 주지사라는 화려한 경력의 젊은 대통령 TR.

THEODORE ROOSEVELT
T R

대통령으로서 그가 마주친 가장 큰 문제는 공룡처럼 거대해진 기업들의 횡포였어.

대기업

이들은 서로 짜고 밀실담합을 통해 힘없는 기업을 계속 합병하여

중소기업
대기업

시장을 독점하고 가격을 멋대로 정하는 등 그 폐해가 엄청났지.

독점
경쟁자는 모조리 없앤다!
시장

그러나 정부는 그때까지 엄포만 놓을 뿐, 거대기업의 횡포는 고삐 풀린 망아지처럼 거칠 것이 없는 형편이었고

독점 금지!
계속 이러면 재미 없다고 할 수….

통제에서 벗어난 기업은 국가의 부를 닥치는 대로 빨아들이며 오만해져갔지.

계약

사회의 부익부, 빈익빈 이분화는 가속화되어

부자
빈자

미국 사회는 대기업에 대한 분노와 증오에 가득 차 있었어.

TR은 이러한 자유방임경제에 통제라는 칼을 본격적으로 들이댔다.

통제

그는 셔먼 독점금지법을 내세워 모건, 록펠러 등 거대기업을 공격하였고

TRUST

스탠더드 오일, 아메리칸 토바코, 듀퐁그룹 등의 비대화를 효과적으로 견제했지

* J. P. 모건, 록펠러, 카네기와 TR(왼쪽 배 위)

자연 TR의 인기는 한없이 치솟아

1904년 선거에서는 민주당 후보를 압도적인 표차로 누르고 재선에 성공했다.

1904년 선거결과		
공화당		민주당
T. 루스벨트		앨턴 B. 파커
7,626,593	득표수	5,082,898
336		140
	선거인단수	

무섭게 산업화하는 사회에서는 반드시 정부가 기업을 관리, 감독해야 한다는 그의 주장이 유권자들의 지지를 받은 거지.

관리 감독 / 자본주의

자본주의에 제재를 가했다고 하더라도 TR이 결코 반자본주의자였던 것은 아니야.

나? / 절대적인 시장 보호자야!

그 자신이 자본주의자로 자본가집안에서 태어나고 자랐지만

부르주아 가문

자본주의가 도를 지나쳐 거대기업이 악용되는 것을 막지 못하면

합 / 대기업 / 병

당시 세계를 휩쓸던 사회주의가 미국에 뿌리를 내리게 된다는 것이 그의 지론이었어.

세계의 노동자여, 단결하라!!

미국에 사회주의가 뿌리내리지 못하도록 우리는 자본주의가 제대로 운용되도록 감시, 감독해야 합니다!

TR은 안으로는 기업합병 방지에 힘쓰며 밖으로는 미국의 지도력을 세계에 알리는 데 힘을 썼지.

말썽도 많고 질질 끌던 파나마운하 공사를 시작했고

쿠바 / 멕시코 / 대서양 / 태평양 / 파나마운하

1905년 러·일전쟁이 끝나자 포츠머스에서 강화조약을 주선함으로써

자, 자. 대화로 해결합시다.

TR은 노벨 평화상을 수상했어.

그러나 그는 특사 태프트를 시켜 일본의 가쓰라와 밀약을 맺어 / 조선을 일본이 차지하는 것을 묵인했다!

T. 루스벨트

그의 비극은 후계자로 친구이자 전직 보좌관인 하워드 태프트를 선정하는 것으로 시작되었다.

내 말 고분고분 잘 들으니까….

H. 태프트

TR의 인기로 어렵지 않게 대통령에 당선된 태프트는

1908년 선거결과	
공화당	민주당
윌리엄 H. 태프트	윌리엄 J. 브라이언
7,676,258 득표수	6,406,801
321	162
선거인단수	

TR의 기대와는 다르게 무기력했으며 TR과는 전혀 다른 방향으로 나갔어.

이에 TR은 실망이 지나쳐 끝내 분노하기에 이르렀지.

이럴 수가 있나? 도대체 모두가 엉망이 되어버렸어!

하워드를 그냥 두었다간 안 되겠다. 내가 다시 대통령이 되어 잘못된 것을 바로잡아야 해!

1912년 선거에서 TR은 다시 후보로 출마하여 공화당은 두 개로 쪼개졌으며

우지지직

공화당
W. H. 태프트

진보당
T. 루스벨트

어부지리로 민주당 후보 우드로 윌슨이 대통령에 당선되었지.

대통령

TR은 많은 화제를 뿌린 인물이야. 그와 그의 가족 이야기는 언제나 미국인들의 관심을 끌었어.

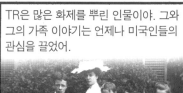

* 1903년경 TR의 가족

1917년 1차대전 당시 58세의 전직 대통령 TR은 대통령에게 요구했다.

1개 기병사단을 지휘해서

유럽전쟁에 뛰어들겠소.

물론 이 요구는 거부되었지만….

나이를 좀 생각하시죠.

주책이야, 정말….

TR은 누구보다 자연보호에 앞장서서 노력하였으며

2억 에이커(한반도의 여덟 배) 이상의 지역에서 산림개발을 금지하고 많은 국립공원을 만들었다.

YELLOWSTONE
옐로스톤

YOSEMITE
요세미티

NATIONAL PARK

이게 모두 TR의 공로로….

1902년 미시시피로 곰사냥을 갔던 TR은 새끼 곰을 발견하고는 사냥을 포기하고 되돌아온 일이 있었지.

차마 저런 새끼를 잡을 수야 없지….

이 사실을 클리퍼드 베리먼이라는 기자가 워싱턴포스트에 삽화와 함께 보도했는데

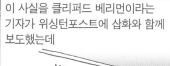

Washington Post

테디와 새끼 곰
대통령의 사냥 포기

뉴욕 브루클린의 장난감가게 주인 모리스 미첨이 전시한 인형에 TR의 별명인 '테디'라는 이름을 붙였지.

TEDDY BEAR

이것이 바로 오늘까지도 인기있는 '테디 곰인형(테디베어)'의 유래야.

TR은 전임자의 암살로 대통령이 된 3명 가운데 가장 능력있고 패기에 넘치며 시야가 넓은 대통령으로 평가되고 있어.

**대통령 암살로
부통령→대통령**

1. 앤드루 존슨(1865)
2. 체스터 A. 아서(1881)
3. T. 루스벨트(1901)

스포츠를 즐겨 권투선수 존 설리번과 백악관에서 권투 연습경기를 하는가 하면

고위정치인들과 장애물경기도 자주 벌였는데

뚱뚱한 의원이나 대사들은 항상 TR 뒤를 헐떡이며 따라다녀야 했지.

대통령 각하, 좀 천천히 뛰시죠.

핵 핵

핵

TR은 미국의 힘과 한계를 시험해 보고

USA

미국의 힘과 한계를 확대한 정열적인 대통령이었어.

USA

그를 잘 아는 친척은 이렇게 말했대.

그는 결혼식장에 가면 신랑이 되기를 원하고

"장례식장에 가면 죽은 사람이 되기를 원할 거야!"

언제나 자신이 주인공이 되기를 원했던 TR이니까!

HI!

윌리엄 하워드 태프트 1909~1913

전임자의 그늘에서 몸부림친 거인

William Howard Taft

공화당, 1857.9.15~1930.3.8

출생지 오하이오주 신시내티 Cincinnati

부 인 헬렌 헤론 태프트 Helen Herron Taft
1861~1943

자 녀 로버트, 헬렌, 찰스

부통령 제임스 스쿨크래프트 셔먼
J. S. Sherman

윌리엄 하워드 태프트는 역대 대통령 가운데 가장 뚱뚱한 것으로 기억된다.

160~175kg

그는 선량하고 명랑하였지만 명석하지는 못했고

지금 웃을 일이 아닌데….

대통령 직무도 자신이 평가하는 것과 다르게 성공적이지 못했어.

나는 성공한 대통령이다!

…아닌데…!

태프트는 정치를 혐오하면서도 평생을 정치에 바쳤고

나는 정치가 싫다!

하지만 딴 직업이 없으므로….

별다른 야심이 없었음에도 수없이 많은 공직을 두루 거친 후

•연방판사
•미국 초대 필리핀총독
•TR 보좌관
•연방 대법원장

단 한 번 선출된 직위가 바로 아메리카 합중국 대통령이었지.

하… 선거란 평생에 딱 한 번

대통령 후보로 출마 한 게 전부네…!

뚱뚱한 그의 몸집은 두고두고 퀴즈쇼의 질문이 되고 유머 소재가 되는가 하면

태프트가 가장 뚱뚱했을 때의 몸무게는?

ABC퀴즈

①140kg
②160kg
③175kg

역사교수들이 딱딱한 강의중에 분위기를 바꾸는 데 쓰이는 양념처럼 되었어.

태프트가 하루는 말야….

번쩍

태프트가 필리핀에 처음 식민지 조사를 나갔을 때 엘리후 루트 장관에게 보고 전보를 보냈는데

하루종일 걸어다니다가 다행히 말을 타고 다닐 수 40km는 있습니다.

장관이 보내온 답장이 이랬어.

그 말은 괜찮소?

그 무거운 몸으로 말을 타고 다녔으니….

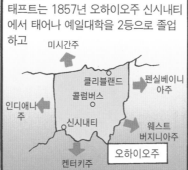

태프트는 1857년 오하이오주 신시내티 에서 태어나 예일대학을 2등으로 졸업 하고

미시간주

클리블랜드
콜럼버스

펜실베이니아주

인디애나주

신시내티

웨스트 버지니아주

켄터키주

오하이오주

신시내티 로스쿨*을 졸업하기도 전에 오하이오주 변호사 자격증을 얻었지.

자격증 ♪

공부벌레 였나 봐….

* 법관 양성 학교

태프트는 오하이오 정치계에 입문, 연방판사가 되었는데

나의 평생 소원은 연방 대법원장!

연방 대법원

1900년 에스파냐로부터 얻은 필리핀에 시민정부 건립을 지도하는 행정관으로 부임하였어.

총독이라고도 부르죠.

* 필리핀에서의 태프트

이곳에서 태프트는 솜씨를 발휘하여 4년간 공정하고 유능한 행정관으로

PHILIPPINES
U.S.A.

피 흘리지 않고 필리핀을 미국의 새로운 영토로 정착시키는 데 큰 기여를 했지.

우리는 필리핀의 친구!

1904년 루스벨트 대통령은 그를 전략 장관으로 임명하였고

나의 보좌관이 되어주시게!

1905년에는 역시 대통령 특사가 되어 일본과 밀약을 맺는 역할을 했어.

가쓰라-태프트밀약

桂太郎—W. H. Taft

러시아와의 전쟁에서 승리하여 일약 동아시아 강대국으로 떠오른 일본은

궁극적인 목표인 중국 대륙 진출을 위해 전진기지인 조선반도를 합병하려 했고

중국

조선

에스파냐와의 전쟁 승리로 필리핀을 얻은 미국은 필리핀 때문에 일본과의 충돌을 원치 않았어.

USA

필리핀

그래서 일본 수상 가쓰라와 루스벨트 대통령 특사 태프트는 비밀협약을 맺고 식민지 나눠먹기를 한 거지.

일본의 조선 지배를 묵인하는 대신

미국의 필리핀 지배를 인정한다.

이 결과 미국은 아시아의 중요한 군사 전략거점인 필리핀을 지배했고

필리핀

일본은 거침없이 조선반도 합병을 추진할 수 있었던 거야.

일본 영토

조선

태프트는 진심으로 루스벨트를 존경하는 추종자였으며

TR의 오른팔이 되어 최선을 다해 보좌했지.

가자!

YES, SIR!

이런 태프트를 TR이 그의 후계자로 삼아 대통령 후보로 민 것은 당연한 결과였어.

다음 대권 후보는 바로 당신!

TR의 인기를 업은 태프트는 민주당 후보를 가볍게 누르고 제27대 대통령에 당선되었지.

1908년 선거결과	
공화당	민주당
W. H. 태프트	W. J. 브라이언
7,676,258	득표수	6,406,801
321		162
	선거인단수	

태프트는 TR에 절대 복종하였으나 대통령이 된 뒤에는 사정이 전혀 달라졌어.

하워드, 왜 이리 갑자기 뻣뻣해?

대통령 태프트는 더 이상 TR의 각료가 아니라 미국의 최고권력자였던 거지.

나는 대통령이거든!

그의 대통령 취임연설은 가장 무기력하고 맥빠진 것으로 알려져 있어.

My fellow - Citizens...
Anyone who has taken the oath I have just taken must feel a heavy weight...

태프트는 TR의 기대처럼 패기있고 단호한 정치를 하는 대신

팡

이러면 좋은데….

몇몇 실력있는 상원의원들에게 질질 끌려다녔고

그들의 지시에 따른 정치를 하는 거였어.

…하라고 해….

…하라고… …하니까… 해라!

실망에 찬 TR을 격분시킨 것은 장관을 바꾸는 문제였지.

쯧쯧… 저런 한심한 작자들을 장관자리에 앉혀두고 있다니….

대학동문이라는 이유로 장관을 시켜?

부패한 장관을 바꾸라고 TR은 측근을 통해 태프트에게 요청했지만

TR이 그 장관 바꾸시라는데요….

태프트는 오히려 TR의 측근을 해고시켜 버림으로써 TR의 분노는 폭발했지.

지금 대통령은 나일세!

그러는 자네는 해고야!

내가 태프트에게 화가 나는 것은 그가 백악관을 차지한 것이 아니라 지배하지 못하고 있기 때문이다!

그가 대통령이 된 것이 화가 나는 게 아니다. 그가 제대로 대통령 노릇을 못하고 있는 것이 견딜 수 없이 화가 난다!

장기간의 아프리카 여행에서 돌아온 TR은 1912년 대통령 선거에 다시 뛰어들 준비를 했어.

테디가 돌아왔네!

옛날의 동지가 원수로….

TR을 다시 대통령에!

태프트와 갈라선 TR은 맹렬하게 그를 비난했고

멍텅구리, 바보, 얼간이 태프트는 안 된다!

결국 공화당은 분열되는 운명을 맞아.

TR

공

화

계속되는 TR의 공격에 태프트도 더 이상 물러설 수 없었어.

그렇소, 나는 바보, 허수아비일지 모르오.

그러나 쥐도 궁지에 몰리면 고양이를 무는 법이오. 더 이상 TR의 공격 때문에 대통령 후보를 사양하지는 않을 것이오!

공화당 전당대회 결과 태프트가 TR을 누르고 후보 지명을 받자

태프트 후보 지명 획득

와 와

TAFT

TR은 태프트 반대파 공화당원을 이끌고 신당을 조직하여 대통령에 출마하였으나

내가 그냥 물러날 줄 알았니?

정치도의상 있을 수 없는 짓이다!

진보당*

공화당

* Bull Moose Party

분열된 공화당은 정치신인과 다름없는 민주당 우드로 윌슨에게 참패당해.

1912년 선거결과		
공화당	진보당	민주당
W. H. 태프트	T. 루스벨트	W. 윌슨
3,486,333	4,119,207	6,293,152
8	88	435
	선거인단수	

1913년 초, 태프트는 엄청나게 스트레스만 받았던 백악관을 떠나 고향으로 돌아왔어.

끔찍한 시간이었어….

WHITE HOUSE

퇴임 후 모교인 예일대에서 강의를 하던 태프트는

1921년 드디어 그가 평생 소원하던 연방 대법원장에 임명되었지.*

늘 희망하셨죠?

YES, SIR!

* 29대 하딩 대통령이 임명

연방 대법원장으로서 태프트는 대통령직보다 훨씬 훌륭한 업적을 남겼다는 평가를 받아.

대통령보다는 대법원장에 적격인 인물이로세.

땅땅땅

그의 뚱뚱한 몸은 많은 일화를 남겼는데

한번은 백악관 욕조에 몸이 끼여 꼼짝 못한 적이 있어서

HELP!

그때 백악관에 특별한 욕조(210cm × 120cm)가 설치되었어. 성인 남자 3명이 들어갈 수 있는 크기지.

재임 기간 동안 태프트는 불행했고 음식 먹는 것을 유일한 낙으로 삼아서

부인이 강요한 다이어트도 회피하고 계속 먹어댔지.

당신 그렇게 드시다가 큰일나요!

이거 뺏으면 연방군 동원할 거야!

음식을 숨기거나 간식을 먹기 위해 백악관을 몰래 빠져나가기도 하고

미운 테디는 참아도 배고픈 건 못 참아….

백악관

여행중에는 언제나 풍성하게 식탁을 차려주도록 요청했어.

아내 몰래 특별 메뉴… 알지?

알겠습니다, 각하!

그는 재임 2년간 체중이 무려 50kg 불어났고

저울바늘이 더 이상 안 나가네….

1912년 선거 기간중에는 355파운드 (175kg)라는 기록을 세우기도 했지.

휴… 이런 정치를 왜 하고 있누…?

태프트에 대한 역사적 평판은 과거의 상관이자 그가 추종했던 TR과의 1912년 처절한 선거전으로 인해

1912

TR 태프트

능동적이고 진보적인 루스벨트에 비해

T. 루스벨트(테디)

박력·패기· 능동적·진보적 풍운아

소극적이고 쓸데없는 보수주의자라고 비교되고 있어.

W. H. 태프트

느슨·무능 수동적·보수적 수구꼴통

미국인들의 영원한 '인기스타' 테디 루스벨트의 빛이 강하면 강할수록

테디! 우와! 루즈벨! 우와!

태프트의 이미지는 더욱 어둡고 부정적이며 보수적으로 새겨지지만

T.R

실제로 태프트가 연방 대법원장으로서 내린 판결들은 루스벨트보다 훨씬 진보적인 성격을 띠고 있지.

우드로 월슨 1913~1921

미국식 잣대의 세계평화를 전파하다

PEACE

발칸반도에만 적용되는 민족 자결주의다!

민족자결주의

약 소 민 족

Woodrow Wilson

민주당, 1856.12.28~1924.2.3

출생지 버지니아주 스톤턴 Staunton

부 인 1. 엘렌 루이스 액슨 월슨 Ellen Louise
　　　　　Axson Wilson 1860~1914
　　　2. 에디스 볼링 골트 월슨 Edith Bolling
　　　　　Galt Wilson 1872~1961

자 녀 마거릿, 제시, 엘리너

부통령 토머스 R. 마셜 T. R. Marshall

우드로 월슨의 원래 이름은 외할아버지 이름을 딴 토머스 우드로였어.

네 이름이 뭐니?

토머스 우드로 월슨!

뒷날 프린스턴대학을 졸업하고 토머스란 이름을 버려 우드로 월슨이 되었지.

촌스러워….

그는 아주 어렸을 적에 참혹한 남북 전쟁을 목격했기 때문에

전쟁을 경멸하고 평화를 지키는 것을 최대 목표로 삼은 십자군 같은 사명을 지닌 인물이었어.

그래서 그의 임기중에 터진 제1차 세계 대전에 끼어들지 않으려 무진 애를 썼고

유럽

어쩔 수 없이 끼어든 전쟁이 끝난 뒤 세계평화 정착을 위해 노력했지.

PEACE

버지니아주 스톤턴 태생의 윌슨은 캐롤라이나주에서 주로 성장한 남부인으로

버지니아주

노스캐롤라이나주

조지아주

사우스캐롤라이나주

플로리다주

그의 아버지는 장로교 목사로서 대단한 웅변실력을 지닌 사람이었대.

아빠지, 믿~~쑵니다!

그래서 그는 그의 아버지로부터 철저한 웅변교습을 받았는데

아빠지, 믿~쑵니다!

그가 연습한 것은 웅변의 내용이 아니라 사람들에게 감동을 줄 수 있는 웅변기법, 즉 스타일 연습이었지.

사람을 감동시키는 연설이란

내용이 아니라 테크닉이야, 테크닉! 알것냐?

1879년 프린스턴대학 졸업 후 법학을 공부하는 학자가 되었고

마땅한 딴 직업도 없으니….

대학교수가 되어 정치학과 법학을 가르친 인물이야.

* 프린스턴대 교수 시절

그러나 그는 신경쇠약, 소화장애, 두통 등의 지병으로 고생하던 허약체질로

아이고, 배야….

애고, 골치야….

뒷날 대통령이 되고 나서도 건강문제로 큰 어려움을 겪지.

대통령이 이렇게 골골해서야….

그의 화려한 웅변실력은 정계에서도 돋보여 1910년 뉴저지 주지사로 정치계에 등장하고

내 말을 믿쑵니까~? 여러분!

1912년에는 민주당 대통령 후보로 급격히 떠오른 스타와 같은 존재야.

VOTE
WILSON
FOR PRESIDENT
WOODROW
WILSON
DEMOCRATS

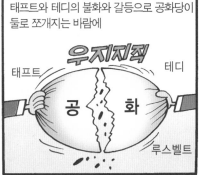

태프트와 테디의 불화와 갈등으로 공화당이 둘로 쪼개지는 바람에

우지지직

태프트

테디

공

화

루스벨트

정치신인과 다름없었던 윌슨은 쉽사리 대통령에 당선되었어.

* 1913년 윌슨의 대통령 취임식

그의 첫 임기중 인류 최대 재앙의 하나인 제1차 세계대전이 유럽에서 터졌어도

월슨은 중립을 표방하며 절대 전쟁에 끼어들지 않으려 했지.

1915년 도이칠란트 잠수함이 영국 선박 루시타니아호를 격침시켜

* 루시타니아호 격침을 알리는 신문보도

그 배에 타고 있던 미국인이 100명 이상 떼죽음당하자, 미국에는 참전해야 한다는 여론이 높아졌지만

참전하라! 복수다!

그는 도이칠란트에 엄중하게 항의하는 것으로 그치고 전쟁에는 끼어들지 않았어.

이게 뭡니까? 독일 나빠요!

자꾸 건드리면 기분 나빠져요!

1916년 선거에서 월슨의 구호는 바로 '전쟁불참' 이었다.

전쟁에 끼어들지 않아 미국은 안전했다!

월슨은 미국을 전쟁으로부터 지켜냈다!

He Kept us out of war!!

* 선거운동(1916)

이 구호로 월슨은 재선에 성공하지만

1916년 선거결과

민주당	공화당
우드로 월슨	찰스 에번스 휴스
9,126,300	8,546,789

득표수

277	254

선거인단수

1917년 치머만사건이 터지면서 어쩔 수 없이 등 떠밀려 전쟁에 발을 들여놓았지.

먼나라 이웃나라 11권, 170쪽을 보세요.

ZIMMERMANN 사건

월슨은 의회에 참전승인을 요청하며 세계의 민주주의 수호를 위해서라는 이유를 제시했어.

Make the world safe for democracy!

민주주의 수호

그리고 전쟁이 막바지에 이르른 1918년 1월 8일 전후 세계질서에 대한 그의 구상인 '14개조 원칙'을 발표하는데

The 14 Points
W. WILSON

그 핵심에 국제연맹의 창설이 들어 있었어.

월슨 14개조 핵심사항

· 비밀외교 폐지
· 민족자결주의
· 국제연맹 창설

1918년 11월 도이칠란트의 항복으로 제1차 세계대전이 막을 내리자

이듬해 초 윌슨은 유럽의 구세주로 칭송받으며 파리에 도착, 베르사유조약의 주인공이 되었고

* 베르사유궁전에서의 윌슨

월슨의 주창과 미국의 주도 아래 국제연맹은 창립되었지만

The League of Nations
국제연맹

정작 미국 의회는 미국의 국제연맹 가입을 반대했지.

베르사유조약이 실제 효과가 있을지도 의문이고

민족자결주의에 따르면 모든 현재 국경은 신성불가침해진다.

NO!

이는 결국 미국의 해외 영토 포기를 의미하며, 미국이 뻗어나가는 길을 원천봉쇄하는 셈이 된다.

의회   백악관

그러니 윌슨 대통령이 양보하여 연맹가입을 다시 생각하라!

그것은 절대로 있을 수 없다!

의회가 평화를 지키려는 내 의지를 인정하지 못한다면 내가 직접 국민들에게 지지를 호소하겠다!

월슨은 여론몰이를 위하여 전국설명회에 나서서 1만 6,000km를 돌았는데

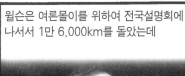

* 전국설명회에서 연설하는 윌슨

1919년 9월 26일 콜로라도주 푸에블로시에서 쓰러져 반신불수의 몸이 됐어.

약한 몸으로 너무 무리했다….

병상에 누운 몸이면서도 사임할 것을 끝내 거부했고

권력이 저리도 좋은가…?

죽어도 사임 안 해!

그가 움직일 수 있게 될 때까지 6개월 동안 부인 에디스가 정치업무를 대신했지.

* 윌슨의 업무를 돕는 에디스

국내의 평가와는 달리 윌슨은 1920년 노벨 평화상 수상자가 되었어.

거봐. 세계는 날 인정해주잖아….

평화를 외치며 반제국주의를 선언한 월슨이

세계
평화

민족자결
주의

제국주의
나빠요!

미국은 군사력으로 단·한 치의 땅도 더 넓히지 않겠다고 선언했음에도

우린 절대 침략
전쟁 안 해!

정말?

남아메리카 여러 나라를 자주 침공하여 미국의 이익을 챙겼어.

치…침략하잖아!

침략이라니,
도와주는 거야!

US
ARMY

월슨은 미국 역사상 다른 나라의 내정 간섭에 군사력을 가장 자주 이용한 대통령이자

우린 이웃
사촌이야.

또 적절히 이용한 대통령으로 평가받고 있지.

그러니까 그가 그토록 세계만방에 입이 닳도록 주장한 평화와 민주주의란

평화 민주주의

힘의 균형에 기초한 평등이 아니라

USA

미국적 잣대에 뿌리를 둔 미국식, 미국 주도의 평화였던 거야.

어쨌든 안 싸우는
게 평화 아니야?

USA

윽!

이러한 이유에서 미국이 주창하여 만든 국제연맹에 정작 미국은 발도 들여놓지 못했지.

안 돼, 못 들어가!

국제
연맹

의회

사교적이지도 못하고 친구도 거의 없었던 월슨은 그의 첫번째 부인 엘렌 액슨에게 크게 의지했어.

내 결정을 당신은
어떻게 생각하오?

엘렌은 대통령 영부인이라는 명예에는 별로 관심이 없었고 사람과 어울리는 것보다 정원가꾸기를 좋아했는데

1914년 8월 신장염으로 백악관에서 세상을 떠났다.

백악관에서 영부인이
별세하긴 처음….

고향으로 돌아가는 기차 안에서 그는 내내 아내의 관 뒤에 앉아 있었지.

여보, 나는 이제 어떡해….

덜컹 덜컹

그로부터 7개월 뒤 윌슨은 워싱턴에서 미망인 에디스 볼링 골트에게 청혼, 두 달 만에 결혼

백악관의 안주인이 되어주시겠소?

또다시 백악관에서 결혼식을 올린 대통령이 되었어.

와, 상처한 지 1년도 안 돼 새장가가네!

외로움을 참기 어려웠던 모양이지…!

두번째 퍼스트레이디

두번째 부인 에디스는 윌슨이 쓰러진 뒤 대통령 직무를 6개월간 대신한 여성이지.

그 문제는 이렇게 처리하세요.

예, 각하… 아니, 사모님!

그가 미국식 자유와 미국식 잣대로 세계를 바라본 것은 그의 흑인에 대한 견해에도 나타나.

노예의 후손들이….

그는 백인우월주의자였어.

흑인이 어찌 백인과 동등할 수 있는가? 백인은 흑인보다 우수한 인종이다!

흑인에 대한 폭력단체 KKK단을 미화시킨 영화를 보고 윌슨은 극찬을 했다고.

와 대~단 해요!

그는 비록 백인우월주의를 위해 흑인을 탄압하지는 않았지만

어떻게 할까요?

알아서 해.

흑인에 대해 남부에서 벌어지던 비인간적인 행동들을 못 본 체했어.

그럴 수도 있지 뭐….

만약 윌슨이 세계를 좀더 융통성 있게 바라보고 의회와 타협하여 미국이 국제연맹에 가입했더라면

타협합시다!

국제연맹 가입 찬성이오!

제2차 세계대전은 일어나지 않았을지도 모르고

미국이 국제연맹에 버티고 있었으면

우리가 그렇게 쉽게 전쟁을 못 일으켰지…

인류의 역사는 피를 조금 덜 흘렸을지도 몰라.

미국 빠진 국제연맹 = 팥 없는 찐빵 = 있으나마나 = 전쟁!

워렌 G. 하딩 1921~1923

평범했던 시대의 평범했던 지도자

대통령 후보는 내가 되어야 해!

아니, 내가 후보가 될 거야!

대통령 후보

나는 절대 양보 못해!

공화당

Warren Gamaliel Harding

공화당, 1865.11.2~1923.8.2

출생지 오하이오주 코르시카Corsica

부 인 플로렌스 클링 하딩Florence Kling
Harding 1860~1924

자 녀 없음

부통령 캘빈 쿨리지C. Coolidge

워렌 개메일리얼 하딩은 언제나 역대 미국 대통령 인기에서 맨 밑을 양보(?) 하지 않는 인물이지.

Warren Gamaliel Harding

영리하지도 않고 별 특징도 없으며, 지도자 능력도 부족한 데다가

누가 그래?

모욕의 굿판을 당장 그만둬라!

별다른 업적도 없이 갑작스럽게 임기 중 세상을 떠나는 등

싱겁기는….

도대체 이런 인물이 어떻게 대통령의 자리까지 올랐을까, 역사가들은 묻고 있어.

별별 사람이 다 대통령이 되네….

하 딩

그러나 최고의 자리에 언제나 최고의 인물이 오르는 것이 아님을 하딩의 경우에서 볼 수 있지.

장마다 꼴뚜기 나고 대통령마다 위인인 줄 아니?

W.G. Hárding

사실 그는 대통령이 될 의욕도 자질도 없이 대통령이 된 인물이었다고.

US 대통령

하딩은 1865년 11월 2일, 오하이오주 코르시카란 곳에서 태어났어.

재네는 이름까지 다 베꼈어….

코르시카

코르시카

법률공부를 했지만 결국 실패로 끝나고 이런저런 직업에 손대보았지만 신통치 않았는데

난 재능이 없나 봐….

하는 일마다 실패니….

결국은 1884년 조그만 시골 신문의 편집을 맡아 언론인이 되었지.

Marion Star

Marion Star

26세가 되던 1891년, 그 지방 실력자인 은행가의 딸과 결혼했는데

그의 아내가 된 플로렌스 클링은 아이가 둘 딸린 이혼녀였고

당신은 복도 많지 뭐유. 덤까지 따라왔으니….

강인하여 정치에 큰 야심을 가진 여인으로, 하딩이 정치계에 뛰어드는 데 결정적인 역할을 했어.

평생 시골 신문 편집자로 썩을 거예요?

사내대장부라면 정치를 해야지!

* Florence Kling

정치에 입문한 그는 오하이오주 공화당의 최고실력자인 해리 M. 도허티*의 후원으로

나는 킹메이커 (Kingmaker) 니까

내가 뒤를 봐주면 팍팍 큰다구!

오하이오 주지사에 당선되고, 드디어 연방 상원의원에까지 진출했어도

도허티

주지사

상원

6년간의 그의 상원의원 활동은 별 특징 없는 2류 의원에 지나지 않았지.

있으나마나한 의원이야….

* Harry M. Daugherty

상원의원 시절, 그는 공화당에서 나와 다시 대통령에 출마하려던 시어도어 루스벨트(TR)에 접근

다시 한 번 대통령이 되어보련다!

제가 도와드릴까요?

고분고분하고 말 잘 듣는 하딩을 TR은 부통령 후보로 약속하였지만

기분이다!

니 부통령 하그라!

1920년 선거도 치르기 전에 TR이 세상을 뜨는 바람에 (1919) 부통령의 꿈은 무산되고 말았어.

나는 어떡하라구

175

1920년 당시의 미국은 아마도 역사상 가장 부패한 시대였고

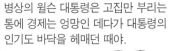

개혁!
개혁!
윌슨

병상의 윌슨 대통령은 고집만 부리는 통에 경제는 엉망인 데다가 대통령의 인기도 바닥을 헤매던 때야.

죽어도 사퇴 못해!
내가 있는 한 경제 걱정을 말라고!

이제 8년 만에 정권이 공화당으로 넘어올 것이 거의 확실한 상황에서

정권
민주당
공화당

1920년 대통령 선거에서 공화당 후보 지명을 받으려 쟁쟁한 인물들이 한 치의 양보도 없이 치열한 경쟁을 벌였어.

내가 정통 TR 계승자 레너드 우드!
일리노이 주지사 프랭크 로덴!
캘리포니아 상원의원 하이럼 존슨!

Wood   Rhoden   Johnson

누가 공화당 후보가 될지 그 누구도 전혀 예측할 수 없는 혼탁한 지명전 끝에

절대 후보자리 양보 못 해!

결국은 투표에 의해 후보를 지명하기로 합의했지.

아무도 양보 못하겠다니
남은 건 실력대결
좋다, 당원 대표 투표로 결판짓자!

그런데 무려 9번이나 반복해서 투표를 했는데도 후보가 결정되지 않자

7차투표 ✕
8차투표 ✕
9차투표 ✕

지칠 대로 지친 각 계파 대표들은 드디어 하나의 협상안에 합의했어.

피곤해서 도저히 못 견디겠다.
후보 고르다 사람 잡겠다! 난 집에 가고 싶단 말야!

어차피 9번씩 투표해도 결판 안 나니 우리가 미는 후보 중에서 지명하기는 어려울 듯하오! 차라리 우리 모두가 동의할 수 있는 제3자로 정합시다!

가장 무난한 후보로 워렌 하딩이 어떨까?
그 별볼일없는 상원의원? 그 물에다 물탄 것 같은 친구를?

그래도 대통령 시키면 우리 말은 잘 듣지 않겠어요?
좋아요, 좋아! 빨리 결정내고 집에 갑시다!

이래서 엉뚱하게 하딩이 1920년 공화당 대통령 후보가 되었던 거야.

뭐, 내가 대통령 후보?!
그래! 시가 연기가 자욱한 방*에서 결정됐대!

* 'Smoked-filled room' 으로 유명

하딩은 영리하지는 않았지만 적어도 자신의 한계는 아는 인물이었어.

난 내가 위대하지 않은 인물이라는 것을 잘 안다!

내게 지금 가장 큰 걱정이 있다면 그것은 바로 내가 대통령에 당선되는 거야!

억지로 떠밀려나간 후보였지만 선거운동은 치열했어.

유권자 여러분

지금 미국이 필요로 하는 것은 영웅이 아니라 전쟁의 상처를 치료하는 것입니다!

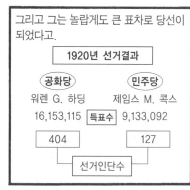
그리고 그는 놀랍게도 큰 표로 당선이 되었다고.

1920년 선거결과	
공화당	민주당
워렌 G. 하딩	제임스 M. 콕스
16,153,115 [득표수] 9,133,092	
404	127
선거인단수	

그 이유는 윌슨이 쓰러진 이후 미국은 지도자가 없는 나라나 다름없었고

불구나 다름없는 윌슨은 사임을 거부하고

부인이 대통령직을 대행하니 나라 꼴이 말이 아냐!

전쟁 후유증으로 물가는 치솟고 실업은 크게 늘어 참신한 지도자가 필요한 때였기 때문에

물가

실업자

부패한 인상의 거물급 공화당원보다 잘 알려지지 않은 하딩이 신선한 인상을 준 때문인지도 몰라.

하딩이 누구래?

우리가 잘 모르는 거 보면 부패 공화당원은 아닌 모양이군.

당선된 뒤에도 그는 백악관 주인이 되는 것을 전혀 달가워하지 않았대.

난 이 임무에 맞지 않아….

난 여기에 있으면 안 되는데…!

백악관

그러나 하딩은 취임식에서 인상적인 연설을 하지.

국민 여러분

국가가 나를 위해 무엇을 해야 하나 묻지 말고 내가 국가를 위해 무엇을 해야 하나 물으시오!

앗, 저건 35대 존 F. 케네디가 한 말인데….

케네디는 지금 4세 (1917년생)야!

그럼 케네디가 하딩 연설을 그대로 베낀 거네….

하딩은 오리지널 이냐? 아니지. 클리블랜드* 연설을 베꼈지롱!

국민이 국가를 도와야지, 국가가 국민을 도와서는 안된다!

* G. 클리블랜드(22대·24대 대통령)

하딩 정부는 임기 시작부터 인사 문제로 삐걱거리기 시작했어.

이래 가지고 제대로 굴러가겠어?

인 사

포커놀이 친구 앨버트 B. 폴*을 측근 비서로 임명하고

포커로 관직 땄다!

비서

이건 완전한 정실인사야!

그의 후견인이자 정치중개인이며 정치 장사꾼인 해리 M. 도허티를 대변인으로 임명하는 등

아싸!

걱정된다, 저 코드 인사…

* Albert B. Fall

편파적이고 부당한 인사는 미국을 마치 벌집 쑤신 듯 요란하게 했지.

관직이 무슨 전리품이냐?

낙하산인사 투성이야!

USA

다행히 그의 임기중에 별다른 큰일이 국내외에서 일어나지 않은 덕에

별 특징 없는 대통령으로 별 특징 없는 시대의 지도자가 된 것이 그의 행운이라면 행운이었어.

* 하딩(앞줄 가운데), 토머스 에디슨(왼쪽 두번째)

그러나 1923년 봄 그의 건강이 크게 나빠지자 의사들은 휴양을 권했지만

알래스카에서 몇 달 쉬고 오세요.

1924년 선거를 앞두고 공화당이 그를 쉽게 할 리 없었지.

휴양 같은 소리 하시네.

전임 윌슨도 골골해서 국민이 싫어했는데, 강인한 모습을 보이셔야죠.

등 떠밀려 전국연설회에 나선 그는 1923년 시애틀을 떠나 샌프란시스코로 향하던 기차 속에서 쓰러져

각하!

각하!

1923년 8월 2일, 샌프란시스코의 한 호텔에서 숨을 거두고 말았어.

임기중 사망한 6번째 대통령

그가 대통령이던 시절의 미국은 금주령이 내려져 각종 범죄가 들끓는 어수선한 분위기가 극에 달했고

Prohibition 금주법 (禁酒法)

(1919~1933)

행정부는 썩을 대로 썩어 하딩은 '가장 부패한 행정부의 주인' 이었다는 오명을 쓰게 되었지.

178

그러나 정작 심각한 사태는 그가 죽은 뒤에 터져나오기 시작했어.

스캔들

그의 사생활이 대통령으로서는 적절하지 않았다는 사실들이 밝혀지고

…란 여자와 …였다며?

사생활이 문란했다는군.

여러 여인들과의 스캔들은 물론 1927년 스스로 하딩의 딸이라고 자처하는 여성이 책을 펴내 미국을 흔들어놓았어.

대통령의 딸
The President's Daughter
Nan Britton
1927

1930년에는 하딩이 그 부인과 의사에 의해 독살되었다는 소문이 퍼져

그 소문 들었어?

사람이 그렇게 쉽게 죽은 게 이상했어….

수군 수군

뒷날 사실이 아님이 밝혀지긴 했지만 두고두고 그에 대해 부정적인 이미지를 덧씌웠던 거라고.

이 책은 사실과 다름이 판명됨!

하딩 대통령의 의문스러운 죽음
The Strange Death of President Harding

또 하딩 시대의 어두웠던 사회를 배경으로

타 타 타 타

타 타 타 타

여러 가지 소설, 영화 등이 만들어져서

어제뿐
Only Yesterday
F.L.Allen

놀라운 시대
Incredible Era
S.H.Adams

야외극의 가면들
Masks in a Pageant
W.A.White

하딩 시대는 부패와 부정 그리고 혼란의 시대였다는 이미지가 미국인들 뇌리에 깊이 새겨지게 되었어.

금주령

은행강도

알 카포네

마피아

하딩

1960년대에 와서야 하딩에 대한 새로운 평가가 내려지기도 했지만, 그의 이미지를 완전히 바꿀 수는 없었어.

하딩

독설로 유명했던 앨리스 루스벨트 롱워스(TR의 딸)는 하딩을 이렇게 평했대.

그는 나쁜 사람은 아니었어.

단지 얼간이였을 뿐이지….

그는 평범한 인물로 그가 이루어놓은 것들은 그저 평범한 것이었으며

'깽판' 안 친 것만도 다행인 줄 알아!

미국 역사에서 '가장 평범한 대통령'이었다는 것이 그를 다른 대통령과 구분짓는 '특별한' 점일 거야.

누가 대통령 시켜달랬나…?

Warren Gamaliel Harding

캘빈 쿨리지 1923~1929

적절한 때 떠나 공황 책임을 모면하다

> 휴우… 내 일은 무사히 끝냈다….

대통령

Calvin Coolidge

공화당, 1872.7.4~1933.1.5
출생지 버몬트주 플리머스Plymouth
부 인 그레이스 애너 굿휴 쿨리지Grace Anna Goodhue Coolidge 1879~1957
자 녀 존, 캘빈 Jr.
부통령 찰스 G. 도스C. G. Dawes

미국 독립기념일(7월 4일)에 3명의 대통령이 세상을 떠났지만

2대 존 애덤스	†
3대 토머스 제퍼슨	†
5대 제임스 먼로	†

캘빈 쿨리지는 독립기념일에 태어난 첫 미국 대통령이다.

1872. 7. 4

> 독립 기념일

> 처음이자 유일하죠.

그리고 그의 반대자들은 그를 '5년 임기 동안 잠만 잔 대통령'이라고 비꼬지.

> 회의중에 또 조시네….

쿨~

캘빈 쿨리지는 버몬트주 플리머스의 잡화상 주인 아들로 태어났어.

Coolidge SHOP

애머스트대학을 졸업하고 공화당에 입당한 그는

Amherst College

공화당

대부분의 전 대통령이 걸었던 것과 비슷한 길을 걷지.

매사추세츠주 노샘프턴시 시장

매사추세츠 주지사 1919

그가 주지사를 지내던 1920년대 초반은 노동운동이 격렬하여 파업이 줄을 잇고

자본가와 노동자의 갈등은 물론 정부와 노동조합의 대립 또한 심각한 때였어.

노동자의 권익을 보호하라!

불법파업, 시위 용납하지 않겠다!

매사추세츠에서 미국노동총연맹(AFL)의 파업이 시작되자

단결하라!

WE STRIKE
AFL
AFL
AFL

쿨리지 지사는 즉시 주방위군을 동원하여 파업노동자를 강제 해산시키고

AFL의 새뮤얼 곰퍼스 위원장을 향해 엄숙하게 선언했어.

There is no right to strike against the public safety by anybody, anywhere, anytime!

공공의 안전을 위협하는 파업을 할 권리는 누구에게도, 어느 곳에도, 어느 때에도 있을 수 없소!

이 한마디는 쿨리지를 하룻밤 새 전국적인 영웅으로 만들었지!

햐~ 말 한번 잘했다!

속이 다 후련하구만!

계속되는 데모, 파업에 지치고 싫증난 시민들이 그의 단호한 태도에 갈채를 보낸 거지.

쿨리지, 쿨~COOL (멋지다)

밤새 스타가 된 그는 당연히 공화당의 스타가 되었고

쿨리지, 아주 잘하던데!

눈여겨봐두게. 대통령 후보감이야.

일약 부통령 후보로 지명되어 1920년 선거에서 워렌 G. 하딩의 러닝메이트로 승리를 거두었어.

하딩   쿨리지

하딩이 대통령이 된 지 900여 일 만에 갑자기 세상을 떠나자

부통령은 어디 있지?

당장 찾아와! 당장!

쿨리지는 고향 아버지 집에 머물다가 '5년간 잠만 잔 대통령' 답게 잠자다가 대통령이 되었다는 연락을 받았다.

각하! 대통령 각하~!

쾅 쾅 쾅

?

그의 아버지는 잠자는 아들을 깨워 그가 대통령이 되었다는 사실을 알리고

네가 대통령이 되었단다.

그의 잡화가게 계산대에서 호롱불을 밝히고 대통령 취임선서를 시켰지.

자, 성경에 손을 얹고 맹세하거라.

나는 헌법을 준수하며….

잡화점 계산대에서 대통령 되는 사람이 또 나올까…?

대통령으로 워싱턴에 돌아온 그는 즉시 1924년 대통령 선거에 돌입하는 한편

이왕 대통령이 되었으면 제대로 할 일 해야겠지!

다음 선거가 이제 겨우 400여 일 남았다….

전임 하딩 대통령이 남겨놓은 문제를 해결해나갔어.

미국의 가장 큰 문제는

비즈니스 그 자체로다. 큰 기업이든 작은 기업이든….

공무원의 부정부패, 대기업의 합병, 시장독점, 온통 먹고 먹히는 비즈니스의 수렁이 미국이었거든.

그가 취임하자마자 가장 먼저 한 일은 부패관리 축출이었지.

부패부터 근절해야….

그 첫 대상이 하딩의 후원자로 정치 중개인에서 법무장관자리까지 오른 해리 M. 도허티와

하딩의 포커친구로 내무장관까지 오른 앨버트 B. 폴로

내무장관

도허티는 해임으로 끝났지만 폴은 석유업자에게서 뇌물을 받은 죄로 고발

석유업자에게서 차떼기로 부정한 돈을 받아….

어… 서…서 설마….

재임중인 장관이 직권남용으로 구속 되는 첫 사례가 생겨남으로써

현직 장관 구속!

국민의 공직에 대한 신뢰를 회복시켰다는 점이 캘빈 쿨리지의 최대 업적으로 평가되고 있어.

쿨빠~ 멋져쇼!

자~알 했다!

이런 국민들의 평가를 업고 쿨리지는 1924년 무난히 재선에 성공했지.

1924년 선거결과	
공화당	민주당
캘빈 쿨리지	존 W. 데이비스
15,719,921	8,386,704
382	136
선거인단수	

(득표수)

그러나 대통령으로서의 쿨리지에게 큰 약점은 바로 경제에 무지했다는 사실이야.

* 쿨리지 대통령과 후버 장관

그가 아는 경제상식이라고는 오로지 '저축'뿐이었고

아껴야 합니다. 소비를 줄입시다.

성실하게 저축하는 것만이 부자가 되는 길입니다!

저축

대통령이 입만 열면 저축 타령만 하고 있으니….

카네기, 록펠러가 저축해서 재벌이 되었는감!

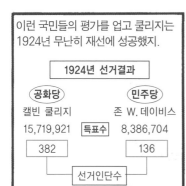

경제에 문외한이었던 만큼 모든 경제 문제를 재무장관 앤드루 멜런*에게 일임했어.

당신이 알아서 해주시오.

YES, SIR!

* Andrew Mellon

앤드루 멜런은 기업가 출신의 재벌이었고 그의 경제정책 또한 친거대기업 쪽으로 기울어져

기업들이 자유롭게 활동할 수 있도록 정부 불간섭주의 경제정책을 펼쳤지.

모든 것은 시장이 결정해주니까.

뒷날 로널드 레이건 대통령은 백악관에 캘빈 쿨리지의 초상화를 소중하게 걸어놓았는데

쿨리지의 정부 불간섭주의 정책을 존경했기 때문이래.

불간섭 · 자유시장

그러나 이런 불간섭주의 경제정책은 결국 주식시장의 투기붐을 억제하지 못했어.

주식가격

사자 사자

주식시장

사상 유례없는 주식투자 열기로 거품이 낄 대로 끼어가던 주식시장이 1929년 10월 갑자기 꺼지면서

주식시장

뿌글 뿌글

사상 유례없는 처참한 경제대공황을 맞게 된 원인을 쿨리지가 제공했다는 비난을 면할 수 없게 돼.

대공황

한편 쿨리지는 국제평화를 위해 노력하여 특히 도이칠란트와의 관계를 개선하려고 애썼어.

전쟁에 진 나라를 계속 닦달하면 또 전쟁하려 들 거야.

도이치 민족은 1차대전 패전에 따른 너무 많은 배상금 때문에 숨이 넘어갈 지경이어서

전쟁배상금

그대로 두면 살 길은 또 전쟁밖에 없다고 할 것이므로 전쟁을 막으려면 살 길을 마련해줘야 한다는 정책으로

이 길밖에 없다!

1924년 도스의 제안을 받아들여 도이칠란트의 전쟁배상금을 크게 줄여

이것이 가장 좋은 방법입니다, 각하!

도이칠란트 경제가 안정되도록 도움으로써 국제위기가 크게 줄어드는 것 같았어.

이젠 딴 맘 먹지 마, 알았지?

이 공로를 인정받아 도스는 노벨 평화상을 받았지.

1925년
노벨 평화상

Charles G. Dawes
+
Sir Austen Chamberlain
(체임벌린 영국 수상)

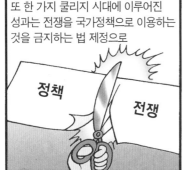
또 한 가지 쿨리지 시대에 이루어진 성과는 전쟁을 국가정책으로 이용하는 것을 금지하는 법 제정으로

정책

전쟁

미국의 세계를 향한 평화적인 제스처 또한 노벨상을 받았어.

우리는 미국 정책을 위해

전쟁을 수단으로 삼지 않겠다!

PEACE

그러나 이 법은 사실상 있으나마나한 것이 되고 말지.

파나마 침공

쿠바 침공

베트남 전쟁

아프가니스탄 침공

이라크 전쟁

PEACE

쿨리지는 워낙 말과 글이 짧은 것으로 유명한 인물이야.

여보, 저 달을 보면 무슨 생각이 나세요?

졸려.

한 문장에 평균 사용한 단어가 워싱턴 51.4개, 링컨 26.6개에 비해

연방은 어떠한 경우에도 유지되어야 하며 어쩌고 저쩌고 어쩌고….

연방은 어떠한 경우에도 어쩌고 저쩌고 끝!

쿨리지는 단 18개였다는 기록이 있어.

그렇게 적은 단어로도 말이 되는 것인가요?

돼!

임기 말 급락하는 인기를 느꼈음인지 쿨리지는 1928년 갑자기 불출마 선언을 해서

다음 선거에는 출마 안 하겠다!

별다른 후보를 물색하지 않고 있던 공화당을 크게 당황시켰지.

우리는 어떡 하라고…?

캘빈 쿨리지는 평생을 통해 꽤나 운이 좋은 사람이었다.

LUCK

평생에 치른 20번의 선거에서 실패한 것은 단 한 번뿐이었으니 말이야.

내 사전에 '낙선'이란 없는데….

그것도 학교 운영회 이사 선거라는 중요하지 않은 선거에서 떨어진 것뿐이었어.

기분은 나쁘지만 그런 건 안 해도 돼….

그는 그런 행운 속에 평생 몸담았던 공직생활을 상당히 즐겼던 것 같아.

쿨리지 씨의 취미는 무엇인가요?

공직생활!

그러나 그의 가장 큰 행운은 바로 적절한 때에 대통령자리에서 떠났다는 거야.

대통령직

그가 떠난 지 1년도 안 돼 대공황이 닥쳐왔으니, 그 책임을 일단은 모면한 셈이거든.

대공황

백악관을 떠난 그는 247쪽에 달하는 자서전 집필을 끝내고

그의 임기의 꼬리를 물고 온 대공황의 와중인 1933년 1월 5일 60세로 세상을 떠났어.

USA

대공황

시장에 다녀온 그의 부인은 심장 마비로 숨져 바닥에 쓰러져 있는 남편을 발견했지.

캘빈!

많은 미국인이 그의 죽음을 슬퍼했지만 그를 그리워하지는 않았다.

댕그렁 댕그렁

허버트 C. 후버 1929~1933

대공황의 늪에 빠진 유능했던 지도자

Herbert Clark Hoover

공화당, 1874.8.10~1964.10.20
출생지 아이오와주 웨스트브랜치|West Branch
부 인 루 헨리 후버
　　　 Lou Henry Hoover 1875~1944
자 녀 허버트 Jr., 앨런
부통령 찰스 커티스 C. Curtis

허버트 후버만큼 뛰어난 능력을 지니고 전 국민의 기대를 한몸에 받으며 백악관에 입성한 대통령도 드물다.

그러나 후버는 지도자의 능력이 아무리 탁월해도 시대를 잘못 만나면 아무런 소용이 없으며

능력있는 대통령의 실패의 근본적인 원인은 본질적으로 그 시대에 있다기보다

계절이 이상해진 거야!

그게 아닌데 …

직면한 현실을 현실대로 받아들이려 하지 않고

경제가 어려워 공황의 우려가 있습니다.

무슨 소리야? 내가 있는 한 경제는 걱정 마라!

현실을 애써 왜곡하고 바로 보지 않으려 하는 데 있다는 교훈을 후세에 남겼어.

우리 경제는 근본이 튼튼해!

언론이 공연히 불안하게 만드는 거야!

후버는 지도자가 정직하게 인정할 것은 인정하고 국민의 도움을 청해야 효과가 있음을 실패를 통해 증명한 셈이지.

걱정없다!

안 믿어!

허버트 후버는 유능한 광산기사이자

대단한 행정가이며 조직가로 '위대한 엔지니어'란 별명이 붙을 정도였으나

Hoover,

"The Great Engineer"

'위대한 대통령'이 될 것이라는 기대와 포부와는 달리 경제대공황의 비참한 희생자의 하나가 되고 만 인물이야.

위대한…·

꼬르륵

대공항

후버는 1874년 8월 10일, 아이오와주 웨스트브랜치에서 태어났어. 9세에 고아가 되어 고학으로 공부해

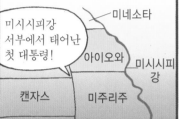

미시시피강 서부에서 태어난 첫 대통령!

미네소타

아이오와

미시시피강

캔자스

미주리주

스탠퍼드대학에서 광산공학을 전공하고 광산기사, 국제사업가로서 대단한 활약을 했는데

Burma Mines Ltd.

오스트레일리아 Zinc Corporation

러시아 광산 구리·아연·은·납

그의 활동은 가히 전세계적으로 중국, 아프리카, 오스트레일리아 등 발길이 닿지 않은 곳이 없다시피 하고

전세계 5번 여행!

청혼도 오스트레일리아에서 전보로 했을 정도로 세계적이었지.

내 아일 낳아도!

웃기네. 그 먼 데서 전보 청혼 이라니….

그는 중국어에도 능통하여 부인과 비밀 이야기를 할 때면 만다린어*로 말해 주변에서 엿듣지 못하게 했대.

不辣的西餐 法國料理?

好!

??

30대엔 이미 백만장자가 되어 자기 회사를 가질 정도로 대단한 사람이었어.

$ $

* 중국의 표준어

이처럼 전국적으로 유명한 인재를 국가가 발탁하지 않을 리 없었겠지?

국가를 위해….

그는 민주당 정권인 윌슨 정부에서 1차 대전중 식량보급담당을 맡아 뛰어난 수완을 발휘

그의 별명은 '후버 아저씨' (Uncle Hoover)

음식 남기면 후버 아저씨가 싫어해요.

정권이 공화당에 넘어갔음에도 하딩 대통령은 그를 통상장관에 임명했다.*

인재 등용에 정당이 무슨 상관인가!

* 1921년

후버 장관은 1차대전 후 벨기에 난민 돕기운동을 성공적으로 펼쳤고

후버는 박애주의자

난민
구호품
USA
벨기에

세인트로렌스 해로를 개척하는 데 성공했으며

캐나다
대서양
세인트로렌스 해로
온타리오호
미국

당시 최대의 댐공사인 볼더댐*을 건설하였는데, 1947년 그의 이름을 따서 '후버댐'으로 개칭되었지.

* The Boulder Dam

단호하고 폭넓은 정책을 수립하여 이를 박력있게 추진하는 장관으로 인정받았어.

부르부릉
정 책

그는 하딩의 뒤를 이은 쿨리지 정부에서도 계속 장관자리를 지키다가

윌슨 하딩 쿨리지

1928년에는 드디어 자타가 공인하는 공화당 대통령 후보로 자연스럽게 떠올랐지.

후버! 후버! 후버!

REPUBLICANS

쿨리지 시대 지독한 불경기와 경제침체로 시달리던 미국의 국민들은 후버에게 큰 기대를 가졌고

요즘처럼 경기가 안 좋은 때

후버는 뭔가 해낼 수 있을 거야.

물론이지. 후버인데!

후버는 그들의 기대를 '풍요로움'으로 채워줄 것을 약속했어.

모든 냄비에 닭고기를, 모든 차고에 자가용을!

A chicken in every pot, a car in every garage!

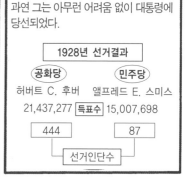

과연 그는 아무런 어려움 없이 대통령에 당선되었다.

1928년 선거결과	
공화당	민주당
허버트 C. 후버	앨프레드 E. 스미스
21,437,277	15,007,698
444	87

득표수

선거인단수

1929년 3월, 그가 취임할 때만 해도 뉴욕타임스는 새로운 대통령을 극찬했지.

그는 다재다능하고, 신뢰할 만한 품성을 지닌 지도자이다!

그러나 그해 10월 24일의 주가폭락으로 시작된 경제대공황의 거친 파도는

콰르릉

기대를 받던 유능한 대통령을 가장 성공하지 못한 대통령으로 추락시키고 말았어.

경제 대공황
HOOVER

188

사실 1929년에 시작된 경제공황은 결코 후버의 잘못은 아니었어.

거대기업의 시장독점, 끝없는 탐욕으로 거듭된 합병, 부패하고 타락한 공무원들

독점

욕탐

부패

타락

여러 가지 원인이 뒤섞여 수십 년간 쌓여온 '시장의 실패'가 한꺼번에 터져나온 것에 지나지 않았던 거야.

대공황

그러나 후버는 사태의 심각성을 애써 경시하고 자신감만 보였지.

조금 나빠졌다가 다시 좋아질 게다.

별것 아니니까 호들갑 떨지 말라고!

우리 미국 경제의 펀더멘털(기초)은 아주 단단하니, 경제는 곧 회복될 게 분명하다!

스스로 해결될 테니 언론에서 너무 씹어대지 마라!

위기감을 못 느끼는 거야, 애써 무시하는 거야…?

후버의 장담과 달리 경제는 하루가 다르게 무서운 속도로 곤두박질을 거듭하여

경제

곧 좋아진다… 좋아… 조….

공황이 시작된 1929년 12월에 100만 명으로 늘어난 실업자가

*구호 음식을 타기 위해 줄을 선 사람들

그의 임기 3년 만에 1,300만 명으로 불어 미국 전체 노동인구 넷 중 하나가 직업을 잃고 굶주리게 되었어.

실업자 증가

1,300만 명

100만 명

굶주리고 헐벗은 노동자가 거리를 메우고, 집에서 쫓겨난 사람들이 세운 판자촌이 도시를 뒤덮을 지경이 되자 사람들은 이를 '후버촌'이라고 부르며 그의 정책을 비웃었지.

Hoover-ville….

*뉴욕시의 빈민촌

가장 기대받던 대통령이 하루아침에 나라 경제를 거덜낸 원흉으로 지탄받게 된 거지.

후버! 후버가 다 망쳐놓았다!

임기중 나라 경제는 완전히 빈털터리가 되다시피 하고

세계 제일의 부자나라가 거지신세로 추락하다니….

HELP!

그의 임기 말인 1932년 말, 미국 최대 산업인 철강업계의 생산성은 단 13% 밖에 되지 않을 정도였어.

- - - - 100% - - - -

13%

후버를 비웃는 개그가 나돌 정도로 그의 인기는 완전히 추락했어.

경제공황이 끝났다고?

그럼 드디어 후버가 죽은 거야?

그에 대해 더욱 거센 비난이 쏟아진 것은 1932년 제대군인들의 워싱턴시위를 무력으로 해산시킨 거였다.

늙은 군인들? 그럼 수구보수꼴통들 아냐?

그게 아니고 지난 전쟁 참전 제대 군인들입니다.

공황으로 살림살이가 힘들어지자 1차 대전 때 참전했던 제대군인들은 정부가 약속한 보너스의 지급을 요청하며

굶어죽을 위기에 빠졌다!

약속한 보너스로 식품 사게 해달라!

와 와

워싱턴 의사당 앞에서 야영을 하며 시위를 벌였는데

후버가 더글러스 맥아더 휘하의 군대를 투입, 강제로 해산시키자

그나마 조금 남아 있던 후버에 대한 동정과 지지도 완전히 등을 돌려버려

사회 원로까지 밀고 때려?

이쯤 되면 막가보자는 거지?!

허버트 후버는 유능했지만 모든 미국 국민들에게 버림받은 불운한 대통령이 되고 말았지.

NO MORE HOOVER!

후버는 싫다!

뒤늦게 사태의 심각성을 깨달은 후버는 서둘러 '경제살리기'에 온 힘을 쏟았어.

후우 후

경제

그는 경제개혁 대책을 세워 엄청난 돈을 쓰러져가는 기업에 빌려줘 되살리려 했고

기업 $

정부 돈을 대대적으로 풀어 바닥에 주저앉은 경기를 띄우려 안간힘을 썼다고.

IT MAY NOT BE PERFECT BUT I'M SURE I'M HELP QUITE A BIT.

* 실패한 경제살리기를 풍자한 만화

이러한 조치들은 그의 뒤를 이은 루스벨트만큼 강력한 것은 아니었어도

후버 정책　　루스벨트 정책

뉴딜

뉴딜정책에 버금가는, 당시로서는 대담한 조치였지만

미국경제

끝내 경제는 되살아나지 않았고 그의 노력은 실패로 끝나고 말았지.

어휴… 더 늦기 전에 진작 경제문제, 민생문제에 힘을 쏟을걸….

한번 무너진 경제는 되살리기 어렵다!

그는 기업을 살리려고만 애를 쓰고, 개인의 고통은 끝내 외면했지.

국민들을 구제해야 합니다.

그들을 빚과 실업에서 구해야 합니다.

그것은 아니 되네! 스스로 모든 것을 개척해 나가는 미국인의 정신에 어긋나는 것이야!

국가가 개인을 도우면 미국의 그 강인한 개인주의정신이 흐려져. 국가와 국민의 정신력과 도덕성이 허약해진다니까!

저 골 때리는 헛소리…!

지금 당장 사람이 굶어 죽는 판에 저런 고상한 소리나 하고 있으니!

우리는 국민에게 빵보다는 희망을 주어야 하네. 희망만이 이 난관을 이겨나갈 유일한 방법이자 힘이야!

굶어 죽어가는 사람이 희망 먹고 되살아나는 것 봤나…?

빵이 없다면 쌀밥 먹으면 된다고 할 사람이네…!

아 어

결국 후버는 1932년 선거에서 민주당의 프랭클린 D. 루스벨트에게 참패했고

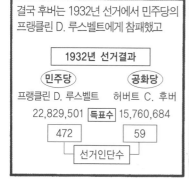

1932년 선거결과

민주당		공화당
프랭클린 D. 루스벨트		허버트 C. 후버
22,829,501	득표수	15,760,684
472		59
	선거인단수	

물러난 뒤에도 자신의 잘못을 부정하고 루스벨트의 정책을 비난하며 자신의 정당성을 주장했지.

나는 옳았다!

루스벨트 정책은 실패할 것이다!

그는 제대로 된 시기였다면 제대로 된 대통령이었겠지만, 능력은 있어도 위기에는 적합하지 않았던 지도자로 평가 되고 있어.

장검으로 사과 깎기 어렵다….

프랭클린 D. 루스벨트 1933~1945

뉴딜정책으로 20년 민주당 집권기반을 다지다

우리 세금!

뉴딜정책
New Deal

못 가진 자, 민주당을 지지하라!

3선, 4선, 영구
집권까지도…

가진 자는
입 다물라

세금

Franklin Delano Roosevelt

민주당, 1882.1.30~1945.4.12

출생지 뉴욕시 하이드파크 Hyde Park

부 인 애너 엘리너 루스벨트 Anna Eleanor
　　　Roosevelt 1884~1962

자 녀 애너, 제임스, 프랭클린, 엘리엇,
　　　프랭클린 델러노 Jr., 존

부통령 존 N. 가너 J. N. Garner 1933
　　　헨리 월리스 H. A. Wallace 1941
　　　해리 S. 트루먼 H. S. Truman 1945

프랭클린 델러노 루스벨트(FDR)는 미국의 역대 대통령 중 가장 논쟁의 대상이 되는 인물이야.

FDR은 위대한 대통령이다!

아니다. 그는 단지 운 좋은 야심가에 지나지 않는다!

미국 역사에서 처음이자 마지막으로 네 번이나 당선되어 12년간 백악관을 차지했던 장기집권자이자

초선	1933~1937
재선	1937~1941
3선	1941~1945
4선	1945~사망

그로 인해 수정헌법 22조에 의해 대통령 임기를 2기로 제한하게 되었지.

Amendment 22

수정헌법 22조 (1951.2.26)
누구도 대통령의 직위에 세 번 이상 선출될 수 없다.
(최대 8년으로 제한하는 법)

그러나 그는 두 번의 최악의 국가위기 상황에서 국가를 이끌었고

경제위기　　2차대전

미국을 세계 최강국의 위치에 확고부동하게 올려놓은, 가장 위대한 대통령 중 하나로 평가되며

USA
No.1

그는 물론 그의 가족 모두 당시 미국인들의 진정한 친구로 사랑받았다는 사실은 부정할 수 없어.

와　FDR!
FDR!　와

FDR은 뉴욕시 한복판 하이드파크에서 자식 교육에 헌신적인 부모의 외동아들로 태어났다.

* FDR 생가

그의 아버지 제임스는 부유한 철도 사업가로 1640년대 뉴암스테르담 (현 뉴욕)으로 이주해온 네덜란드인의 후손이며

네덜란드 이름
Roose velt
루스(로스) 벨트(펠트)

영어식 Rose + field
(장미의 들판)

어머니는 뉴욕의 부유한 명문 델러노 (Delano) 가문 출신 여성이었어.

그래서 프랭클린 델러노 루스벨트야.

* FDR(12세)와 어머니 새라

귀족적이고 부유한 집안의 외아들답게 어린 시절에 학교를 다니지 않고 가정 교사의 교육을 통해

도련님, 수학 시간입니다.

대표적인 귀족교육을 받으며 귀공자로 성장했고

거의 매년 가족과 함께 유럽여행을 다니며 세계에 대한 견문을 넓혔지.

이거 완전히 '소공자'네!

어쨌든 부모 잘 만나야 돼….

여유있고 융통성 많은 아버지는 FDR 에게 책임의식을 언제나 강조했고

자신의 행동에 책임질 줄 아는 인간이 되어야….

엄격한 어머니는 그의 평생을 통해 큰 영향력을 발휘했다고.

MAMMA!

오냐, 내 아들!

14세가 된 FDR은 사립명문 그라튼(Gorton) 기숙학교에 입학, 졸업한 뒤

Gorton Boarding School

하버드대학에 입학하지만, 수줍고 비사교적인 성격 때문에 친구가 별로 없었대.

대신 스포츠와 과외활동, 특히 신문반 활동으로 외로움을 달랬는데

딱

그는 결코 학자 타입은 아니었다고 스스로 밝히고 있어.

뛰어다니고 돌아 다니는 건 좋은데

틀어박혀 공부 하는 건 영 취미에 안 맞아요.

하버드대 졸업 후 컬럼비아법률학교를 졸업하지만 결코 학위를 따려는 마음을 갖지 않았다는군.

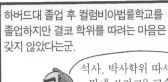

석사, 박사학위 따서 뭐에 쓰려고? 교수 될 것도 아닌데….

학문의 길

FDR은 대신 국가변호사 자격증을 따 뉴욕시 로펌*에 취직했어.

New York Law firm

* Law firm: 법률회사

이때 청년 FDR은 당시 대통령*의 조카이자 먼 사촌뻘인 엘리너 루스벨트와 결혼해.

* 시어도어 루스벨트(TR: 테디)

엘리너는 여성운동으로 전 미국인의 가장 존경받는 여성으로 길이 기억되지만

* 1947년 UN 인권위원회의 루스벨트 여사

자신의 여비서였던 루시 마샤와 FDR의 '적절치 못한' 관계가 밝혀지면서

어찌 이럴 수가…!

남편과는 끝끝내 남남 같은 사이로 지내게 되었어.

당신이 대통령만 아니라면 당장 이혼이에요!

백악관

따분한 변호사생활에 싫증을 느낀 FDR은 정치계로 투신하여

후아~

매일 같은 일, 짜증나고 지루해!

1910년 뉴욕주 상원의원에 당선되는 것으로 정치생활을 시작하지.

N.Y SENATOR

그 뒤로는 승승장구하여 1912년 선거에서 친척 TR에 맞선 윌슨을 지지하여, 그가 당선되자 해군성 차관에 임명되었고

윌슨! 윌슨!

어이, 조카! 같은 루씨 집안끼리 이러기냐?

1920년 선거에 부통령 후보로 지명되었지만

1920년 대통령 선거

공화당	하딩	쿨리지
당선		
민주당	콕스	FDR(38세)
낙선		

하딩-쿨리지의 공화당에 패배했지.

쿵

낙선…

그러나 선거에서의 패배보다 더 큰 재앙이 그를 덮쳤는데….

NO

1921년 캄포벨로*의 여름별장에서 FDR은 찬물에 빠져

하반신불수라는 치명적인 장애를 입었어.

다시는 두 발로 걸을 수 없다고? 안 돼!

그러나 그는 절망하지 않고 뼈를 깎는 재활치료와 노력으로

나는 내 운명에 굴복하지 않겠다.

* Campobello

도움이 필요하기는 해도 움직일 수 있는 정도로 회복되자

사람들의 놀라움 속에 다시 정계로 돌아왔어.

FDR
CAME BACK!
FDR이 돌아왔다….

경제가 계속 악화되던 1928년 FDR은 뉴욕 주지사에 당선되었고

두 번에 걸친 임기중 '최고의 지사'라는 칭송과 함께 뛰어난 임무수행 능력을 증명받아

Franklin
Delano
Roosevelt

1932년 드디어 민주당 대통령 후보로 지명된 뒤 '뉴딜정책'을 공약으로 내세워

'뉴딜정책'에 대해서는 이 책 11권 '미국의 역사' 182쪽을 참고하세요.

New Deal

최하의 인기로 허덕이던 후버를 누르고 제32대 대통령에 당선되었고 4년 뒤에 쉽게 재선에 성공해.

1936년 선거결과	
민주당	공화당
FDR	앨프레드 M. 랜던
27,757,333	16,684,231
523	8

득표수

선거인단수

뉴딜정책은 미국에 사회주의, 공산주의를 도입했다는 비난도 받았지만

계획경제
정부개입
분배위주

사회주의식
통제경제

공산주의
도입!

뉴딜정책

도이칠란트의 나치와 같은 전체주의나 러시아의 공산혁명 같은 극단적인 방법을 거치지 않고 미국을 지켜 결과적으로 자본주의를 보호했다고 평가되고 있어.

군국주의	전체주의	공산주의

그러나 뉴딜정책보다 2차대전 특수로 미국 경기가 회복되었다는 평가가 지배적이지.

자본주의

뉴딜정책

1939년 2차대전이 터지자 FDR은 중립을 선언한 가운데

중립

유럽의 전쟁에 끼어들지 않는다!

또 대부분의 미국인들이 미국의 전쟁 개입을 극력 반대함에도 불구하고

지난번 전쟁*에도 공연히 끼어들어 국력만 낭비했다!

다시는 바깥세계 전쟁에 끼어들지 말아야 한다!

왜글 왜글

* 1차대전

공공연히 전쟁물자를 대주고 저금리로 돈을 꾸어주는 등 노골적으로 영국을 도와 이미 전쟁에 발을 들여놓았어.

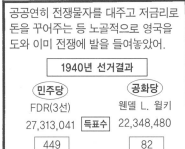

1940년 선거결과		
민주당		공화당
FDR(3선)		웬델 L. 윌키
27,313,041	득표수	22,348,480
449		82
	선거인단수	

1941년 12월, 일본의 진주만 공격으로 미국이 2차대전에 참전하게 되자

FDR은 세상을 떠날 때까지 마지막 52개월 동안 전쟁지휘관이 되었는데

아이젠하워 장군을 런던에

맥아더 장군에게는….

그는 최고의 작전지휘관이자 전략가, 사령관이기도 했지.

* 1945년 스탈린, 처칠과 함께

또한 FDR은 1944년 4선에 성공하여 최장기 집권기록을 세웠지만

전쟁중에는 말을 갈아타지 않는다!

영구집권해서 미국을 왕국으로 만들려는가?!

취임한 지 한 달 만인 1945년 4월 12일, 도이칠란트 항복을 눈앞에 두고 뇌일혈로 사망해.

1944년 선거결과		
민주당		공화당
FDR(4선)		토머스 E. 듀이
25,612,610	득표수	22,017,617
432		99
	선거인단수	

그의 지휘로 2차 세계대전은 미국과 연합국의 승리로 막을 내리지만 전쟁 전후 그의 태도에 대한 비판도 많아.

무엇보다 유럽에서 600만 명의 유대인들이 무참하게 살육되고 있는데도

HELP …

FDR은 아는 체하지 않고 그냥 두고 보기만 했다는 점.

우리는 중립.

유대인문제는 우리가 간섭할 게 아니다.

나치를 자극해 이로울 게 없다….

도이치인, 이탈리아계는 그냥 두면서 유독 아시아의 일본인만 혹독하게 격리 수용한 인종차별정책.

우리도 미국 시민인데….

일본인수용소

그리고 소련의 야심을 대수롭지 않게 평가함으로써

별것 아니겠지….

소련의 세력이 크게 자라 심각한 동서 냉전의 빌미를 제공했다는 점 등이지.

서방   공산권

그러나 FDR이 이끌었던 시대는 미국 역사에 가장 성공적인 시대로 기록될 거야.

세계 최대 강국으로 부상

FDR 주변에는 많은 여성이 있었고, 그의 삶에 큰 영향을 끼쳤어.

엘리너

새라

루시 마사

미시 르 핸드

우선 그의 아내 엘리너는 FDR이 국민적 존경을 받는 데 결정적인 역할을 한 국모 (國母) 같은 존재였고

* 루스벨트의 가족

FDR 사망 뒤에도 많은 사회활동으로 미국에 큰 영향을 주었지.

* 1962년 JFK와 함께

FDR의 어머니 새라는 1941년 죽을 때까지 그의 곁에서 영향을 주었으며

애야, 너무 과로하면 안 된다.

엘리너의 여비서 루시 마사는 FDR의 결혼생활을 사실상 끝나게 한 장본인이지만

하필이면 내 비서가….

FDR이 숨을 거둔 그곳에도 함께했던 평생의 동반자였어.

프랭크, 편히 쉬세요….

FDR의 여비서 미시 르 핸드도 평생을 FDR에게 봉사한 여성으로 1941년 그의 곁에서 숨을 거두었고

FDR 부부의 유일한 혈육인 딸 애너는 여주인 없는 백악관에서

신사 숙녀 여러분!

미합중국 대통령과 영애께서 입장하십니다.

어머니를 대신하여 퍼스트레이디의 역할을 맡기도 했지.

나도 잊지 마세요.*

* FDR의 애완견 팔라(Fala)

해리 S. 트루먼 1945~1953

미국, 세계전쟁의 주역을 맡다

Harry S. Truman

민주당, 1884.5.8~1972.12.26
출생지 미주리주 러마Lamar
부 인 엘리자베스 버지니아 월리스 트루먼
　　　Elizabeth Virginia Wallace Truman
　　　1885~1982
자 녀 마거릿
부통령 앨번 W. 바클리A. W. Barkley

1944년 해리 트루먼이 부통령에 당선되었을 때만 해도 그가 대통령이 되리라고는 아무도 상상하지 못했다.

루스벨트가 20년은 대통령 할 줄 알았는데….

루스벨트 서거
트루먼 대통령에

그러나 부통령에 취임한 지 83일 만에 그는 대통령이 되었고

나는 헌법을 준수하며….

빛나는 전임자로 인해 빛을 잃은 후임자가 될 것이라는 예상을 깨고

링컨　　　존슨

트루먼은 미국에 새 시대를 연 위대한 대통령으로 역사에 기록되고 있어.

세　계

그는 FDR이 그에게 남겨준 미국보다

FDR

더욱 안전하고 안정되었으며 번영한 미국을 만들었던 거야.

트루먼은 1884년, 미주리의 러마라는 조그만 마을에서 태어났어.

LAMAR
Missouri

그의 가운데 이름인 S는 약자가 아니라 그냥 알파벳 S인데

해리 S. 트루먼

↑
아무 의미 없음

그의 친할아버지와 외할아버지 이름이 S로 시작되었기에 아버지가 그냥 S라고 붙인 거래.

? Samuel ?
Simon
Steve

어렸을 때부터 책을 너무 많이 읽어 시력이 크게 나빠진 트루먼은

심한 근시로 사관학교 진학의 꿈을 접어야 했지.

NO!

사관학교

고등학교를 졸업한 뒤 대학 진학을 포기하고 이것저것 닥치는 대로 일을 하다가

마땅한 직업이 없네….

검사표를 외워 시력검사에 합격하고 미주리주 방위군에 소위로 임관하여

ACD
BFG
… …
… …
… …

B, F, G, T, O, K, U….

눈이 기막히게 좋군!

1차대전에 참전, 포병으로 프랑스에서 근무하다가 대위로 제대했어.

1919년, 그는 고등학교 때 사귀던 베스 월리스*와 결혼하고, 남성복가게를 열었는데

* Elizabeth V. Wallace

그의 결혼생활은 행복하였으나 그의 사업은 3년도 못 가 망하고 말았지.

장사꾼 재능은 없나 봐….

폐 업

그 뒤 그는 정치계에 투신하여 지역 판사로 봉사하였고(1922~1934)

땅

그의 정직하고 근면한 성격과 투철한 책임의식은 결국 1934년 연방 상원의원의 길을 열었다.

상원의원

부통령이 되던 1944년까지 10년간 연방 상원의원으로 국방위원장까지 맡았지만

북한의 국방위원장은….

그것과는 전혀 다른 성격이야.

그는 그다지 주목받거나 활발한 상원 의원은 못 되고 그저 그렇게 무난한 편이었다고 해.

바로 그 점이 '대기조' 인 부통령에 지명된 이유이기도….

전쟁 막바지에 FDR의 죽음으로 갑자기 대통령이 된 트루먼을 기다리는 것은 인류의 운명을 결정지을 엄청난 선택이었어.

선택

FDR 때부터 은밀히 '리틀보이(Little Boy)'라는 암호로 개발되어온 원자폭탄

Little Boy

Nuclear Bomb
핵폭탄

이것을 과연 일본에 투하해야 하느냐 말아야 하느냐 하는 결단을 내려야 했지.

1.

핵 | 수십만 생명 희생

2.

전쟁 계속 소련군 진주 | 비핵

이때 트루먼은 신속한 결단을 내렸어.

일본에 원자탄을 투하하라!

그 길만이 전쟁을 빨리 끝내는 길이다.

1945년 8월, 일본 히로시마와 나가사키에 원자탄이 투하되었고

* 나가사키에 원폭을 투하한 B-29 폭격기 Bocks Car

일본이 8월 15일 무조건 항복함으로써 기나긴 제2차 세계대전은 완전히 그 막을 내렸지만

트루먼의 원자탄 투하는 두고두고 역사의 비판을 받고 있지.

인도주의상 있을 수 없는 잔인한 짓을 했다.

원폭피해자들이 고통의 나날을 보내고 있다!

* 히로시마 폭격 현장

국내적으로는 페어딜(Fair Deal)이라는 정책을 펼쳤는데

FAIR DEAL
공평한 분배

이것은 FDR이 추진했던 뉴딜정책을 연장 확대한 것으로

뉴딜 | 세금

구제

복지

$

세계대전이 끝난 뒤의 미국 경제를 안정시키는 데 큰 역할을 했어.

제대군인 재교육과 취업알선 등등.

미국경제

$ 세금

2차대전이 끝나면서 세계는 자유진영, 공산진영으로 나뉘어 이념대결 시대가 시작되었다.

스탈린 팽창주의로 전세계에 공산주의의 붉은 물결이 넘실대자

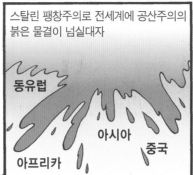

동유럽
아시아
아프리카
중국

철저한 반공주의자였던 트루먼은 이에 단호히 대처하여

세계의 공산화는 절대로 용납할 수 없다!

'트루먼독트린'을 발표함으로써 미·소냉전 시대가 막을 열었던 거야.

트루먼독트린

반공

"공산주의와 맞서 싸우는 지역에는 어디든지 미국이 원조를 제공할 것이다!"
—해리 S. 트루먼

한편으로는 전쟁으로 폐허가 된 유럽에 '마셜플랜'을 집행하여

마셜플랜

· 가난은 공산화의 지름길이다.
· 전후 서유럽은 가난하다.
· 미국의 원조로 서유럽을 부흥시켜 공산화를 막고 미국의 시장을 확보한다.

막대한 원조를 쏟아부음으로써 유럽 자유진영 국가들의 경제부흥에 결정적 도움을 주었어.

댕큐!

마셜플랜

$

서유럽 경제

그러나 날로 날카로워져가는 미·소대립으로 또다시 전쟁이 날지도 모른다는 우려와

저러다가 3차 대전 일어나는 거 아냐?

미·소관계가 언제 전쟁으로 번질지 모른다…

엄청난 원조자금이 외국으로 쏟아져 들어가는 데 불만을 가진 유권자가 늘어나

트루먼은 밑 빠진 독에 물붓듯 마구 퍼주는 거냐?

유럽이 뭐가 예쁘다고…

와글

와글

USA

1948년의 선거에서 트루먼이 승리할 것이라고 생각하는 사람은 적었어.

절대로 트루먼이 재선될 리 없어.

미국 경제 거덜내는 트루먼은 안 돼!

선거날 밤 트루먼 부부는 패배했으리라 생각하고 일찍 잠자리에 들었는데

해리, 개표 결과도 안 보고 벌써 자요?

보나마나 뻔한데 맘 편히 먹고 잠이나 잡시다.

다음날 아침, 승리를 알리는 소식에 잠을 깼지.

각하, 각하, 승리하셨습니다!

그날 시카고 신문은 '공화당 후보 듀이, 트루먼에 승리하다'라는 역사적인 오보를 한 것으로 유명해.

* 시카고트리뷴의 오보를 들고 웃는 트루먼

트루먼의 두번째 임기는 거의 모두가 한국전쟁과의 씨름이었어.

1948년 선거결과	
민주당	공화당
해리 S. 트루먼	토머스 E. 듀이
24,179,345	득표수	21,991,291
303	189
선거인단수	

1950년 6월 25일, 북한군이 38선을 넘어 대대적인 남침을 개시하자

트루먼은 신속하게 미군을 파병하여 남한이 공산군에 넘어가는 것을 막고

미군 파병

유엔을 이용 참전국가들을 끌어들여 사실상 미국의 전쟁이 된 한국전을 유엔의 전쟁으로 만들어냈지.

미국군!

아니, 유엔군!

UN

FDR까지만 해도 세계적인 전쟁에 마지못해 발을 들이밀던 미국이었지만

살려줘!

한국전쟁을 계기로 미국은 세계전쟁을 주도하고 장악하는 중심국가로 변했던 거야.

USA

전쟁이 3년 가까이 이어지자 미국에서는 빨리 전쟁을 끝내라는 아우성이 빗발쳤고

이러다가 3차 대전으로 번지겠다!

빨리 끝내라!

한없는 소모 전쟁, 언제까지 끌 거냐?!

유엔군 총사령관 맥아더가 만주 진격과 원자탄 사용을 주장하며 주춤거리는 트루먼에게 노골적으로 반발하자

* 맥아더를 만난 트루먼

3차대전을 우려한 트루먼은 맥아더를 전격 해임했어.

노병은 죽지 않는다. 사라질 뿐이다….

트루먼은 공산주의의 침략에 대비하여

반공

1949년 북대서양조약기구를 발족시켰고

NATO

North Atlantic Treaty Organization 북대서양조약기구

소련은 이에 맞서 동유럽 공산국가들과 바르샤바조약기구를 구축하여 동서냉전은 더욱 심화되어갔던 거야.

NATO

바르샤바조약기구

Warsaw Treaty Organization

임기를 마치고 1953년 백악관을 떠나는 트루먼은 더 이상 리틀맨(Little Man)이 아니었다.

키가 작아 붙은 별명이 '리틀맨'이죠

WHITE HOUSE

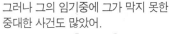

* 168cm/75kg

그는 서방세계를 공산주의로부터 막아낸 거인이었던 거야!

리틀 빅 맨(Little big man: 작은 거인)!

정치에서 은퇴한 그는 오랫동안 집필 생활을 하다가 1972년 인디펜던스에서 사망했지.

역대 대통령이 남긴 저서
1위 T. 루스벨트 38권
2위 A. 링컨 24권
2위 J. Q. 애덤스 24권
3위 T. 제퍼슨 21권
4위 H. 후버 18권

그러나 그의 임기중에 그가 막지 못한 중대한 사건도 많았어.

소련과의 충돌로 3차대전이 터질 것을 두려워한 나머지

한번 붙어보자 이거요?

소련이 동유럽 국가들을 차례로 공산화해 나가는데도 속수무책으로 바라만 보았고

폴란드

루마니아

체코슬로바키아

불가리아

헝가리

알바니아

유고슬라비아

1949년 오랜 내전 끝에 중국 공산당이 국민당을 타이완으로 몰아내고

타이완

중국을 공산화하는데도 아무런 조처를 취하지 못했지.

중화인민공화국 성립 1949

그래서 보수적인 공화당은 이를 맹렬하게 비난했어.

FDR에 이어 트루먼의 나약함이

동유럽과 중국을 공산당에 팔아넘겼다!

그러나 트루먼은 반공주의자였고 한국이 공산화되는 것을 막은 미국의 대통령이었다.

NO!

무력 공산통일

USA

뒷날 윈스턴 처칠은 트루먼에게 이렇게 고백했다고 전해져.

솔직히 난 당신을 얕보았습니다.

그리고 FDR 대신 대통령이 된 것이 싫었습니다.

그러나 당신은 그 누구보다 서구문명을 잘 지켜내셨습니다!

드와이트 D. 아이젠하워 1953~1961

격화되는 냉전 속에서 지킨 세계의 평화

Dwight David Eisenhower

공화당, 1890.10.14~1969.3.28

출생지 텍사스주 데니슨Denison

부 인 메리 "매미" 제네바 듀드 아이젠하워
Mary "Mamie" Geneva Doud
Eisenhower 1896~1979

자 녀 듀드, 존

부통령 리처드 M. 닉슨R. M. Nixon

아이젠하워, 애칭으로 아이크(IKE)의 가장 큰 업적은 갤럽조사 결과 '평화유지'로 나타났어.

PEACE

그는 트루먼의 전쟁(한국전쟁)을 비록 휴전의 형태지만 끝냈고

휴전선

국방력의 증가를 억제함으로써 평화를 증진시킨 결과를 가져왔다는 거야.

무기 만들게 예산 주시오.

안 돼. 무기가 늘면 전쟁도 늘어.

그는 2차대전을 승리로 이끈 영웅이자 평생을 직업군인으로 봉직하여 군대의 생리를 속속들이 알고 있었기 때문에

자네가 군대를 나보다 잘 아는가?

국방부가 의회에서 예산을 따오는 기술을 훤히 꿰뚫어보고

국방예산 청구에 꼼수는 없나?

이를 차단해버림으로써 냉전시대에 무력 증가를 막아 평화를 지켰던 거야.

대통령이 우리 머리 위에 올라 앉아 있으니….

미국의 건국 이래 전쟁이 끝난 뒤에 전쟁영웅으로서 대통령이 된 장군이 모두 5명인데

| 1. 워싱턴 | 9. 해리슨 | 12. 테일러 | 18. 그랜트 | 34. 아이크 |

전쟁 이후 시대의 사회적 욕구를 충족시켜 성공한 대통령은 조지 워싱턴과 아이젠하워 두 사람뿐이지.

| 1. 워싱턴 | | 34. 아이크 |
| 별 | 볼 | 일 |

아이젠하워는 백전노장의 사나운 이미지와는 거리가 멀었고

너그럽고 느슨하며 따뜻한 미소로 이웃집 아저씨 같은 푸근한 느낌을 주면서도

I LIKE* IKE

* 선거운동 캠페인

기본적으로 강력한 리더십으로 시작한 일은 무섭게 추진하는 지도자였어.

아이젠하워는 유럽의 전쟁판을 피해 이민온 도이치계 스위스 신교도 가정에서 일곱 아들의 하나로 태어났지.

유럽 / USA

부모 모두 정규교육을 받지 못한 노동계급이었고 아버지는 크림공장 기술자였는데

자식의 출세를 원한 부모는 종교에 거스르지만 아이크가 육군사관학교에 진학하는 데 반대하지 않았어.

이것도 하나님의 뜻일지도 모르지….

웨스트포인트*에서 풋볼 선수이기도 했던 그는 1915년 164명 중 61등으로 졸업하고

* 미국 육군사관학교

텍사스주 샘휴스턴 요새에서 근무할 때 만난 매미와 결혼했다.

* 매미와 아이크

1차대전 때엔 해외에 출전하지 않고 기갑부대에 근무했는데

* 1차대전 때 아이젠하워 대위

장군이 되는 데 필수코스였던 캔자스 소재 간부후보학교를 275명 중 1등으로 졸업했지.

드와이트 D. 아이젠하워 수석!

1935년에는 맥아더 장군의 부관으로 필리핀에 따라가 근무했으며

아이젠하워 부관!

예스 써!

필리핀

2차대전에 미국이 참전하자 워싱턴 작전사령부에서

그리고 1942년 6월에는 미군 총사령관이 되어 런던에서 북아프리카, 시칠리아, 이탈리아 점령작전을 지휘했어.

* 패튼 장군과 아이크

노르망디 상륙작전을 결정한 처칠 수상과 FDR은 아이크를 연합군 총사령관으로 임명했고

아이크는 인류사상 최대작전이라는 노르망디 상륙작전을 성공시킴으로써

1945년 5월 7일 도이칠란트가 항복하는 결정적 계기를 마련했다.

아이젠하워는 2차대전 승리의 영웅이 되어 워싱턴보다 더 많은 칭송을 받은 장군이었지.

와아! 아이크!

와, 와, 얼!

그러나 아이크는 워싱턴처럼 은퇴를 희망하여

전쟁이 끝났으니 나의 임무도 끝났다.

이제 장군이 아닌 평범한 삶을 살겠다.

1948년 군복을 벗고 컬럼비아대학 총장에 취임했다가 2년 뒤 나토 원수로 군에 복귀했어.

대학교 총장

나토 원수

이런 대단한 전쟁영웅을 공화당이 대통령 후보로 영입하려고 한 것은 너무 당연해

민주당의 20년 장기집권을 끝장내야 한다.

아이젠하워만이 해낼 수 있다!

번번이 거절하는 아이크를 결국 설득 하여 그는 1952년 6월에 제대하고

나는 정치에 뜻이 없소 이다.

이것은 민주주의를 구출하는 중요한 일입니다. 1당 장기집권 막아야죠.

7월에 후보에 지명되어 아주 '당연하게' 제34대 미국 대통령에 당선되었던 거야.

1952년 선거결과	
공화당	민주당
드와이트 D. 아이젠하워	애들라이 E. 스티븐슨
33,936,234	득표수	27,314,992
442	89
	선거인단수	

그의 첫 과제는 3년째 끌어온 한국전쟁을 마무리하는 것이었어.

나는 꼭 한국에 갈 것을 약속합니다!

그의 취임 직후 호전적인 스탈린이 죽고 그 후임 말렌코프도 평화를 희망

한국전쟁, 이 정도에서 끝냅시다.

그럽시다. 바라던 바요.

소련

USA

1953년 7월 27일, 휴전문서에 서명함으로써 한반도에서는 총성이 멎었지.

휴전선

직업군인으로서 아이크는 구식무기가 너무 거대하고 효율이 떨어짐을 잘 알고 있었기에

×100 =

'평화를 위한 핵'이라는 명분 아래 재래식 무기를 핵무기로 대체함에 따라

미·소간에 핵무장 경쟁이 벌어져 세계는 '핵에 의한 평화' 속에서 핵전쟁의 공포에 떨게 되었다고.

USA   USSR

아이크는 또 아시아에서 공산주의 확산을 막기 위해 SEATO(동남아조약기구)를 결성했지.

1955년	SEATO
· 미국 · 필리핀	**S**outh
· 영국 · 타이	**E**ast
· 프랑스	**A**sia
· 파키스탄	**T**reaty
· 오스트레일리아	**O**rganization

1956년 선거에서 아이크는 압승을 거두었어.

1956년 선거결과

공화당		민주당
D. D. 아이젠하워		A. E. 스티븐슨
35,590,472	득표수	26,022,752
457		73
	선거인단수	

그러나 그의 임기 동안 소련과의 냉전은 더욱 치열해져갔다.

* 아이크와 흐루시초프

소련이 1957년 10월 4일 최초의 인공위성 스푸트니크호를 발사하여 미국의 위신에 먹칠을 하자

* Sputnik (동반자라는 뜻) Ø58cm 83.6kg

1958년에 미국은 첫 위성 발사에 성공, 겨우 체면을 지켰지만

이때부터 미·소 양국은 우주경쟁 시대로 접어들게 돼.

1960년에 간첩 비행기 U2기가 소련 상공에서 격추당한 사건이 터지자

지난 4년간 스파이 목적으로 소련 영공을 침범, 비행해왔습니다.

체포된 미국인 U2기 조종사 기자회견

소련과의 관계는 더욱 악화되었으며

세계평화를 깨뜨리는 미국의 도발을 용서할 수 없다.

소련 공산당 서기장 흐루시초프는 예정되었던 아이크와의 정상회담을 일방적으로 취소해버렸지.

스파이 비행 중단 진상규명 및 사과, 책임자 처벌하라!

소련 대표

아이크를 더욱 곤경에 빠지게 한 것은 쿠바였어.

미국

쿠바

자메이카

도미니카 공화국

혁명으로 친미정권을 몰아내고 공산정권을 수립한 피델 카스트로는

쿠바

미국과의 외교를 단절하고 미국의 쿠바 내 자산을 몰수했던 거야.

양키, 고 홈!

더욱이 카스트로는 소련과 손을 잡음으로써 미국의 코앞에 공산주의의 총부리를 겨누었고

* 피델 카스트로와 흐루시초프(1960)

드디어는 케네디 시대에 쿠바봉쇄라는 초극약 처방까지 초래하는 이유가 되었지.

쿠바핵

아이크 재임 8년간은 공산주의와의 대립이 초점이었고 냉전 격화의 시대였다고 할 수 있어.

갈 데까지 가보자!

아이크 시대에 벌어졌던 미국 내 최대 사건은 '흑인등교사건' 이었다.

학교

그때까지 인종분리주의였던 미국에선 백인 학생이 다니는 학교에 흑인이 다닐 수 없었어.

NO

학교

WHITE ONLY

아이크는 법으로 흑인, 백인 구별없이 학생을 받게 했고, 백인들의 반발은 거셌지.

미국 시민은 동등하니 흑백차별은 안 된다!

그래도 백인이 흑인과 같은 교실에서 수업받을 수 없소!

특히 아칸소주 리틀록의 한 고등학교*에 흑인 학생의 등교를 막기 위해

대통령의 명령이라도 따를 수 없다.

흑인의 등교를 군대로 막아라!

주지사

*Little Rock Central High School

주지사 O. 포버스*는 아칸소주 방위군을 동원했는데

NO BLACKS 흑인등교금지

*Oval Faubus

이 소식을 들은 아이크는 즉시 연방군을 출동시켜 9명의 흑인들을 등교시켰지만

쿠르르르르

자칫하면 연방군과 방위군이 충돌할 뻔한 아찔한 순간이었지.

연방군 U.S. Army

주방위군 National Guard

USA

N. GUARD

어쨌든 이 사건은 흑백평등문제에 불을 당긴 셈이 되었고

흑백평등

아이크 시대는 흑백인종관계에도 새로운 계기를 마련한 때로 기록돼.

1961년 케네디에게 대통령직을 넘겨준 그는 국가군통수 대원수를 맡아달라는 의회의 요청을 거부하고

좀더 국가를 위해….

됐네, 이 사람들아!

게티즈버그에 있는 농장으로 돌아가 조용히 지내다가

1969년 3월 8일 세상을 떠났고 전 미국인은 진심으로 그를 애도했어.

*아이크에 경의를 표하는 드골

따뜻한 미소를 띤 노대통령의 이미지는 미국인들의 가슴속에서 언제까지나 사라지지 않겠지.

IKE

아이크에게는 데이비드라는 귀여운 손자가 있었는데

할부지

그의 이름을 따 미국 대통령이 휴양을 취하는 곳이 바로 '캠프 데이비드'가 되었대.

CAMP DAVID

존 F. 케네디 1961~1963

업적보다 이미지가 강하게 남은 동화의 주인공

음메… 실제보다 이미지가 과대포장 되어 있구나….

John Fitzgerald Kennedy

민주당, 1917.5.29~1963.11.22
출생지 매사추세츠주 브루클라인Brookline
부 인 재클린 리 부비에 케네디Jacqueline
　　　　Lee Bouvier kennedy 1929~1994
자 녀 캐롤라인, 존 Jr., 패트릭
부통령 린든 B. 존슨L. B. Johnson

존 피츠제럴드 케네디는 그가 이룬 업적보다 세계를 열광시킨 그의 이미지로 더욱 강렬히 기억되는 인물이야.

John
Fitzgerald
Kennedy

그는 20세기에 태어난 첫 대통령이며

32대 FDR 1882
33대 트루먼 1884
34대 아이크 1890
35대 JKF 1917

미국 역사에서 최초로 대통령이 된 가톨릭교도였지.

게다가 선거로 당선된 최연소 대통령에 교양있고 아름다운 아내

그리고 임기중의 비극적인 죽음으로 그는 현실 속의 인물이라기보다

타탕 오, 노 ~!

전설이나 동화에 나옴직한 환상적이며 낭만적이기까지 한 존재로 승격되었던 거야.

젊음　권력　로맨스
부(富)
야망
JFK

그는 또 차례를 기다리지 않고 자신을 스스로 대통령으로 만들어나간 야심가였지.

스톱!

대통령

너무 어린 나이, 가톨릭교라는 종교문제, 거기에 아일랜드 혈통 등 대통령이 되기엔 불리한 조건투성이였기에

미국 대통령의 조건

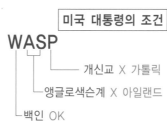

WASP
├─ 개신교 X 가톨릭
├─ 앵글로색슨계 X 아일랜드
└─ 백인 OK

이 문제를 극복하기 위해 자신의 매력을 널리 알리고

JFK

불리한 조건

경력을 과장하는 것도 서슴지 않았으며 거부인 집안의 재력도 아낌없이 투입한데다가

경력

$

자신이 대통령이 되는 것이야말로 국민의 선택이라고 과장하는 등

미국 국민은 나를 원한다!

대통령이 되기 위해 모든 것을 투입한 권력추구형 인간이었어.

대통령이 되기 위해서라면 어떤 방법도 정당하다!

올인!

돈

야합

권모

술수

지도자들의 대부분은 임기중에는 혹독하게 비판을 받아도

우유부단에다

대통령 답지 않다!

국민을 무시하고 고집만 피운다!

임기 후에는 찬양받기 마련인데

구관이 명관이다.

그래도 소신껏 밀고 나간 지도자야.

짝짝짝짝

탁월한 업적을 남긴 분이지.

케네디의 경우는 임기중에는 전세계의 찬사가 쏟아졌지만

박력있고 매력있다!

젊고 강한 미국의 상징!

와 와

소련을 굴복시킨 최고의 지도력!

임기 후에 혹독한 비판을 받아 거꾸로 된 평가를 받은 대통령이지.

인기만 요란했지 서투르고 거친 정치가야!

미국의 덩치만 믿고 무모하게 밀어붙인 완력정치였다!

JFK

†

사실상 임기중에 이룬 업적이 별로 없음에도 강렬한 매력을 두고두고 발산하는 JFK는

JFK

JFK

JFK

정치를 떠난 개인적인 매력에서 오는 '이미지 정치인' 의 대표적인 경우일 거야.

존 F. 케네디는 매사추세츠주의 아일랜드계 거부 조지프 케네디의 네 자녀 중 둘째로 태어났어.

영국 대사까지 지낸 무자비한 야심가인 아버지는 아들 가운데 한 명은 반드시 대통령을 만들겠다고 결심했어.

우리 가문에서 대통령 하나는 나와야 해.

그래서 그는 제왕교육을 받으며 형제끼리 경쟁하는 분위기에서 자라났지.

존   로버트   에드워드

하버드대학을 졸업하던 1940년에 그가 쓴 책은 베스트셀러가 되기도 했고

왜 영국은 잠자고 있는가
Why England Slept
J. F. Kennedy
1940

2차대전에 해군장교로 참전하여 그가 조종하던 배가 일본군에 격침당했을 때

동료를 구했다고 하여 영웅이 되었지만 이때 등을 다쳐 평생 고생을 하게 되지.

일본군에 격침당한 것도 자랑인가?

1947년 케네디는 연방 하원의원으로 정계에 진출하지만 다친 등이 악화되어 1954년 수술을 받았는데

그때 요양하면서 쓴 책이 1957년 언론인에게 주어지는 최고의 상인 퓰리처상을 받았어.

퓰리처상
1957

Profiles of Courage
용기있는 사람들

J. F. Kennedy

1956년 이 야심찬 젊은 정치인은 과감하게도 39세의 나이에 부통령 후보 지명에 도전하지만 실패

부통령 후보

4년 뒤에는 오히려 대통령에 직접 도전하여

대통령 후보 지명

강력한 라이벌인 린든 B. 존슨을 꺾고 민주당 대통령 후보 지명을 받아

대신 부통령 후보가 되어주시오.

나보다 나이도 어린 친구에게 지고….

선거사상 가장 치열했다는 1960년 선거에서 공화당의 닉슨을 물리치고 35대 대통령에 당선되었지.

1960년 선거결과	
민주당	공화당
존 F. 케네디	리처드 M. 닉슨
34,226,731	34,108,157
303	219

득표수

선거인단수

그는 대통령에 취임하자마자 1961년 4월 아이크 때부터 비밀리에 추진되던 쿠바 침공을 감행하는데

카스트로 정권 무너뜨리고 친미 정권 세우자.

쿠바

US

이 작전은 무참한 실패로 끝나고 케네디는 세계의 웃음거리가 되고 말았어.

타타

타타

케네디를 만만하게 본 소련은 쿠바에 미국을 공격할 수 있는 미사일기지를 건설하기 시작하였고

1962년 10월, 케네디는 3차 세계대전의 위험을 무릅쓰고 쿠바봉쇄를 단행

미사일 실은 소련 배가 이 선을 넘으면

3차대전을 불사하겠다!

쿠바

봉쇄선

미국이 쿠바 침공을 하지 않는다는 조건 아래 소련이 미사일을 철거함으로써

대신 쿠바 건드리면 안 돼!

USSR

케네디의 위신은 크게 올랐고, 그의 인기는 하늘을 찌를 듯했지.

JFK!

와

와 JFK!

짱

그 인기의 최절정에서 11월 22일 텍사스의 댈러스에서 오스월드*의 총탄에 맞아 암살되고 말았다.

* Lee Harvey Oswald

국내에서는 '뉴프런티어' 정책을 선언,

노인의료 혜택확대

교육비 지원

우주계획 확대

민권 강화

NEW FRONTIER

야심찬 계획들을 추진하였으나 의회의 반대로 이룬 것이 거의 없고

루스벨트의 '뉴딜' 커닝한 거 아냐?

민주당 정권은 왜 세금 뿌릴 궁리만 하는가?

예산승인 거부!

오히려 그의 뒤를 이은 린든 B. 존슨 대통령이 많은 부분을 현실화시켰지.

GREAT SOCIETY

위대한 사회

↑

뉴프런티어

케네디는 미국의 강대함을 세계에 과시하기 위해 동남아문제에 적극 개입하여

강한 미국을 보여 주어야 공산주의가 못 덤벼!

USA

전쟁의 먹구름이 낀 베트남에 파견되어 있던 미국 군사전문가를 수백 명에서 17,000명으로 대폭 증강했어.

미국 군사전문가

베트남

이는 사실상 미국이 베트남전쟁에 실질적으로 개입한 신호탄으로

베트남전쟁

케네디는 베트남전쟁을 '미국의 전쟁'으로 만든 장본인이자

10여 년에 걸친 '더러운 전쟁' 베트남전에 미국민을 몰아넣은 지도자였어.

JFK
미국 국민
베트남전쟁

사람들은 링컨과 케네디를 즐겨 비교하곤 하지. 너무도 신기할 정도로 비슷한 점이 많거든.

A. 링컨   JFK

우연의 일치라기엔 놀라울 정도로 비슷한 게 무언가, 입방아 찧기 좋아하는 사람들의 얘기를 들어볼까?

링컨과 케네디는 둘 다….

· 같은 해에 하원의원에 당선되었다.

L (링컨)   K (케네디)
1846   1946

· 같은 해에 대통령에 당선되었다.

L 1860   K 1960

취임   나는 헌법을   취임
1861   준수하고   1961

· 프랑스어를 할 줄 아는 24세의 여성과 결혼하였다.

L 메리 토드   K 재클린 부비에

봉주르 Bonjour!

· 같은 요일(금요일) 부인 앞에서 암살되었다.

탕!! 오,노!

· 후계자의 이름이 같다.

L→앤드루 존슨   K→린든 B. 존슨

· 후계자가 같은 해에 태어났다.

앤드루 존슨   린든 B. 존슨
1808   1908

· 범인은 재판 없이 사살되었다.

링컨 암살범   케네디 암살범

도주중 총격전   다른 저격범
에서 사살됨   에게 암살됨

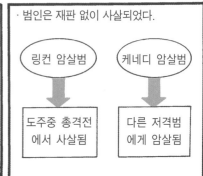

· 링컨은 포드극장에서, 케네디는 포드사가 만든 링컨 차에서 암살되었다.

포드극장 **포드차**
링컨 컨티넨탈

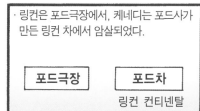

· 로버트, 에드워드라는 친족이 있다.

링컨의 아들들

로버트 　　　　에드워드

케네디의 동생들

로버트 　　　　에드워드

· 부인들은 백악관에서 자식을 잃었다.

링컨 부인 **케네디 부인**

셋째아들 윌리엄 월리스 1862년 12세로 백악관에서 사망

둘째아들 패트릭 부비에 1963년 태어난 직후 백악관에서 사망

억지로 찾아내자면 우연이 아니더라도 얼마든지 찾아낼 수 있는 게 이런 이야기들이지만 그래도 우연이라기엔 너무 신기하지?

케네디가의 비극은 존에서 끝나지 않았어. 몇 년 뒤 동생 로버트 케네디 법무장관도 형처럼 총에 맞아 죽었으며*

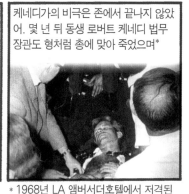

* 1968년 LA 앰버서더호텔에서 저격된 로버트 케네디

막내동생 에드워드도 불미스러운 사건으로 영영 대통령의 꿈을 이루기 어렵게 되었는가 하면

여비서 사망사건과 연루되어 있다네.

그런 스캔들이 있으면 대통령 되긴 글렀네.

세계인의 사랑을 받던 미망인 재클린이 그리스의 거부 오나시스와 재혼하여 세상을 놀라게 했고

재키, 선박왕 거부 오나시스와 결혼!

그의 아들 존은 1999년 비행기 추락 사고로 숨져 세계를 안타깝게 했지.

이런 모든 것들이 마치 TV 드라마나 동화와도 같이 일반인들의 뇌리에 기억되었고

야망　미인　오나시스
꿈　　아내　　젊음
죽음　　　　　부
권력　　　　비극

존 F. 케네디란 이름은 대통령이란 직책, 그가 이룬 성공, 실패한 정책을 떠나

젊음과 아픔을 함께 지닌 '아름다운 청년'의 이미지로 미국인에게 결코 잊혀질 수 없는 존재로 남은 거야….

린든 B. 존슨 1963~1969

'위대한 사회'와 '더러운 전쟁'

Lyndon Baines Johnson

민주당, 1908.8.27~1973.1.22

출생지 텍사스주 스톤월 Stonewall

부 인 클라우디아 앨타 테일러 존슨
　　　 Claudia Alta Taylor Johnson 1912~

자 녀 린다 버드, 루시 베인스

부통령 허버트 H. 험프리 H. H. Humphrey

20세기에 접어들며 미국 대통령들은 국내문제뿐 아니라 세계문제라는 새로운 과제를 안게 되었다.

원하든 원하지 않든 미국이 세계적인 강국이 되면서 떠안아야 될 문제가 세계질서였고

PAX AMERICANA

미국 주도의 세계평화

2차대전 후, 특히 트루먼 시대부터 미국의 대통령은 미국이라는 세계 최강대국의 내정과 미국이 이끄는 세계의 방향타를 잡았지.

USA

세계호

린든 베인스 존슨에 대한 평가는 이 점에서 극단적으로 갈라지고 있어.

최고!　　최악!

'위대한 사회'라는 슬로건을 건 복지정책은 미국 사회의 약자들에게 큰 혜택을 준 획기적인 것이었지만

GREAT SOCIETY

그가 본격적으로 확대한 '더러운 전쟁' 베트남전쟁은 미국 역사상 최초로 치욕적인 패배를 안겨주었기 때문이야.

존슨은 텍사스주 출신 카우보이로 스톤월에서 태어나 그곳에서 죽었어.

STONEWALL
TEXAS

L. B. 존슨 36대 대통령
이곳에서 나서
이곳에서 죽다

20대 초반에는 학교 선생님이었지만

* 교사 시절의 존슨(1929, 사진 중앙)

1930년대 루스벨트가 뉴딜정책을 펼치자 민주당에 입당, 텍사스주 뉴딜 사업에 참여했지.

NEW
DEAL
TEXAS

민주당에서 인정받은 그는 1937년 하원의원이 되지만 별볼일없는 그저 그런 의원이었어.
그러나

카우보이 출신이라며?

텍사스 민주당 실력자인 S. 레이번*의 후원으로 1948년 상원에 진출해.

그 공로로 레이번은 뒤에 백악관 대변인으로 발탁됩니다요.

상원

* Sam Rayburn

이 상원의원 선거는 너무도 치열하여 수백만 유권자 중 단 87표 차이로 존슨이 당선되었어.

낙선하는 줄 알았네…

휴ㅆ

존슨은 상원의원이 된 이후 온갖 정치적 기술을 발휘, 급속히 성장하였고

* 텍사스에 있는 그의 농장(LBJ Ranch)

시민권 확대, 복지 확대에 앞장서서 투쟁하는 등 1950년대 말에 확실한 대통령 후보감으로 떠올랐다.

시민권
복지혜택
확대 LBJ

서민·빈민
햇볕정책
LBJ

그러나 민주당에서 샛별처럼 떠오른 케네디에 밀려 대통령 후보 지명에서 탈락되고

팅

뉴프런티어

결국 1960년 선거에 부통령 후보로 출마하여 당선되었지.

JFK
대통령 후보

LBJ
부통령 후보

훌쩍

그러나 부통령 취임 1,000일 만에 케네디는 암살되고

* 1963.11.22 저격당한 JFK

케네디의 유해를 싣고 워싱턴으로 돌아오는 비행기 안에서 존슨은 재클린 옆에서 대통령 취임선서를 했어.

존슨은 '위대한 사회'라는 구호를
앞세워 과감한 복지정책을 펼쳤는데

이는 앞서 케네디가 '뉴프런티어'라는
구호로 기획했으나 의회에 막혀 질질
끌던 것을 존슨이 밀어붙인 거지.

의료혜택과 교육기회를 넓히고
빈민에 대한 혜택을 증대하였는데

미국 정당의 주관심사

공화당	민주당
해외문제	국내문제
부유층 · 기업가	중산층 · 서민
기업 · 경제	복지 · 민권

특히 흑인들의 권리 등, 인권문제는
남북전쟁 이래 가장 많이 개선되었어.

※국내문제엔
강력하고 외교엔
허약한 존슨을
풍자한 만화(1964)

이러한 약자에 대한 배려로 존슨은
1964년 선거에서 크게 승리하였지.

1964년 선거결과

민주당		공화당
린든 B. 존슨		배리 M. 골드워터
43,129,566	득표수	27,178,188
486		52
	선거인단수	

그러나 그는 두번째 임기 내내 베트남
전쟁이라는 악몽 속에서 허우적댔어.

베트남
전쟁

1964년 8월, 미국 함정이 공산 월맹군
의 공격을 받자

뭐야?!

쥐방울만한 것들이
감히 미국 함정을
공격해?!

존슨은 대대적인 통킹만 공습을
명령하였는데 이것이 바로 악몽의
시작이었다.

하노이

東京灣
TONGKING
BAY

하이난도

베트남

남중국해

그는 공산당이란 나치와 다름없는 큰
악의 무리이고 그 싹은 미리 잘라버려야
된다고 쉽게 생각한 거지.

다시는 미국에
기어오르지 못하게

힘으로 초전박살
내버려야….

건국 이래 단 한 번도 저본 역사가 없는
미국이 베트남 같은 '보잘것없는' 나라
에 지리라고는 상상조차 못한 거야.

베트남에게 져?
지나가는 강아
지가 웃겠다!

하하하
하하

그러나 그것은 미국에게는 치욕적인
패배로 끝난, 명분없고 실리없는
지겨운 전쟁의 시작이었고

하 하 하
하

베트남

웬 망신….

그의 빛나는 복지정책 '위대한 사회'는
완전히 빛을 잃고 말았어.

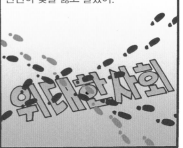

위대한사회

케네디가 수백 명의 미국 군사전문가를 17,000명으로 늘려 실질적으로 베트남전쟁에 발을 들여놓은 이래

이제 미국이 세계주도권을 잡았으니

프랑스가 울고 간 베트남 좀 멋지게 손봐줘 위신을 높이자!

존슨이 '미국의 전쟁'으로 확대시켜버린 이 전쟁에 존슨 임기 4년 동안 50만 명의 미군이 투입되었어.

미군 최고시 54만 9,500명
참전국군 최고시 6만 명
월남정부군 118만 명
미군전사 5만 8,000명

폭탄투하량 등 역사상 최대 규모의 파괴전쟁

한국군을 비롯해 여러 나라가 미국을 도와 정글 속에서 공산군과 싸웠지.

청룡부대   맹호부대   백호부대   비둘기부대

그러나 베트남전쟁은 결코 존슨 혼자 원해서 확대된 것은 아니었어.

전쟁은 대통령 혼자 하나여~

훌쩍

1964년 8월 7일, 미국 의회가 존슨에게 베트남작전에 대한 무제한 권한을 부여했기 때문이지.

언짢아!

베트남이 감히 세계 최강 미국에 맞서다니 있을 수 없는 일이오.

대통령에게 모든 권한을 위임할 테니 미국에 덤비는 공산주의자들을 완전히 박살내주시오!

그러나 공산군의 저항은 끈질겼고

쇼래도? 쇼래도?

항복 못해, 못해!

소련과 중국의 지원을 업고 전선없는 전장에서 끝없이 미군을 괴롭혔어.

존슨은 계속해서 미군의 숫자를 10만, 20만으로 늘려야만 했는데

미군이 계속 밀립니다!

미치겠군, 정말!

베트남전쟁과 존슨의 정책에 반대하는 소리에는 아예 귀를 막고

추가파병 반대!

베트남에서 손떼라!

언제는 전폭 지지한다더니….

심지어 국민에게도 사실을 숨겨가며 베트남전쟁의 수렁에 계속 빠져들었어.

더 들어가지 마요!

아냐, 그냥 서 있는 거야!

이는 전혀 예상치 못한 결과에 당황했기 때문이기도 하고 미국의 자존심과 오기로 손을 뗄 수 없었기 때문이기도 했지.

나는 결코 전쟁에 진 첫 대통령이 될 수 없다!

1965년 7월에는 미군 10만 명을 베트남에 추가파병하면서 반으로 줄여 5만 명으로 발표하고

그것도 텔레비전 방송으로 공개적으로 밝힌 게 아니라 대법원장을 임명하는 자리에서 지나가는 말처럼 알린 거야.

그리고 5만 명을 더 보냈지요.

1966년에는 또다시 12만 명을 더 보내고도 쉬쉬하는 등

또다시 베트남에 미군을 보낸다면서요?

그런 계획 없소.

떳떳하지 못한 존슨의 태도와 전사하여 시신으로 돌아온 수많은 미군 병사들로 인해

미국 내 반전여론은 걷잡을 수 없이 확산되었다.

미군은 베트남에서 철수하라!

이 전쟁은 '더러운 전쟁'이다! (Dirty war)

와 와 와

반전시위는 대학교를 중심으로 전국적으로 퍼져

* 미국 대학생들의 반전시위

미국 전체가 베트남전쟁으로 벌집 쑤신 듯 뒤숭숭한 분위기였어.

반전! 평화 와 와

전쟁 끝내라!

당연히 존슨의 인기는 바닥으로 곤두박질했고

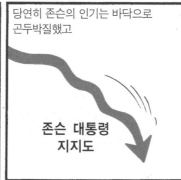

존슨 대통령 지지도

1968년 3월, 그는 재선출마 포기 선언을 했지.

4년 4년 4년
1기 2기

전임자가 임기의 1/2 이상 재직하면 나머지 기간은 후임자의 임기에 포함되지 않음.
케네디는 2년 이상 재직하여 존슨은 8년의 임기가 더 가능했음.

존슨은 후계자로 허버트 험프리를 민주당 후보로 지목하고

* 험프리(왼쪽)와 존슨

그를 위한 선거운동에서 베트남전쟁의 정당성과 승리를 위해 전쟁을 계속해야 한다고 주장했는데

우리는 베트남에서 반드시 승리를 거두어야 합니다!

이것이 오히려 험프리에게 갈 표를 종전공약을 내건 공화당 닉슨에게 몰리게 한 결과를 빚고 말았어.

난 험프리를 지지하지만

전쟁을 끝내기 위해선 닉슨에게···

험프리 | 닉슨

그의 재임 말기인 1968년은 참으로 악몽 같은 한 해였어. 전국에 반전데모가 들불처럼 번졌고

흑인들의 존경받는 지도자 마틴 루터 킹* 박사가 인종차별주의자에게 암살되어

흑백갈등은 더욱 격렬해졌고

와 와 와

* Martin Luther King Jr.: 흑인 민권운동가(가운데)

이스라엘을 지지하던 로버트 케네디가 분노한 요르단 이민자에게 암살당하는 등

탕
탕 탕

미국 사회가 이때처럼 어수선했을 때도 드물 거야.

베트남전 반전시위
흑백갈등
종족 문제
경제침체

이런 분위기 속에서 존슨은 초라하게 백악관을 떠나야 했어.

잘 있거라, 나는 간다

안 그리워 할 거야!

역사가들이 그를 평하기에, 그는 멀리 보지만 근시안이며

⇨ 세계평화

관대하지만 비열하고, 현명하지만 바보이며

성공했지만 실패한 대통령이자 걸어다니는 모순이라고 하지.

미국 역대 대통령 가운데 가장 수수께끼 같은 인물이다…

LBJ

* 1964년 개 귀를 잡아당기는 사진으로 구설수에 오른 존슨(잡지 ASPCA 표지)

'위대한 사회'와 '더러운 전쟁', 성공과 실패

GREAT SOCIETY

VIETNAM

과감하고 성공적인 복지정책, 그러나 미국 역사에서 전쟁에 패한 유일한 대통령

복지 대통령

첫 패전 대통령

린든 B. 존슨은 다른 대통령들과는 달리 결코 잊혀지지 않을 대통령일 거야.

리처드 M. 닉슨 1969~1974

워터게이트로 빛바랜 화려한 외교

외 교 성 과

베트남 휴전

미·소 핵무기감축

중국과 수교

위터게이트

Richard Milhous Nixon

공화당, 1913.1.9~1994.4.22

출생지 캘리포니아주 요버린더 Yorba Linda

부 인 델마 "패트리샤" 캐서린 라이언 닉슨
Thelma "Patricia" Catherine Ryan Nixon
1922~1993

자 녀 패트리샤, 줄리

부통령 스피로 T. 애그뉴 S. T. Agnew 1969
제럴드 R. 포드 G. R. Ford 1973

리처드 M. 닉슨은 200여 년의 미국 역사에서 사임으로 물러난 유일한 대통령이야.

백악관

그는 '교활한 딕(Tricky Dick)' 이란 별명이 붙을 만큼 뛰어난 정치수완을 지녔고

이른바 '데탕트(détente)' 라는 해빙 시대를 열어 냉전을 완화시켰으며

중국과의 관계를 개선하여 세계평화에 크게 기여한 인물이었지.

끝없는 야망에 의한 워터게이트사건을 빌미로 파멸, 임기중 사퇴라는 치욕을 겪었지만

위터게이트

1994년, 그가 81세로 사망했을 때, 미국인들은 그를 '자랑스러운 대통령' 으로 애도했어.

우리의 훌륭했던 제37대 대통령.

닉슨은 캘리포니아주 요버린더에서 태어난 서부인이야.

*베이비 닉슨

1937년 노스캐롤라이나주 더럼에 있는 듀크대학 법대를 졸업하고

DUKE UNIV.
1838년 설립
'브라운즈' 학원
1924년 듀크기금으로
'듀크대학' 이 됨

2차대전 때는 남태평양에서 해군장교로 복무했지.

*리처드 M. 닉슨 해군중위

전쟁 뒤 잠시 변호사일을 하다가 공화당에 입당하여 1946년에 하원의원 선거에 나섰는데

공화당

상대방이 공산당의 후원을 받는다는 확인되지 않은 혐의로 공격하여 승리했고

빨갱이가 배후에 있다!

흑색선전 색깔론 집어치워라!

의회에 들어간 닉슨은 적극적인 반공활동으로 두각을 나타내지.

반공
공산당 나빠요!

동서냉전이 치열해져감에 따라 미국 의회에는 '반미국인활동위원회' 가 생겼어.

Un-American Activities Committee

※이적행위, 매국·해국행위 색출이 임무

이 위원회는 미국을 해치는 자들을 잡아낸다는 명분으로 사실상 공산주의자들을 사회 각계에서 쫓아냈는데

너 빨갱이지?

여기에서 지목된 자는 직업과 모든 것을 잃고 사회에서 매장되었기 때문에

회사

넌 해고야!

말만 들어도 모든 사람이 겁에 질리는 '저승사자' 와도 같은 무서운 존재였다고.

반…반미국… 위원회가 찾는다구?!

닉슨은 이 위원회에서 핵심역할을 맡아 공산주의자 색출에 앞장섰던 극우적 인물이었고

*반미국인활동위원회의 닉슨

이 공로(?)로 닉슨은 전국적인 인물이 되어 1950년 상원의원에 출마했지.

빨갱이 잡는 귀신 닉슨!

R. NIXON

이 선거에서 닉슨은 강력한 경쟁자였던 민주당 여성후보 헬렌 G. 더글러스*에게

* Helen Gahagan Douglas

'핑크레이디(Pink lady)' 라는 용공색깔을 뒤집어씌워 승리를 낚아.

용공주의자!

또 색깔론이야?

1952년 아이젠하워는 39세의 야심가 닉슨을 부통령 후보로 지명하게 되지.

* 부통령 닉슨

선거운동 기간에 닉슨은 부정 선거운동으로 고발되지만

고발!

법원

텔레비전에 출연하여 뛰어난 솜씨로 자신의 결백을 증명하는 데 성공하였고

미국 정치계에서 이 닉슨만큼 결백한 사람 있으면 나와보시오!

TV

그때부터 그는 '교활한 딕' 이란 별명을 얻었어.

빠져나가는 솜씨가 여우 뺨치겠어.

교활하기로 닉슨 따를 자 없지!

부통령으로서도 닉슨은 훌륭한 정치적 수완을 발휘하였고

닉슨은 보수주의자이면서도

국제주의자이며 열린 사고를 하는 정치인이다!

1960년 드디어 대통령 후보에 지명되었다.

민주당
존 F. 케네디

공화당
R. M. 닉슨

그러나 아슬아슬한 표차로 존 F. 케네디에게 패한 닉슨의 인기는 대번에 곤두박질하여

닉슨 인기도

1962년 캘리포니아 주지사 선거에서도 패하는 수모를 겪었지.

닉슨은 다시 정치계로 돌아오지 못할 것이다.

그러나 그는 놀랍게도 재기에 성공,

벌떡

1968년 선거에서 민주당 후보 허버트 H. 험프리를 누르고 제37대 대통령에 당선돼.

1968년 선거결과	
공화당	민주당
리처드 M. 닉슨	허버트 H. 험프리
31,785,480	31,275,166
301	191

득표수

선거인단수

베트남전쟁 종결을 공약으로 당선된 닉슨이 취임한 1969년 초 미국은 사상 최고의 반전분위기에 휩싸여 있었어.

미국민은 역사상 가장 오래 계속된 베트남전쟁의 악몽에 시달리고 있었고

케네디가 시작한 '존슨의 전쟁'이

'닉슨의 전쟁'으로…

전국의 대학생들은 하루속히 '더러운 전쟁'을 끝내라며 시위를 거듭했어.

더러운 전쟁 당장 끝내라!

미국 젊은이를 더 이상 죽이지 마라!

NO WAR!

이런 와중에 1970년 4월 켄트주립 대학생 4명이 시위중 경찰이 쏜 총에 맞아 숨지는 사건이 터지면서

미국의 반전운동은 그 절정에 다다랐던 거야.

평화! 와 베트남전 반대! 반전 와 와

USA

닉슨은 베트남전쟁으로부터 '명예롭게' 발을 빼기 위해서는 반드시 소련과 중국의 협조가 필요하다고 판단

그래도 미국의 체면이 있지.

쫓겨 도망치듯 빠져나올 수야 없다….

소련과 데탕트(해빙) 시대를 열어 무기 감축협상에 조인하고

무기 감축

DÉTENTE 해빙

평화의 손짓으로 탁구외교를 펼쳐 중국의 굳게 닫힌 문을 연 뒤

미국-중국 탁구선수단 교환

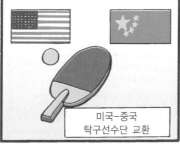

1972년 중국을 방문하여 수교의 길을 텄어.

* 마오쩌둥 중국 주석을 만나는 닉슨

극심한 반전분위기를 업고 베트남전 종결을 위한 소련·중국과의 외교는 국민들의 큰 지지를 얻어

1972년 대통령 선거에서 닉슨은 사상 최대의 승리를 거두었지.

1972년 선거결과	
공화당	민주당
리처드 M. 닉슨	조지 S. 맥거번
47,169,911	29,170,383

득표수

520	17

선거인단수

그러나 이 빛나는 승리는 워터게이트 사건에 발목이 잡혀 치욕적인 결말을 맞게 되고 말아.

워터게이트 사건

압승으로 재선에 성공한 닉슨은 1973년 베트남전쟁 휴전협정에 서명함으로써

휴전

10년 가까이 끌어오던 전쟁에 일단락을 지었지.

베트남 휴전 협정 서명!

그러나 미국이 포기한 전쟁의 휴전협정을 공산군이 지킬 리 없었으니

미국이 도망갈 구실로 휴전협정에 서명했고

베트남에서 서둘러 발 빼는데 우리더러 휴전협정 지키라고?

계속 치열해져가는 공산군의 공격 속에 미군은 성급히 철수에 철수를 거듭했어.

튀자!

베트남

드디어 1975년 4월, 마지막 미군이 철수함으로써 베트남은 공산국가로 통일되었으며

* 사이공을 떠나는 미군의 마지막 헬리콥터

미국은 건국 이래 처음으로 패전이라는 치욕의 역사를 기록할 수밖에 없었다.

미국이 지다니… 세계 최강국이 조그만 아시아 나라에 지다니….

닉슨의 불행은 1972년 선거전에서 시작되었어. 이른바 '워터게이트사건' 이지.

NIXON '72

닉슨 후보 지지 공화당 버튼

맥거번 후보 지지 민주당 버튼

닉슨의 선거운동을 하던 쿠바인과 전 CIA(중앙정보부) 직원이 민주당 선거 작전실이 있는 워터게이트 건물에 침입

* 호텔과 아파트 복합 빌딩 워터게이트

민주당 선거작전회의를 도청하다가 들통난 사건인데

닉슨은 이를 사전에 알고 있었음에도 1974년 여름까지 공모사실을 강력히 부인했어.

나는 모르는 일이다.

나는 전혀 관련 되지 않았다.

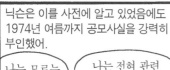

그러나 1973년 6월 23일, 집무실에서 한 그의 말이 녹음되어 공개되었다.

워터게이트 침입은 국가 안보문제이니

연방수사국(FBI)은 이 문제에 끼어들지 못하게 하라!

그는 '워터게이트침입' 사실을 인정 하는 실수를 저지르고 말았던 거지.

* 문제의 발언을 녹음한 녹음기

이 녹음은 곧 언론에 공개되었고, 이른바 '연기뿜는 총(Smoking Gun)'으로 비유되었어.

닉슨을 쏘아 맞추고 아직도 연기가 나는 총.

미국 국민은 경악하고 분노했지. 닉슨은 거짓말을 한 대통령이었거든.

어…!

워터게이트 도청 사건이 나쁜 것보다

대통령이 거짓말 하는 것이 더욱 나쁘다.

의회는 대통령 탄핵을 준비하였고

거짓말하는 대통령은 안 된다!

대통령 자격 없다!

탄핵!

IMPEACHMENT

닉슨에겐 이제 선택만이 남았어.

명예롭게 사임하느냐,

아니면 탄핵당해 쫓겨나느냐….

1974년 8월, 리처드 M. 닉슨은 대통령직을 사임하였으며

＊ 사임을 발표하는 닉슨

제럴드 R. 포드가 그 뒤를 이어 제38대 대통령에 취임했지.

포드는 취임 한 달 뒤 닉슨을 특별 사면하였는데

그에 대한 모든 형사적 책임을 묻지 않도록 사면한다!

닉슨에 대해 대단히 험악했던 당시의 분위기에선 커다란 정치적 모험이었고 결국 재선에 실패하지.

재선 좋아하시네!

뛰어난 수완과 능력, 화려한 외교, 그리고 세계평화를 위해 해빙시대를 연 지도자 닉슨은

해빙

사임 후 죽을 때까지 대부분의 시간을 자신의 명예회복을 위해 노력했고

나는 나의 결백을 주장한다. 진정 나는 깨끗하다!

나는 억울하다!

시간이 흐름에 따라 그의 명예는 정말 다시 빛나기 시작했어.

워터게이트 사건에도 불구하고

그는 역시 능력있는 대통령이었다!

R. M. 닉슨

제럴드 R. 포드 1974~1977

대통령의 도덕성을 회복하다

Gerald Rudolph Ford

공화당, 1913.7.14~

출생지 네브래스카주 오마하Omaha

부 인 엘리자베스 "베티" 블루머 워렌 포드
　　　Elizabeth "Betty" Bloomer Warren Ford
　　　1918~

자 녀 마이클, 존, 스티븐, 수잔

부통령 넬슨 A. 록펠러Nelson A. Rockefeller

제럴드 루돌프 포드는 미국 역사에서 전 대통령의 사임으로 대통령이 된 첫 경우야.

살아서 떠나가는 첫 대통령 뒤를 이어…

사표

그는 성실하고 정직한 인물이었으며

내가 내세울 것은…

정직　성실

미국은 그를 '정직한 대통령' 이미지를 회복한 대통령으로 기억하고 있지.

＊ 닉슨 대통령과 포드 부통령

그러나 그의 임기중 미국 경제는 1930년 경제공황 이래 최악의 상태였고

미국 경제

포드는 나락에 떨어진 미국 경제를 다시 일으키지는 못하였어도

경제를 떠나 대통령의 도덕성과 신뢰를 회복한 점은 크게 인정받아.

포드는 네브래스카주 오마하에서 태어나 접시닦이 등 잡일로 돈을 벌어 미시간대학을 다녔으며

대학 시절 미식축구 선수로 활약했고

* 미식축구 선수 포드(1934)

미시간대를 졸업한 뒤 권투 코치, 미식축구 코치로 아르바이트하며 예일대 법대를 상위 25%로 졸업했어.

코치님, 체육대학 다녀요?

시끄러워!

미식축구 선수로서의 자질도 상당하여 프로구단에서 스카우트 제의가 들어온 적도 있었지.

프로선수로 뛰지 않을래?

싫어요.

잠시 변호사생활을 하다가 2차대전 때 해군으로 참전했고

케네디, 닉슨, 포드

모두 해군장교 출신이네….

미국의 대통령들

1948년에 하원의원에 당선되는 것으로 그의 정치인생은 시작되었다.

HOUSE 하원

성실하고 정직하다는 평판 외에는 별 특징 없는 의원이었던 포드는

곰 같은 친구야 ….

부통령이었던 스피로 애그뉴가 뇌물 사건에 연루되어 사임하게 되자

사퇴

뇌물

닉슨의 지명으로 부통령자리에 오른 인물이야.

별일도 다 있네….

부통령

1974년 8월 9일, 닉슨은 대통령직을 사임했고

본인은 오늘로서 대통령직을 사퇴하고….

그날 포드는 닉슨 '전' 대통령 부부를 헬리콥터에 태워 떠나보낸 뒤

* 닉슨 부부를 떠나보내는 포드

백악관에 돌아와 선서를 하고 미국 제38대 대통령에 취임했어.

꼭 30일 뒤, 포드는 닉슨을 사면하며 국민에게 호소했다.

국민 여러분, 우리의 오랜 국가적 악몽*은 끝났습니다!

* 워터게이트사건

이제 우리는 용서와 우애와 화해의 시대를 열어야 합니다!

그의 말은 모든 미국인이 듣고 싶어하던 것이었지만, 아직 닉슨을 용서하기에는 너무 일렀다.

한 달 만에 사면?

말도 안 돼. 이건 내 편 봐주기라구!

그의 인생철학은 정직과 신뢰였으며

* 애견가 포드

기독교적 신앙으로 약자와 핍박받는 자에 대해 따뜻한 가슴을 지닌 대통령이었어.

취임 직후인 1974년 9월 12일, 그는 흑백차별문제에 대한 조처로

통학버스에서의 흑인과 백인 차별을 금지시켰지.

흑인 전용

백인 전용

이에 불만을 품은 백인 부모들이 등교를 거부하고 폭동까지 일으키자

흑인과 같은 자리에 못 앉는다!

흑백을 분리하라!

와

포드는 군대를 동원하여 통학버스에서 흑인 학생들을 보호하도록 조처했다고.

그런 만큼 백인들 사이에는 포드의 흑백정책에 불만을 품은 자들도 많아서

포드는 흑인만 싸고돈다.

백인들의 권익이 침해되고 있어.

이러다가 흑인세상 되겠다!

1975년 9월 5일에는 캘리포니아의 새크라멘토에서

탕

그리고 그해 9월 22일에는 샌프란시스코에서 그에 대한 저격미수사건이 벌어지기도 했어.

* 저격미수 뒤의 포드와 경호원

포드 정부의 가장 심각한 문제는 역시 경제였어.

1975년 4월, 베트남에서 총성은 멎었지만

베트남
공산통일

베트남전쟁에 마구 퍼부은 전쟁비용으로 미국 경제는 거의 거덜날 지경이었다고.

미국 역사상 전쟁이 아닌 때를 기준으로 삼는다면 최악의 인플레이션을 기록했으며

$~~10.99~~$
$12.99

물가는 상승하고 소비는 침체되고 실업률은 높아만 가는

물가

실업률

소비

악성 스태그플레이션이 계속되어 미국은 1930년 이래 최악의 불경기에 시달리고 있었지.

STAGFLATION
=
STAGNATION
경기침체
+
INFLATION
물가상승

그러나 포드도 다른 모든 대통령들처럼 경제난을 인정하려 들지 않았어.

우리 경제의 기초는 튼튼합니다.

돈이 있는데도 안 풀어 이상한 특별 불경기일 뿐입니다.

돈을 가지고 있고 이익도 많이 내는 대기업들이 경제가 나쁘다고 얘기하는 것은 옳지 않습니다!

전에 없이 좋았던 포드와 의회·언론과의 관계도

계속되는 경제난과 포드의 고집으로 크게 악화되어갔고

대통령이 독선과 아집에 싸여

모든 것을 언론 탓으로만 돌린다!

따가운 여론의 비판에도 불구하고 포드는 경제정책을 바꾸려 하지 않았어.

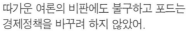

안… 들…려…

당장 잡아야 할 문제가 실업문제와 인플레이션인데 대통령은 요지부동 자신의 고집만 밀어붙이니…!

인플레를 잡기 위해서는 세금을 감면해야 한다는 게 그의 정책이었지만

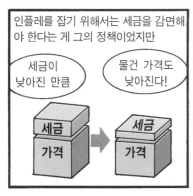

세금이 낮아진 만큼

물건 가격도 낮아진다!

1975년 산더미처럼 쌓인 빚으로 뉴욕시가 파산지경에 이르자

뉴욕NYC

포드는 어쩔 수 없이 뉴욕시의 빚을 갚기 위해 세금인상을 허용했고,

뉴욕NYC

세금인상

포드가 정책을 바꾼 것이냐는 언론의 질문에 비서관 론 네이슨은 재치있게 비껴가기도 했어.

180도 정책을 바꿨나요?

아니요, 포드는 179도만 바꿨지요.

고집스러운 포드의 태도는 의회와도 충돌을 빚었지.

FORD

의회

1973년, 1974년에 일어난 제1차 석유파동(Oil Shock)으로 원유가격이 폭등하자

제1차 OIL SHOCK

포드는 석유가격을 올려 소비를 억제하려 했지만

어이쿠, 석유소비를 줄여야겠네….

석유 가격 인상

의회는 오히려 가격을 내려 포드의 정책을 방해하는 등 충돌이 거듭되어

아니‥!

석유 가격 인하 소비자보호

닉슨이 5년 반 동안 42개의 예산안을 거부한 데 비해 포드는 2년 반 동안 무려 66개를 거부했을 정도야.

수렁에 빠져 허덕이는 경제와 포드의 융통성 없는 정책

그쪽으로 가면 안 된다니까!

미국 경제

그리고 닉슨 사면에 대한 따가운 시선의 불리한 조건에서 포드는 1976년 선거에 뛰어들었고

대 선

공화당 대통령 후보 지명을 놓고 로널드 레이건과 경쟁 1,187 대 1,070으로 후보로 지명돼.

1976년 대통령 후보 지명전

G. R. 포드

R. 레이건

그러나 변화와 쇄신을 원했던 미국 국민은 정치신인 지미 카터 민주당 후보를 선택했어.

비록 2년 반의 짧은 대통령 임기였지만

포드는 해리 트루먼과 같이 정직하고 친절한 보통사람 대통령 시대를 열었지.

부인 베티 포드 여사는 미국인의 큰 사랑을 받은 퍼스트레이디로

* 취임선서하는 포드와 부인 베티

낙태문제와 여성의 권리증진 등을 위해 노력해왔어.

알코올 중독 여성돕기

낙태는 개인의 권리

여성의 권익증진

1974년 자신이 유방암에 걸린 사실을 공개하여 세상을 놀라게 했고….

* 병상의 베티

1982년 설립된 베티포드센터는

마약, 알코올중독자 구제활동을 벌이는 사회사업단체로 선두를 달리고 있다.

포드의 인생철학은 단순했어.

모든 사람은 나쁜 면보다 좋은 면을 더 많이 가지고 있다.

이를 믿고 이해하면 그들과 훨씬 더 잘 어울려 지낼 수 있다.

그런 만큼 그는 융통성도, 잔꾀도 없는 성실한 인물 그 자체였다고 해. 그에 대한 평을 한번 들어볼까?

G. FORD

어느 신문 편집장의 말.

마음은 따뜻하지만

머리는 별로 좋지 않았던 대통령.

린든 B. 존슨 대통령의 포드에 대한 평.

내가 아는 사람 중에서

껌 씹는 것과 방귀 뀌는 것을 동시에 못하는 유일한 사람이다!

질경 질경

뿡

제임스 얼 (지미) 카터 1977~1981

실패한 도덕정치, 평화의 사도로 부활하다

James Earl (Jimmy) Carter

민주당, 1924.10.1~

출생지 조지아주 플레인스 Plains

부 인 엘리너 로잘린 스미스 카터
Eleanor Rosalynn Smith Carter 1927~

자 녀 존, 제임스 얼 3세, 제프리, 에이미

부통령 월터 F. 먼데일 W. F. Mondale

'지미!' '제임스'가 아닌 어린 시절의 친근한 이름

제임스… 딱딱해!

지미! 어머, 귀여워….

이 비형식적이고 열려 있으며 개인적으로 친밀하게 느껴지는 이름은

분명 유권자에게 접근하는 새로운 방법이었어.

어머, 대통령을 친구처럼 부를 수 있다니…

오빠!

마치 옆집 아저씨 같아!

유권자들이 당황하며 '지미가 누구냐'고 물었을 정도의 정치신인이

Jimmy who? 지미가 누구야?

Carter, who? 카터가 누구야?

간발의 차이로 현직 대통령을 누른 첫 시골 남부 출신 대통령

조지아주의 땅콩농장주인 지미 카터였다.

제임스 얼 카터는 1924년 조지아주 플레인스에서 태어난 남부인이야. 아버지는 농부였고 어머니는 간호사였어.

* 1937년의 카터

해군사관학교에 입학하여 820명 중 59등으로 졸업, 임관하였다가

카터 소위, 공부는 꽤 잘했군.

1953년 아버지가 세상을 떠나자 조지아로 돌아와 군복을 벗고 땅콩농장 경영을 시작, 성공했지.

* 1946년 졸업한 해 로잘린과 결혼

그는 개방적 사고를 지녔으며 특히 인종문제엔 더욱 그러했어.

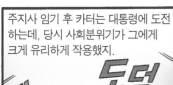

미국 시민은 피부색이나 인종으로 차별받아서는 안 된다.

우리 어머니가 내게 가르쳐 주신 거야.

민주당에 입당한 카터는 1962년 이후 조지아주 상원의원을 두 번 지냈으나

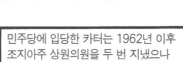

주지사

하나 둘

상원의원

1966년 주지사 선거에서 낙선하고 차기에 재도전하여 당선되었다.

1966   1970

주지사 임기 후 카터는 대통령에 도전하는데, 당시 사회분위기가 그에게 크게 유리하게 작용했지.

진실   도덕   투명

워터게이트사건 이래 미국은 깨끗하고 도덕적인 정치를 갈망하였으며

깨끗한 정치!

도덕성 회복!

정치 윤리!

와   와

바닥으로 추락한 경제와 어수선한 사회는 변화와 개혁을 요구하고 있었던 거야.

이러한 미국 사회의 정직하고 열린 정부에 대한 소망은

이대로는 안 된다.

미국은 변해야 한다!

변화와 개혁!

USA

도덕과 개혁, 그리고 인권을 들고 나선 지미 카터에게서 신선한 대안을 찾았고

도덕   개혁   인권

정치신인 지미 카터 열풍은 현직 대통령 포드의 바람을 잠재우기에 충분했어.

1976년 선거결과	
민주당	공화당
J. E. 카터	G. R. 포드
40,830,763	39,147,793
297	240

득표수

선거인단수

주지사 시절의 카터는 대대적인 개혁을 약속했고

행정기관 개편

흑인에게도 공직을!

광범위한 인재등용

지미의 약속

이 개혁시도는 부분적으로 성공하기도 했지만 지나친 개혁 위주의 정책에 지지도는 차츰 떨어졌는데

개혁타령 그만하고 민생도 좀 챙겨라!

개혁

이런 문제는 그가 백악관의 주인이 된 뒤에도 그대로 반복되었던 거야.

개혁, 개혁 개혁!

지겨워… 개혁은 자기 혼자 하나…?

근소한 차이로 승리하였지만 카터는 취임 후 야심찬 계획을 실천에 옮겨갔고

개혁과제

백악관

1년 뒤의 그의 인기는 대단할 만큼 치솟아올라 국민들이 그에게 거는 기대가 얼마나 큰지를 증명했어.

카터 와 카터 짱 카바바!

카터는 베트남전 징집기피자들을 사면하고

이미 끝난 전쟁에 더 이상 매달리지 말자!

사면

댕큐

에너지문제를 다루는 내각 수준의 기구를 신설, 에너지 담당자를 장관급으로 격상시켰으며

장관급

ENERGY 에너지 담당부

석유파동 이후 에너지의 중요성은 백번 강조해도 지나치지 않다!

미국 외교의 원칙을 '인권'에 맞춰

인권

이른바 미국의 '도덕외교' 시대의 막을 열었지.

언제부터 미국이 도덕군자가 됐지?

인권

분쟁대상이었던 파나마운하를 원주민인 파나마 정부에 이양했으며

파나마 운하

중국과 전면외교를 개시하고

* 1980년 중국과의 외교협정

소련과 SALT II 협약을 맺어 세계평화 정착을 위해 노력했다.

Strategic
Arms
Limitation
Talks

전략무기제한협정

USA

그러나 의회는 SALT Ⅱ와 에너지 문제를 거부하였으며

누구 맘대로?

에너지부

SALT Ⅱ

의회

장담한 것과 달리 인플레가 날로 심해지고 실업자가 늘어나기만 하자

현실

인플레 · 실업률

약속

미국 국민들은 열광하던 눈에서 점점 의심스러운 눈으로 카터를 바라보기 시작했다고.

혹시나 했더니….

역시나 아냐?

더구나 광범위한 인재등용이라는 약속이 당내 전문가들을 활용하는 것이 아니라

더 넓은 호수에서….

기존 인재호(湖)

고향친구, 개인친구 등 인맥중심의 '끼리끼리정치'임이 드러나면서

정실호(湖)

인맥호(湖)

코드호(湖)

민주당 내에서 카터를 바라보는 눈이 날로 거칠어져갈 수밖에 없었어.

뭐야, 기껏 대통령 만들어 줬더니

주요 자리를 주변에게 나눠주고

정작 당은 무시해?

이런 와중에 1978년 카터는 불가능할 것 같은 기적을 이루어내는 데 성공했다.

이집트의 사다트 대통령과 이스라엘의 베긴 수상을 캠프 데이비드로 불러

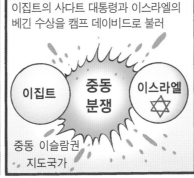

이집트

중동 분쟁

이스라엘

중동 이슬람권 지도국가

카터의 중재 아래 평화조약에 조인케 함으로써 중동평화에 크게 기여한 거지.

* 사다트 대통령(왼쪽)과 베긴 수상(오른쪽)

이런 외교적 대성과에도 카터의 능력에 대한 국민의 의심이 가시지 않던 차에

어때, 잘했지? 나 대단하지?

1979년 11월 4일, 이란 시아파가 미국 대사관을 점령하는 사건이 터지고

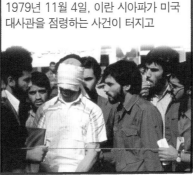

미국에 대한 이란의 도전에 쩔쩔매는 모습은 카터의 무능을 그대로 드러내는 결과가 되었어.

지둥

허둥

엎친 데 덮친 격으로 1979년 12월 소련군이 아프가니스탄을 침공하여 미·소관계가 급격히 악화되었어.

* 아프가니스탄 저항군

1980년 모스크바 올림픽을 보이콧하여 카터는 스포츠를 정치와 연결시켰다는 비난을 받았으며

거부

1980

스포츠가 정치와 무슨 상관이라고 …

SALT II 협상도 중단하여 세계평화에 먹구름이 끼였지.

SALT II 협상중단

아예 신경질 외교로 나오는군!

지미 카터의 문제는 여론에 귀를 기울이지 않고

현실을 직시하라!

이상에 너무 치우치지 마라!

여론에 귀를 열라!

독불장군이냐?

자신의 도덕성만 내세워 현실성 없는 개혁에 집착하면서도

나는 옳다!

내가 뭘 잘못하고 있다는 거냐?

개혁은 중단없이 계속되어야…

당면한 국내·해외문제에는 속수무책으로 무능을 드러내

카터 행정부의 문제는 도덕적 우월성을 앞세운 정치초년생들이

무능력한 자신을 모르고 개혁에 집착한다는 것이다!

결국 1980년 선거에서 국민들의 버림을 받고 말았던 거라고.

당신에겐 백악관보다 땅콩농장이 더 어울려!

백악관

1981년 레이건 제40대 대통령 취임과 동시에 이란은 미국 인질들을 전격적으로 석방하였는데

미국인 인질

이를 두고 강경한 레이건에게 겁을 먹은 호메이니가 굴복한 것이라고 오해하지만

레이건에게 언어터질까 봐 그랬지?

사실은 미국 내에 묶여 있던 수십 억 달러의 이란 재산을 풀어준다는 카터의 결정 때문이었으니

교환

미국인 인질

미국 내 이란 재산 $

이란문제는 결국 카터가 해결한 거였지.

경제와 이란문제에 발목이 잡혔지만…

그러나 미국인의 버림을 받은 지미 카터는 퇴임 후에 평화의 사도로 다시 태어난다.

은퇴 후 평화촉진, 공정선거, 인권문제 등으로 큰 활약을 계속하였고

저분 정열은 알아줘야 해…

사랑의 집짓기 운동을 벌이는 것으로도 큰 존경을 받고 있어.

한반도 평화에도 큰 관심을 가진 카터는

자칫하면 한반도에서 전쟁이 터질지도 모른다….

1994년 6월 북한을 방문하여

평양

김일성 주석에게 김영삼 대통령의 친서를 전달하고

북한의 핵폐기에 의견일치를 보는 등 한반도 평화정착에 기여했지.

북한 핵개발 중단

경수로 발전 시설 보상

합의

이러한 다양한 평화적 활동으로 그는 2002년 노벨 평화상을 수상하였어.

Nobel Prize

PEACE 2002

JIMMY CARTER

USA

도덕정치와 준비 안 된 개혁으로 현실정치에서 실패한 대통령

쿵작

도덕정치

개혁

쿵작

그리하여 미국인의 버림을 받고 백악관을 떠난 지미 카터는

시끄러쉬!

제대로 할 줄도 모르면서

상냥함과 열정, 그리고 따뜻함으로

미국 정치가의 최고의 표본으로 세계 속에 우뚝 섰으며

그런 지도자가 미국에도 있었네.

힘으로 밀어붙일 줄만 알던 미국이었는데!

퇴임 후에 세계적인 지도자로 존경받는 특별한 인물이야.

로널드 W. 레이건 1981~1989

공산주의 붕괴를 주도하라!

Ronald Reagan

Ronald Wilson Reagan

공화당, 1911.2.6~2004.6.5
출생지 일리노이주 탐피코Tampico
부 인 1. 제인 와이먼 레이건Jane Wyman
　　　　Reagan 1914~
　　 2. 낸시 데이비스 레이건Nancy Davis
　　　　Reagan 1923~
자 녀 모린, 마이클, 패트리샤, 로널드
부통령 조지 H. W. 부시G. H. W. Bush

로널드 윌슨 레이건은 역대 대통령 중 몇 가지 진기한 기록을 지니고 있어.

* 1980년 대통령 선거 배지

그의 전 직업이 영화배우라는 것,

컷!

역대 대통령 가운데 최고령(70세)으로 백악관에 입성했다는 것,

당신은 너무 나이 많아서 안 돼!

레이건은 70에 대통령 취임했어!

사상 첫 이혼 경력이 있는 대통령이라는 것이지.

별거한 대통령은 있어도….

아직까지는 이혼을 죄처럼 여기던 시대라….

이혼

그는 또 공산국가들, 특히 소련에 초강경압박정책을 펴

공산국가

공산주의가 허물어지는 데 결정적인 역할을 해 이념대립의 시대에 종지부를 찍게 만든 인물이야.

우르르르

공산국가

레이건은 일리노이주 탐피코에서 알코올중독자이자 구두 세일즈맨인 잭 레이건의 아들로 태어났다.

론,* 너도 구두 사러 왔니?

딸꾹

또 취하셨군….

* Ron: 로널드의 애칭

그는 디모인에서 라디오 아나운서로 사회생활을 시작했고

* Des Moines 아나운서 레이건

1937년 할리우드의 영화기획사에 발탁되어 'King of the B's' 라는 영화 등 52편의 영화에 출연했지.

탕 탕 탕

레디~ 고!

그러나 주연은 한 번도 맡아보지 못한 2류 배우였다고.

* 영화배우 레이건

1940년대 민주당에 입당한 그는 연기보다 정치에 더 훌륭한 솜씨를 발휘하여

레이건 씨, 당신은 정치 쪽이 더 적성에 맞는 듯하군요.

1947년에는 배우협회 회장을 맡았는데

미 국 배우협회 Association of the Actors

회장

1950년대 반공보수의 물결이 할리우드에도 밀어닥치자

반공·보수

HOLLYWOOD

그는 연방수사국(FBI)에 배우들의 사상을 보고하는 역할을 맡기도 했어.

저 친구 사회주의자 아닌가?

FBI 프락치 짓하네!

레이건은 1949년 제인 와이먼과 이혼하고 1952년 낸시 데이비스와 재혼

2004년 그가 세상을 떠날 때까지 50여 년 동안 행복한 결혼생활을 했지.

2004 JUNE 5 SAT

오, 론! 편히 쉬세요!

그러나 자녀들과는 사이가 좋지 않아 별로 왕래하지 않았어.

왜 자식들과 사이가…?

정치에 온통 정신 뺏긴 아빠가 자식 제대로 돌봤겠어?

민주당을 탈당하고 공화당으로 옮긴 그는 1964년 대통령 후보 배리 골드워터의 연설문을 작성하여 주목을 받기 시작했다.

나는 보수주의자라 당을 바꾼다!

민주당 Democrats

공화당 Republicans

공화당의 지원으로 1966년 캘리포니아 주지사에 당선된 레이건은 대권의 꿈을 꿔.

이제는 백악관이다!

REAGAN GOVERNOR

CALIFORNIA

1968년, 1976년 공화당 대통령 후보 지명에 도전했으나 닉슨, 포드에게 패하고

닉슨

포드

1980년 세번째 도전하여 드디어 후보 지명에 성공했지.

삼세번, 칠전팔기!

짠!

1980년 미국의 분위기는 극도로 침체되어 있었어.

질질 끌어온 이란사태 등 미국인은 외교에 큰 좌절감을 느끼고 있었고

이란에게 저렇게 수모를 당하다니…

국내 경제는 장기간의 스태그플레이션, 실업률 증가로 엉망이었거든.

스태그네이션 Stagnation · (경기침체) 인데도
+
인플레이션 Inflation · (물가상승) 하는 현상

스태그플레이션

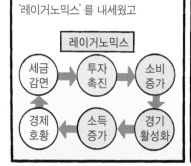

이때 스타 출신 레이건 후보는 위축된 카터 시대의 미국에 '강한 미국' 이라는 청사진을 들고 나섰던 거야.

STRONG AMERIC

USA

그는 미국 정부를 재편한다고 약속했고

크고 비효율적인 정부

작고 효율적인 정부

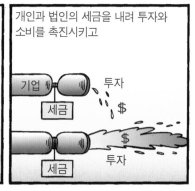

개인과 법인의 세금을 내려 투자와 소비를 촉진시키고

기업 · 세금 · 투자 · $

세금 · $ · 투자

생산성을 향상시킨다는 이른바 '레이거노믹스' 를 내세웠고

레이거노믹스

세금 감면 → 투자 촉진 → 소비 증가
↑ · ↓
경제 호황 ← 소득 증가 ← 경기 활성화

도덕정치를 내세웠다가 쩔쩔매기만 하는 카터에 화가 난 미국인들에게 '강한 외교' 를 주장하여

힘의 외교

도덕정치

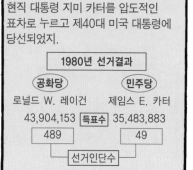

현직 대통령 지미 카터를 압도적인 표차로 누르고 제40대 미국 대통령에 당선되었지.

1980년 선거결과	
공화당	민주당
로널드 W. 레이건	제임스 E. 카터
43,904,153 득표수 35,483,883	
489	49
선거인단수	

레이건의 경제정책, 레이거노믹스는 얼핏 듣기에는 대단히 인상적이었지만 상당 부분 실행이 불가능한 것이었고

시행 초기엔 인플레가 진정되고 실업자가 감소하는 듯하였지만

레이거노믹스

진통제를 놓으면 일단은….

미국 경제

레이거노믹스의 핵심인 감세정책 자체가 빈민들보다는 중상류층에게 혜택이 주로 돌아갔기 때문에

감세혜택 $

감세혜택

레이건 재임 기간 빈민층에게는 오히려 혜택이 줄어 최저생활 빈민층이 크게 늘어났지.

빈부격차

경제의 가위

또 세금은 내렸는데 국가수입이 늘어날 데가 없다 보니

비는 오지 않고….

세금감면 $

국가는 국가대로 빚이 눈덩이처럼 불고

이렇게라도….

빚 (채권발행)

$

수출보다 수입이 엄청나게 많아서

MADE IN USA

수출

수입 무역적자

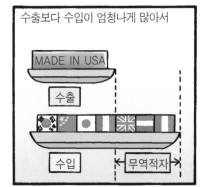

재정적자, 경상적자라는 쌍둥이 적자로 미국 경제는 깊은 수렁에 빠져들어갔어.

$ 재정적자

경상적자

세금으로 부족한 돈 빚(채권) 얻어서

무역에서 수출보다 수입이 많아서

그럼에도 1983년 이후에는 세계적인 경기 회복 덕으로 어느 정도 나아져

세계경기

1983

비록 미국의 국가 빚은 9억 달러에서 레이건 시대에 2조 7,000억 달러로 천문학적으로 늘었지만

$ 2,700,000,000,000

국가 빚

9억$

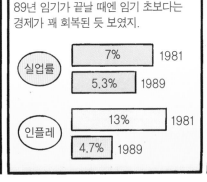

89년 임기가 끝날 때엔 임기 초보다는 경제가 꽤 회복된 듯 보였지.

실업률	7%	1981
	5.3%	1989
인플레	13%	1981
	4.7%	1989

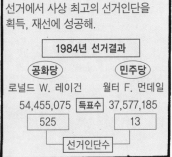

레이건의 인기는 치솟아 1984년 선거에서 사상 최고의 선거인단을 획득, 재선에 성공해.

1984년 선거결과

공화당		민주당
로널드 W. 레이건		월터 F. 먼데일
54,455,075	득표수	37,577,185
525		13
	선거인단수	

레이건의 외교는 공산권에 대한 강경 일변도였지.

소련을 '악의 소굴' 이라고 부르며 가혹한 공격을 했고

너희는 악의 소굴 이다!

스타워즈(Star Wars)라고 불리는 MD(미사일방어전략)을 발표해 우주전 시대가 열림을 알렸어.

서도이칠란트에 퍼싱Ⅱ 핵미사일을 설치 하는 등 세계가 미·소충돌을 우려했지만

이쯤 되면 막 가자는 얘기지?

서도이칠란트   공산권

1985년 소련 공산당 서기장 고르바초프 의 등장과 그의 개방·개혁정책은

페레스트로이카 개혁 글라스노스트 개방

미·소관계에 극적인 전환점이 되었지.

고르비 짱!   따바라쉬 (친구) 론!

1985년부터 1988년 사이에 양국 정상은 5번이나 만나 군비축소문제에 획기적인 진전을 보았어.

특히 1987년 12월 8일 두 정상이 조인한 중거리핵탄두 파기는 세계가 깜짝 놀란 큰 사건이었지

우…우째 이런 일이?!

허걱

미·소 중거리핵탄두 파기

그의 강경한 통치 스타일은 그가 취임한 직후 벌어진 전국 항공파업에 대한 대처에서도 잘 드러나는데

STRIKE

파업에 가담한 조종사, 관제사 등 1만 2,000여 명을 가차없이 해고했다고.

전원해고!

레이건은 참으로 숱한 일화를 남겼어. 1981년 3월 30일, 괴한의 총격으로 암살될 뻔했는데

응급차로 병원에 실려가면서도 의사 에게 농담하는 것을 잊지 않았지.

당신이 공화당원 이기를….

레이건은 복잡하고 이해하기 어려운 인물로 알려져 있어.

간혹 지나친 무지로 주변을 곤혹스럽게 만들기도 했고

아프가니스탄?

아프리카 댄스인가?

가.. 각하!

한 문단 이상의 글을 써본 적이 없을 정도로 읽고 쓰는 것과 담쌓고 지낸 대통령이었지.

읽고 쓰는 건 안 한 지 몇십 년이나 돼서… 보좌진이 써준 것만 읽었지.

정책토론에 참가해서도 도무지 관심을 보이지 않았고

쿨리지처럼 회의에서 자주 존 것으로도 입방아에 많이 올랐어.

고령의 대통령이라서 그런지 휴가도 많이 즐겼고

대중연설중에 엉뚱한 실수를 많이 해 보좌관들을 당황하게 만들곤 했지.

1989년 1월 백악관을 떠난 78세의 노대통령은 캘리포니아로 돌아왔고

Washington

1994년 부인 낸시 여사는 그가 알츠하이머병과 싸우고 있음을 공식 발표, 미국인들을 안타깝게 했어.

아니, 론이…!

어머, 어머!

로널드 레이건은 2004년 6월 5일 미국인들의 깊은 애도 속에 93세를 일기로 세상을 떠났다.

낮은 세금, 강한 군대, 공산주의 약화로 압축할 수 있는 그의 정책은 더욱 강력한 미국 건설을 이끌었고, 그는

20세기를 얼룩지게 한 끈질긴 동서이념 대립에 종지부를 찍고 공산주의 붕괴를 주도한 대통령으로 기억될 거야.

조지 H. W. 부시 1989~1993

새로운 세계질서의 시대를 열다

이라크

걸프전

George Herbert Walker Bush

공화당, 1924.6.12~

출생지 매사추세츠주 밀턴Milton

부 인 바버라 피어스 부시Barbara Pierce Bush 1925~

자 녀 조지, 로빈, 존, 닐, 마빈, 도로시

부통령 댄 퀘일J. D. Quayle

조지 허버트 워커 부시는 마틴 밴 뷰런 (제8대: 1837~1841) 이래

George Herbert Walker Bush

부통령을 지내고 이어 선거로 대통령이 된 첫 경우이다.

150년 만에 처음!

부통령　선거　대통령

다른 부통령들은 대통령직을 부통령 때 넘겨받았거나 닉슨처럼 낙선했다가 나중에 대통령에 당선된 경우들이야.

승계

```
10. 타일러
13. 필모어
17. A. 존슨
21. 아서
26. T. 루스벨트
30. 쿨리지
33. 트루먼
36. L. 존슨
38. 포드
```

그의 대통령 당선이 많은 사람들에게 의외였던 것은

어… 부시가 당선됐어?

BUSH PRESIDENT!

전임자 레이건의 인기는 높았지만 쌍둥이 적자, 마약, 환경오염문제로 정권이 민주당으로 넘어갈 듯했기 때문이지.

쌍둥이 적자　마약　범죄　환경　공화당

그러나 부시는 이런 예상을 뒤엎고 1988년 선거에서 손쉽게 승리했어.

1988년 선거결과	
공화당	민주당
조지 H. W. 부시	마이클 S. 듀카키스
48,886,097	41,809,074
426	111

득표수

선거인단수

부시는 영국 윌리엄 왕가의 후손*으로 전형적인 동부 뉴잉글랜드 지방의 귀족적인 가문 출신이며

유서 깊은 명문가문!

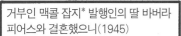

영국 윌리엄 왕가	
새뮤얼 부시(조부)	철강업자
프레스콧 부시(부)	코네티컷주 상원의원
조지 H. W. 부시	41대 대통령

* 버크족보연감(Burke's Peerage)

철강산업 재력가인 새뮤얼 부시를 조부로, 코네티컷주 상원의원이자 은행가인 프레스콧 부시를 아버지로 두었어.

* 1930년, 6세 때의 부시

거기에 명문 귀족학교인 필립스앤도버 아카데미를 졸업하고

상류층 자녀만 다니는 학교죠.

Phillips
Andover
Academy
(1942년 졸업)

거부인 맥콜 잡지* 발행인의 딸 바버라 피어스와 결혼했으니 (1945)

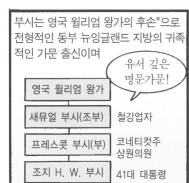

* McCalls Magazine

한마디로 미국 최고의 가문, 재산, 학벌, 인맥 등 모든 것을 지닌 행운아인 셈이지.

Perfect(완벽)!

재산 $
가문
학벌
인맥

2차대전 때엔 미해군에 입대, 전투기 조종사로 58회나 전투에 참여하여

무공훈장을 3개나 받은 용감한 전사이기도 했다.

2차대전 뒤 해군 출신 대통령

35대 J. F. 케네디
37대 R. M. 닉슨
39대 J. 카터
41대 G. H. W. 부시

전쟁이 끝난 뒤 학교로 돌아와 1948년 예일대학에서 경제학을 전공하고

많은 미국 대통령을 배출한 대학.

YALE
UNIV.

당시 거세게 불던 유전개발붐에 편승, 텍사스로 가 석유사업에 뛰어들었어.

사업에서 성공한 후 50년대 초 석유회사를 설립하고 회장이 되어 막대한 재산가가 되었지.

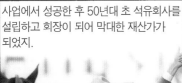

* 텍사스맨 부시

가문, 재산, 경력, 학벌, 인맥 등 완벽에 가까운 조건 속에서 그는 1960년 정치에 투신

이제 마지막으로 가질 것은 '권력'이다!

워싱턴 D. C.

1964년 상원의원에 도전하였으나 실패로 끝나고 말았다고.

부시는 석유사업에서 손을 떼고 정치에 전념, 1966년 하원의원에 당선되었고

1966년 당선

1968년 당선

닉슨, 포드 정부에서 능력을 인정받아 중요한 공직을 두루 거쳤지.

UN 대사 → 중국 대사 → CIA 국장

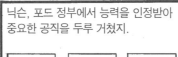
* 닉슨과 부시

1980년 대통령 후보 지명전에 나서 레이건에게 패배했지만

레이건의 제안을 받아들여 부통령 후보를 수락, 1980년과 1984년 두 번에 걸쳐 부통령에 당선됐어.

부통령을 맡아 주시게.

1988년 선거에서 부시는 예상 외로 대통령에 당선되었고

민주당 후보
듀카키스

국민들은 그가 과연 어떤 대통령일까, 불안한 눈으로 지켜보았지.

귀공자풍의 연약해 보이는 부시가 제대로 할까?

왠지 불안해 보여요.

그의 첫 시련은 1989년 12월 파나마 대통령 마누엘 노리에가의 미국에 대한 도전이었다.

PANAMA

마약중개에 손을 대고 있던 노리에가가 마약퇴치를 위해 파견된 미국 군인을 살해, 미국에 정면으로 도전한 거야.

타 타타타
타
타 타

이에 부시는 단호하게 미군에게 파나마 침공 명령을 내렸고

미군은 48시간도 안 돼 파나마를 점령, 1990년 1월 3일 노리에가를 체포하여 미국으로 압송하고 재판대에 세웠어.

주권국가를 침범하여 국가 지도자를 체포했다는 국제 비판여론에도 불구하고

주권국가 지도자를 멋대로 체포 납치하니, 이건 지나친 횡포가 아닌가?

와글 와글

부시는 그의 단호함을 미국과 세계에 분명히 보여줬지.

미국민에게 마약을 공급하는 자, 이를 막으려는 미군을 살해한 자는 그 누구라도 절대 용서하지 못한다!

부시에게 정작 큰 시련은 1990년 8월 이라크의 쿠웨이트 침공이었어.

쿠웨이트

석유자원 확보와 중동에서의 주도권을 노린 이라크의 사담 후세인 대통령은 쿠웨이트를 무력 점령했고

여긴 우리 꺼야!

쿠웨이트

부시는 연합군을 구성하여 '사막의 방패' 작전으로 동맹조직을 구성하고

미국이 주축이 되어 다국적군 구성!

어… 생각보다 부시가 세게 나오네….

1991년 1월 17일 대대적인 '사막의 폭풍' 작전으로 이라크를 공격, 걸프 전쟁이 시작되었지.

콰

이 전쟁은 현대 무기의 우수함과 위력을 아낌없이 과시한 전쟁으로

사담 후세인의 야욕을 꺾고 걸프전쟁은 미국과 연합군의 일방적인 승리로 끝났어.

1991년 1월 17일 바그다드 공습으로 개전	→	1991년 2월 28일 미국 종전선언

전사자	
연합군	125명
이라크군	5~10만여 명

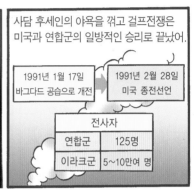

이러한 부시의 외교적 성공과 승전은 그의 능력에서 비롯된 것이라기보다는

* 폴란드를 방문한 부시

미국을 견제할 수 있는 유일한 존재인 소련이

그렇게 혼자 설치면 안 되지!

동구권 몰락 와중에 혼란에 빠져 무기력해진 상황 덕이었다는 평가도 많아.

동 구 권 몰 락

부시 재임시 세계는 엄청난 변혁을 겪는다.

우당탕탕

헝가리를 신호탄으로 동구권 공산국가들이 차례로 무너지고

헝가리 / 체코슬로바키아 / 폴란드 / 동도이칠란트

1989년 11월 베를린장벽이 무너지는 등, 공산주의는 비참한 종말을 고했지.

비록 레이건 시대부터 동구 공산권의 몰락 조짐이 보였지만

부시야말로 그 현상의 원인이자 이데올로기전쟁의 승리자이기도 했지.

BYE!

BYE!

쿵

그러나 그는 기쁨을 자제했어.

내가 춤을 추고 기뻐해보라. 소련 군대를 자극해 남은 휘발유에 불을 붙였을 것이다!

♪ ♪

←표정관리중

1990년 10월 3일, 도이칠란트는 감격적인 통일을 달성했어.

박물관으로 ….

반면에 부시는 1989년 6월, 국민의 개혁 요구를 탱크로 뭉갠 중국의 천안문사태에

자유! 민주!

쿠르르르

눈을 감고 모른 척하여 국제사회의 맹렬한 비난을 받기도 했어.

미국이 입만 열면 외치는 '인권' 은 어디 갔나? 민주화 거부하는 중국에 미국 이익 때문에 입 다물고 있다!

와글 와글

임기 말이 다가오면서 부시는 점점 궁지에 몰리기 시작했지.

어.. 어… 어…

걸프전의 승리로 국민들의 지지도는 무려 89%로 압도적이었으나

국민지지도

♪

89%

인플레와 실업 등 경제문제는 전혀 호전되지 않아 부시 재선에 먹구름을 드리웠고

인플레

실업

문제

경제

재선

레이건이 2조 7,000억 달러나 되는 빚을 부시에게 떠넘김으로써

난 믿고 떠나네.

$ 2,700,000,000,000 국가부채

부시는 도저히 그 엄청난 빚을 감당하지 못하고 레이건이 세금을 올리지 않겠다고 한 약속을 깨고

레이거노믹스

세금감면

세금인상 절대 없음

세금을 올림으로써 부시에 대한 국민들의 지지도는 싸늘하게 식어버리고 말았어.

I'm sorry.

세금 인상

1992년 선거에서 걸프전을 승리로 이끈 부시는 경제문제로 발목을 잡혀

아칸소 주지사 출신 빌 클린턴에게 패배하고 말았어.

빌 클린턴이 선거전에서 경제문제를 강조하여 큰 인기몰이를 했듯

문제는 경제야 이 바보야!

냉전이 끝난 시대의 미국 국민들은 부시가 강조하던 '신세계질서' 보다는

냉전종식! 동구권 몰락!

미국이 주도하는 새로운 세계 창조!

신세계질서

풍요로운 돈지갑을 선택했던 거지.

그렇게 거창하고 엄숙한 건 잘 몰라.

당장 더욱 푸짐한 식탁이 중요 하다구.

은퇴 뒤에 부시는 조용하고 행복한 가정생활을 누리고 있는데

* 손자들과 부시 부부

클린턴에게 패배한 직후에도 갤럽조사에서는 부시와 바버라 여사가 '가장 존경스러운 인물' 로 나타났어.

그만큼 부시 부부는 미국인의 호감을 사는 인물이고

조지! 와 바버라! 와

특히 바버라 여사는 가장 훌륭한 어머니의 상징처럼 전 미국인의 사랑을 받는 분이야.

조지 W. 부시 대통령이 43대 대통령에 당선되고, 2004년 재선에 성공한 데에는

2004

보이지 않는 바버라 여사의 어머니로서의 역할이 엄청난 힘을 발휘한 것이 하나의 성공요인으로 작용했다고 할 수 있겠지.

바버라♡

그 '위대한 어머니의 힘' 이 미국 역사에서 두번째 부자(父子) 대통령, 재선에 성공한 첫 아들 대통령을 탄생시킨 거야.

윌리엄 제퍼슨 (빌) 클린턴 1993~2001

경제호황 시대의 행복한 대통령

William Jefferson (Bill) Clinton

민주당, 1946.8.19~

출생지 아칸소주 호프 Hope

부 인 힐러리 로댐 Hillary Rodham 1947~

자 녀 첼시아

부통령 앨버트 고어 A. Gore Jr.

윌리엄 제퍼슨 블라이드 4세* 즉 빌 클린턴은 베이비붐 세대 첫 대통령이며

베이비붐 (Baby Boom) 세대는

2차대전 끝난 뒤에 태어난 첫 세대죠.

출산율

1945년(2차대전 종전)

* William Jefferson Blythe Ⅳ

BB세대의 가치관과 기호가 반영된 새로운 스타일의 정치시대의 개막이었어.

클린턴은 미국 최고 번영기의 지도자였고

* 보스니아를 방문한 클린턴(1996)

미국이 세계 유일의 초강대국이 된 시대를 이끈 지도자로 기록될 거야.

또한 그를 끊임없이 괴롭힌 여러 가지 스캔들에도 불구하고

모니카 르윈스키 스캔들

화이트워터 스캔들

폴라 존스 사건

스캔들

경제사상 최고의 호황을 누리던 시대의 행복한 대통령이었지.

뉴욕증시 최고기록 경신 15,000pt 돌파

디지털혁명 가속 실리콘밸리 중심

IT산업 주가폭등

빌 클린턴은 아칸소주 호프에서 버지니아 캐시디 블라이드의 아들로 태어났어.

* 14세의 클린턴(왼쪽)과 어머니(1960)

그의 아버지는 그가 태어나기 두 달 전 교통사고로 세상을 떠나 친아버지는 얼굴조차 보지 못했고

무심한 양반….

4년 뒤에 어머니가 자동차판매상이자 알코올중독자인 로저 클린턴과 재혼, 양부의 이름인 클린턴을 얻었지.

네 성은 이제부터 클린턴인기라, 알간?

그는 어린 시절을 섹스와 범죄가 들끓는 핫스프링스*에서 불우하게 보냈는데

* Hot Springs

가난하던 어린 시절에 끼니를 때우던 햄버거 등 패스트푸드는 지금도 그가 가장 즐기는 음식이야.

그는 고등학생 시절부터 정치에 깊은 관심을 보였고

* 케네디와 만난 클린턴(1963)

원싱턴 D.C.의 조지타운대학에 진학한 뒤

아칸소의 촌뜨기, 수도에 입성하다….

Georgetown University Washington D.C.

2년 뒤엔 2년간 영국 옥스퍼드대학에 장학생으로 유학간다(1968~1970).

옥스퍼드

베트남전쟁이 한창이던 이때 장학생 신분을 이용하여 병역을 기피했다는 논란이 두고두고 그를 괴롭혔지.

남들은 베트남에서 죽어가는데….

유학 핑계대고 병역이나 기피하고….

영국에서 돌아온 그는 예일대학 법률학교에 입학, 1973년 졸업하고 법학박사학위를 받는데

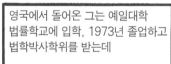

조지타운대

옥스퍼드대(유학)

예일대(로스쿨)

법학박사

이때 부인 힐러리 로댐*을 만나 1975년 결혼했다.

* Hillary Rodham

아칸소에 돌아와 대학에서 잠시 교편을 잡았다가 아칸소주 검찰총장이 되었고

30세의 검찰총장이면 상당히 빠르죠?

검찰총장 W. 클린턴

1978년 32세의 나이로 아칸소 주지사에 선출되어 전 미국 최연소 주지사 기록을 세웠어.

32세의 주지사

전 미국 최연소 기록

1980년 주지사 선거에 낙선했지만 1982년부터 1992년까지 주지사를 지낸 경력을 바탕으로

아칸소 주지사

| 1982 | 1984 | 1986 | 1990 |

1992년 대통령 선거에서 민주당 후보로 조지 부시 대통령에게 도전하였다.

* 선거운동중의 클린턴

지지도 89%라는 높은 인기에도 불구하고 무소속 대통령 후보 로스 페로가 19%나 부시표를 잠식하는 바람에

로스 페로

19,741,657표
공화당 지지자

와삭

와삭

클린턴은 불과 43%의 득표로 현역 부시를 누르고 대통령에 당선될 수 있었어.

1992년 선거결과		
민주당		**공화당**
윌리엄 J. 클린턴		조지 H. W. 부시
44,909,326	득표수	39,103,882
370		168
	선거인단수	

'턱걸이'로 대통령에 당선되었지만 클린턴은 정말 행운의 사나이였던 것이

당선!

디지털혁명이 진행되면서 IT산업을 중심으로 주가가 유례없이 폭등하는 등 미국 경제가 호황을 누리고

미국 경제

디지털혁명

미국을 따라잡는다던 일본이 경제의 거품이 꺼지면서 장기침체에 들어가자

핵 핵 핵 핵

USA

미국은 가히 정치, 경제, 문화 등 모든 면에서 명실공히 세계를 이끄는 확실한 선두국가로 자리매김했던 거야.

1

USA

1996년의 중간선거에서 승리한 공화당이 의회를 장악했고

공화

의회

민주당

이때부터 클린턴은 사생활로 인해 끊임없이 의회의 공격을 받았으며

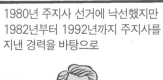

화이트워터게이트란 부동산 스캔들로 고통받아야 했어.

* 화이트워터게이트를 풍자한 신문만화

1996년의 대통령 선거는 49%라는 지극히 저조한 투표율에도 불구하고

투표하러 안 가?

경제 제대로 굴러가는데 놀러나 가야지.

경제호황 덕에 클린턴은 가볍게 재선에 성공할 수 있었으며

1996년 선거결과

민주당		공화당
윌리엄 J. 클린턴		로버트 J. 돌
47,402,357	득표수	39,198,755
379		159
	선거인단수	

프랭클린 D. 루스벨트 이후 선거로 재선에 성공한 첫 민주당 대통령이 되었지.

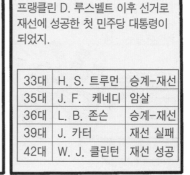

33대	H. S. 트루먼	승계–재선
35대	J. F. 케네디	암살
36대	L. B. 존슨	승계–재선
39대	J. 카터	재선 실패
42대	W. J. 클린턴	재선 성공

그가 대통령이 된 뒤 IT산업은 폭발적인 붐을 이루었고

컴퓨터
인터넷
반도체
통신
SW·MS
게임
$

경제가 풍요로워지면서 범죄율은 줄어든 반면

범죄율

이런 현상은 내 평생 처음 본다….

미국민의 복지는 개선되었으며 실업률은 줄어든 데다가

첫 4년 임기중엔 그 어떤 세계전쟁에도 미국이 개입하지 않았던 것이 손쉽게 그가 재선될 수 있었던 이유였어.

NO WAR!

전쟁에 안 끼면 돈 안 들고 미움 안 받고…

클린턴은 꾀돌이다!

또 1995년 말, 의회가 1996년 정부 예산 승인을 거부하자

예산안 승인거부

의회

깎아라, 깎아!

정부

미국 정부가 이에 항의하여 파업을 감행하는 이례적인 사건이 발생하기도 했지.

이런 일도 다 있나?

파업중

의회

정부

근무거부

그러나 1998년에 터진 또 하나의 섹스스캔들 모니카 르윈스키 사건과 폴라 존스 사건

모니카 르윈스키

SEX SCANDAL

폴라 존스

그리고 특검 검사 케네스 스타의 집요한 추적은 그를 궁지에 몰아넣었고

결국 그가 거짓말을 했다는 사실이 밝혀지면서 탄핵위기를 맞았어.

1998년 탄핵안 하원 통과

Impeachment

르윈스키에게 거짓 증언을 요구, 위증과 사법 방해!

1999년 2월 미국 역사 최초로 탄핵에 의해 대통령직을 상실할 위기에 처했던 클린턴은

탄핵

상원에서 탄핵안이 부결됨으로써 가까스로 백악관을 지킬 수 있었다고.

미국 역사에 대통령을 쫓아낸 전력을 만들 수 없다.

탄핵안 부결!

아마도 미국 역사에서 사생활문제로 그처럼 고통받은 대통령은 없었을 거야.

치사하게 남의 사생활을 물고 늘어지다니….

스캔들에도 불구하고 클린턴 시대의 미국은 경제는 성장하고 부채는 줄어들었으며

미국경제

부

채

북아메리카 자유무역협정이 체결되었고

NAFTA

North American Free Trade Agreement

캐나다 · 미국 · 멕시코

가정법이 개선되어 여성의 권익이 더욱 보호된 데다가

가정법

환경보호를 촉진하는 등 '빛나는 시대' 라 부르기에 부족하지 않았다고.

미국의 빛나는 시대

클린턴 시대에 강조된 글로벌 시대의 '자유시장경제(Neo-Capitalism)' 는

자유시장경제

GLOBALISM

국경을 넘어 더욱 자유로워진 자본주의 시대를 열었는데

서비스 · 문화 · 정보 · 자본 · 국경

이 신자본주의가 유럽에서는 부풀려진 복지제도와 결합되고 절충되어서

신자본주의

복지제도

유럽

'제3의 길' 이라는 유럽식 자유개방 시장경제제도가 열렸어.

신자본주의

복지제도

제3의 길

유럽

전세계적으로 글로벌화를 무서울 만큼 빠른 속도로 진전시켰던 거지.

글로벌화

클린턴 시대는 고질적인 미국의 좌절 (frustration)을 털어낸 '위대한 시대'였어.

정치정의가 점차 자리를 잡아가고

여성에게 고위직이 대거 개방되었으며

세계에서 유일한 초대강국으로서의 미국의 위상이 확고부동하게 정립됐지.

클린턴이 아시아계 미국인의 정치적 역량을 깨달은 첫 대통령이자

미국을 21세기로 인도한 대통령이라고 역사가들은 기록할 거야.

그는 로버트 루빈, 앨런 그린스펀과 같은 유능한 조력자를 곁에 두었고

* 앨런 그린스펀

정보화사회와 경제에 대해 해박한 지식을 지닌 대통령이었어.

그의 색소폰 연주솜씨 또한 일품이어서 선거전에도 유리하게 이용됐지.

TV 토크쇼에 나온 클린턴이 엘비스 프레슬리의 곡을 능숙하게 연주하자

미국의 모든 젊은이들이 열광했고 전국 모든 신문이 톱기사로 보도하기도 했어.

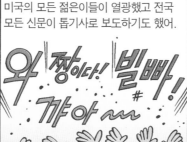

빌 클린턴, 그는 미국의 21세기를 연 '능숙하고 매력적인 악동'이었다.

257

조지 W. 부시 2001~

테러와의 전쟁으로 벌이는 일방외교

후세인

아프가니스탄

탈레반 정권

일방주의

USA

테러와
전쟁중

George Walker Bush

공화당, 1946.7.6~
출생지 코네티컷주 뉴헤이번 New Haven
부 인 로라 웰치 부시 Laura Welch Bush
1946~
자 녀 바버라, 제나
부통령 리처드 B. 체니 L. B. Cheney

조지 워커 부시의 제43대 대통령 당선은 미국 역사상 두번째 부자 대통령의 탄생이었으며

2대 J. 애덤스   6대 J. Q. 애덤스

→ 부시 / W. 부시

2004년의 재선 성공은 미국 역사상 처음으로 재선의 벽을 넘은 아들 대통령의 탄생이었어.

2004
Victory

그러나 조지 W. 부시는 미국 선거사상 가장 말썽 많고 의혹과 논쟁투성이의 선거를 통해 탄생한 대통령이기도 하지.

고어의 득표가 더 많다!

재검표 하자!

와글 와글

2000년 선거

부정선거 의혹!

또한 '테러와의 전쟁'을 내건 일방주의 외교와

'네오콘'을 내세운 초강경 보수우익으로

Neo-Cons
=New Conservatives

신보수 강경주의자

카앗

NEO CONS

미국 역사상 우방국들로부터 가장 거센 반발과 비판을 받는 대통령이기도 해.

너무하는 거 아냐?

반부시 반미!

조지 W. 부시는 코네티컷주 뉴헤이번의 전통적인 귀족형 집안에서 태어나

* 11세의 부시와 아버지(1957)

아버지가 다녔던 귀족적인 사립학교 필립스앤도버 아카데미와

아버지도 아들도….

Phillips Andover Academy

예일대학 – 하버드 MBA로 이어지는 전형적인 귀공자 코스를 밟았어.

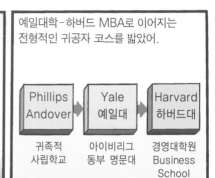

Phillips Andover	Yale 예일대	Harvard 하버드대
귀족적 사립학교	아이비리그 동부 명문대	경영대학원 Business School

예일대 시절 명문가문 자제들의 비밀결사의 멤버이기도 했지만

공부와는 거리가 멀어 평균 C학점을 기록했으며

전공보다는 사회과목 점수가 더 높았다.

강의실

음주, 연애, 스포츠에 열을 올리던 이른바 '놀자파' 학생이었다고 해.

학교를 마친 뒤 주방위군에 복무했다고는 하지만 참전 경력이 없어 그의 군 경력 진위 논란은 선거전에 늘 따라붙었지.

분명히 군복무한 기록이 있다!

베트남전에 안 가려고 기피한 혐의가 있다!

1975년 텍사스에서 석유사업에 손댔고 이때 도서관 사서였던 로라 웰치를 만나 3개월 만에 결혼했다.

* 부시 가족(1987)

1979년 정치에 입문하여 하원의원에 출마했다가 낙선 후 다시 석유사업으로 돌아갔어.

아무나 의원 되는 거 아니구나….

의회

1988년 아버지가 대통령에 출마하자 대선 참모로 활약

이번 선거에서 이기려면….

G. BUSH
1988

1988년에 이어 1992년 선거에도 참모로 뛰었어. 비록 실패하기는 했지만….

아부지, 죄송하구만요….

내 한을 풀어다오, 조지야!

훌쩍

1988년 그는 투자자를 모아 텍사스 레인저스 야구단을 60만 달러에 사들여 1,500만 달러에 파는 대박을 터뜨렸고

그는 사업가로서의 수완으로 세상의 주목을 받기 시작했지.

야구단 장사로 대박 터뜨렸다지?

아버지 닮아 사업능력이 뛰어나네.

이 여세를 몰아 1994년 텍사스 주지사 선거에 도전, 당선되었으며 1998년 재선에 성공하자

1994 당선
1998 당선
TAXAS

1999년부터 아버지의 네트워크를 업고 자연스럽게 차기 대통령 후보로 떠올랐던 거야.

백악관으로!

부시 네트워크

2000년 예비선거에서 강적인 애리조나주 상원의원 존 맥케인을 누르고 공화당 대통령 후보로 지명되어

BUSH CHENEY

힘겨운 싸움 끝에 민주당의 앨 고어에게 직접투표에서는 졌지만 선거인단수에서 5표 이겨 간신히 대통령에 당선되었어.

2000년 선거결과

공화당		민주당
조지 W. 부시		앨버트 A. 고어
50,456,141	득표수	50,996,039
271	선거인단수	266

이 선거는 너무도 박빙이어서 전세계의 이목이 한 표 한 표에 집중되었고

이…이거 떨어지는 거 아냐…?

박빙! 승부!

엎치락 뒤치락

정작 유권자투표에서는 졌음에도 선거인단수에서 앞선 부시가 승리하자

미국민은 나를 선택했는데

헌법 덕분에 당선됐다…

1888년에 겪고 110여 년간 잊고 지냈던 문제, 헌법에만 적혀 있고 학교에서 배운 적은 있는 문제였지만

직접투표에서 지고 당선된 경우

X 앤드루 잭슨 151,271표	존 퀸시 애덤스 113,122표	O
X 새뮤얼 틸덴 4,288,546표	러더포드 헤이스 4,034,311표	O
X 그로버 클리블랜드 5,534,488표	벤저민 해리슨 5,443,892표	O
X 앨버트 고어	조지 W. 부시	O

승자독식제도, 미국 선거의 선거인단 문제를 새로 살펴볼 필요를 미국인들은 절실하게 느끼게 되었지.

민주주의의 고향이라는 미국에

이 따위 비민주적 헌법이 있다니!

결국 플로리다주에서 일일이 재검표를 마치고도 승자가 결정나지 않자

유효. 무효인지 한 표 한 표 일일이 판단하자면

클린턴의 임기가 끝나도 누가 취임할지 판정나지 않겠다!

선거 후 36일 만에 공화당 성향의 연방대법원이 부시가 당선자임을 선포했고

부시 당선!

연방대법원

피말리는 2000년 선거는 세계의 비웃음 속에 부시의 승리로 막을 내렸지.

휴우

낄낄 깔깔 하하 호호

취임 후에도 부시는 선거후유증에 시달려야 했고

뭐야, 대통령 맞아?

사실상 고어에게 진 주제에….

대법원서 태어난 대통령!

'빛나던 클린턴 시대'의 그늘 속에서 힘들어했는데

클린턴 때가 정말 좋았는데….

수군수군

비실비실 부시, 부시시한 부시 제대로 할까?

2001년 9월 11일에 터진 테러는 그에게 국면전환의 기회를 마련해주었다.

2,973명이 숨진 9·11테러로 부시는 '테러와의 전쟁' 지도자로 새로 태어난 거야.

그는 테러조직을 지원했다는 이유로 아프가니스탄과의 전쟁을 시작했고

테러 지원국!

탈레반 정권

아프가니스탄

뒤이어 이라크와도 전쟁을 벌여 기나긴 전쟁에 돌입했어.

너희 대량살상무기 가지고 있지?

그런 거 없다니까!

비록 이라크를 점령하고 사담 후세인을 체포하긴 했지만

일국의 대통령을 이렇게 취급해도 되는 거냐?

이라크전쟁 시작의 명분으로 내세운 대량살상무기는 발견되지 않아 곤경에 빠지게 되었지.

못 찾았다. 꾀꼬리~~!

그럼 전쟁은 왜 한 거야?

이로 인해 2004년 재선에서 박빙의 승부를 벌인 존 케리와의 선거전에서 크게 고전했지만

이유없는 전쟁에 돈과 미국군의 생명을 쏟아 붓다니…!

케리가 내세운 경제회복의 호소보다

문제는 경제야, 이 바보야!

경제 회복 !

테러위협의 공포에 떠는 미국 국민들은 부시의 '안전한 미국'을 지지하였고

당신이 클린턴 이야?

안전한 미국 !

아슬아슬하긴 했으나 부시는 재선에 성공했어.

2004년 선거결과		
공화당		민주당
조지 W. 부시		존 케리
58,535,827	득표수	54,994,460
274		252
	선거인단수	

그의 저력은 어디에서 나오는 것일까?

그것은 독실한 기독교신자인 그의 신앙과 가족에서 비롯돼.

1985년경, 부시는 별다른 일 없는 단순한 술주정뱅이에 불과했지만

빌리 그래엄 목사를 만난 뒤 술을 끊고 거듭 태어났다고 고백하고 있어.

그렇게 인생을 살면 되겠는가? 그대를 위해 기도하리라…

그의 신앙은 저돌적이고 남의 시선을 의식하지 않는 정책집행 스타일로 나타나는데

부르릉

정책

재정적자가 심해짐에도 불구하고 두 번에 걸쳐 세금을 감면하는가 하면

지금 세금을 내리면 정부수입이 줄어서….

그래도 내려!

국제여론의 비판에도 각종 국제협약에서 미국중심, 미국이기주의적인 노선을 고집하여

그의 일방주의 외교는 세계적인 비난의 대상이 되었으며

내 뒤를 따르라!

뭐든지 제멋대로야!

세계 곳곳에 반미정서를 자극하였고

와 와 양키, 고홈!

반미, 반부시의 물결이 세계에 넘쳐 흐르게 했지.

와 와

BUSH NO

USA NO

WAR NO

아마 부시 정권만큼 미국중심의 정책을 일방적으로 밀어붙이는 정권도

미국은 강하다! 강한 자는 옳다!

옳으면 행한다!

전세계적으로 배척의 대상이 되는 정권도 미국 역사에서 앞으로 찾아보기 어렵지 않을까?

미국 부시 싫다!

너흰 떠들어라. 난 하고 싶은 대로 한다!

그의 가문은 학벌, 재산 등 귀족적이며 품위에 넘치지만

- 코네티컷 상류가문
- 명문학벌
- 재벌
- 화려한 인맥

정작 그는 투박하고 촌스러운 면모로 유명해.

하하하하 호호호호

그를 만나본 사람은 그에게 인간적인 매력이 있다고 한결같이 평가하고 있어.

앨 고어같이 완벽한 스타일은 어쩐지 차가워서 싫더라!

부시는 털털한 막걸리 타입….

미국에도 막걸리가 있나?

그러나 그에겐 넘어야 할 산이 한두 개가 아니야.

'따뜻한 보수주의'를 들고 나온 그이지만

어느 어린이도 불이익을 당해서는 안 됩니다!

NO CHILD LEFT BEHIND

2000년, 2004년 선거를 통해 극단적으로 갈라진 미국 국민들을

미국

민주당 지지

공화당 지지

다시금 하나의 미국인으로 융합시켜야 하는 당면과제가 눈앞에 닥쳐 있어.

미국

그리고 자칫하면 제2의 베트남전쟁으로 번질지 모르는 이라크전쟁

언제 어떻게 미국인의 안전을 파괴할지 모르는 눈에 보이지 않는 테러와의 전쟁

콰

또 십수 년째 뜨거운 감자로 세계의 주목을 받고 있는 북한 핵문제

핵부터 포기 하라!

체제보장부터 하라우!

USA

북한

세계 경제대국으로 떠오르고 있는 중국의 도전 등

조지 W. 부시의 제2기는 예측불가능한 지뢰밭 같다고나 할까…?

2005~2009

미국 역대 대통령 일람표

대	이름	탄생~사망	재임 기간	전 직업	임기	소속 정당	출신주	학력
1	G .워싱턴	1732~1799	1789~1797	군인	2	–	버지니아	초등 수준의 학력(15세)
2	J. 애덤스	1735~1826	1797~1801	변호사	1	연방주의자	매사추세츠	하버드대
3	T. 제퍼슨	1743~1826	1801~1809	법률가 등	2	민주-공화당	버지니아	윌리엄앤드메리대
4	J. 매디슨	1751~1836	1809~1817	법률가	2	민주-공화당	버지니아	뉴저지대
5	J. 먼로	1758~1831	1817~1825	법률가	2	민주-공화당	버지니아	윌리엄앤드메리대
6	J. Q. 애덤스	1767~1848	1825~1829	변호사 등	1	민주-공화당	매사추세츠	하버드대
7	A. 잭슨	1767~1845	1829~1837	변호사	2	민주당	사우스캐롤라이나	독학
8	M. 밴 뷰런	1782~1862	1837~1841	변호사	1	민주당	뉴욕	독학
9	W. 해리슨	1773~1841	1841~1841	군인	1	휘그당	버지니아	햄던-시드니대
10	J. 타일러	1790~1862	1841~1845	변호사	1	휘그당	버지니아	윌리엄앤드메리대
11	J. 포크	1795~1849	1845~1849	변호사	1	민주당	노스캐롤라이나	노스캐롤라이나대
12	Z. 테일러	1784~1850	1849~1850	군인	1	휘그당	버지니아	독학
13	M. 필모어	1800~1874	1850~1853	변호사	1	휘그당	뉴욕	독학
14	F. 피어스	1804~1869	1853~1857	변호사	1	민주당	뉴햄프셔	보든대
15	J. 뷰캐넌	1791~1868	1857~1861	변호사	1	민주당	펜실베이니아	디킨슨대
16	A. 링컨	1809~1865	1861~1865	변호사	2	공화당	켄터키	독학
17	A. 존슨	1808~1875	1865~1869	재단사	1	공화당	노스캐롤라이나	독학
18	U. 그랜트	1822~1885	1869~1877	군인	2	공화당	오하이오	사관학교
19	R. 헤이스	1822~1893	1877~1881	변호사	1	공화당	오하이오	캐니언대
20	J. 가필드	1831~1881	1881~1881	학자 등	1	공화당	오하이오	윌리엄스대
21	C. 아서	1829~1886	1881~1885	변호사	1	공화당	버몬트	유니언대
22	G. 클리블랜드	1837~1908	1885~1889	변호사	1	민주당	뉴저지	독학
23	B. 해리슨	1833~1901	1889~1893	변호사	1	공화당	오하이오	마이애미대
24	G. 클리블랜드	1837~1908	1893~1897	변호사	1	민주당	뉴저지	독학
25	W. 매킨리	1843~1901	1897~1901	변호사	1	공화당	오하이오	앨러게니대
26	T. 루스벨트	1858~1919	1901~1909	학자 등	2	공화당	뉴욕	하버드대
27	W. 태프트	1857~1930	1909~1913	공무원	1	공화당	오하이오	예일대
28	W. 윌슨	1856~1924	1913~1921	학자 등	2	민주당	버지니아	프린스턴대
29	W. 하딩	1865~1923	1921~1923	언론인	1	공화당	오하이오	오하이오대
30	C. 쿨리지	1872~1933	1923~1929	법률가	2	공화당	버몬트	애머스트대
31	H. 후버	1874~1964	1929~1933	광산기사	1	공화당	아이오와	스탠퍼드대
32	F. 루스벨트	1882~1945	1933~1945	변호사	4	민주당	뉴욕	하버드대
33	H. 트루먼	1884~1972	1945~1953	판사	2	민주당	미주리	캔자스시티법률학교
34	D. 아이젠하워	1890~1969	1953~1961	군인	2	공화당	텍사스	육군사관학교
35	J. 케네디	1917~1963	1961~1963	정치인	1	민주당	매사추세츠	하버드대
36	L. 존슨	1908~1973	1963~1969	교사 등	2	민주당	텍사스	텍사스대
37	R. 닉슨	1913~1994	1969~1974	변호사	2	공화당	캘리포니아	듀크대
38	G. 포드	1913~	1974~1977	변호사	1	공화당	네브래스카	미시간대
39	J. 카터	1924~	1977~1981	농장주	1	민주당	조지아	해군사관학교
40	R. 레이건	1911~2004	1981~1989	배우	2	공화당	일리노이	유레카대
41	G. H. W. 부시	1924~	1989~1993	사업가	1	공화당	매사추세츠	예일대
42	W. 클린턴	1946~	1993~2001	법률가	2	민주당	아칸소	예일대
43	G. W. 부시	1946~	2001~	사업가	2	공화당	코네티컷	예일대

■임기중 사망　■임기중 암살　■임기중 사퇴　대통령직 승계